Dacia Maraini in BUR

Dacia Maraini

La ragazza di via Maqueda

SCRITTORI CONTEMPORANEI

Proprietà letteraria riservata
© 2009 RCS Libri S.p.A., Milano

ISBN 978-88-17-04422-6

Prima edizione Rizzoli 2009
Prima edizione BUR Scrittori Contemporanei settembre 2010

Per conoscere il mondo BUR visita il sito **www.bur.eu**

La ragazza di via Maqueda

Geografia della narrazione

Le parole danno conto di un istinto a peregrinare per il mondo? Esiste una geografia della narrazione? I piedi camminano e "li cunti" seguono? Gli occhi guardano e le parole prendono corpo? La metamorfosi del viaggio diventa metamorfosi della cronaca?

In questi racconti, senza neanche volerlo, ho seguito la strada dei miei passi: dalla Sicilia a Roma, da Roma agli Abruzzi, come scrive Croce, preferendo il plurale al singolare più rattrappito e corretto.

Vorrebbero essere racconti della curiosità verso il mondo e della gioia di narrare. E della gioia di leggere, naturalmente, le due cose vanno insieme a passo di danza. Ma la memoria vi fa capolino, e non c'è modo di scacciarla. Una giardiniera appassionata? una comare secca, come direbbe Pasolini? Certamente una voce che non sa tacere. Ritorna sui luoghi amati, rimpiange, ricorda, allarma. Diventa quasi inopportuna nella sua assidua volontà di conservazione. Perché conservare? perché cullare negli occhi della mente luoghi che si sono snaturati, si sono odiosamente trasformati sotto la mano impudente e rapinatrice dell'*homo construens*?

La giardiniera ha la passione del sarchiare, seminare e fare crescere i ricordi. Ma c'è qualcosa che le impedisce di procedere con calma nel suo lavoro, come se le piante

7

stesse rifiutassero la crescita. Come se la funzione biologica venisse continuamente interrotta e contraddetta da un veleno tutto nuovo e sconosciuto. Gli arboscelli, appena nati, tendono a morire prima di affidarsi alla benedizione del sole.

Proprio come quel vasetto di piccoli crisantemi freschi, bellissimi nelle loro corolle dorate, che mi sono regalata appena arrivata all'Università di Middlebury nel Vermont questa estate, per rallegrare l'appartamento che mi avevano affidato.

Le prime mattine appena aprivo gli occhi, vedevo i fiori e respiravo contenta. Mi piace assistere all'alternarsi dei fiori che si aprono, si gonfiano, fanno mostra di sé, e poi sfioriscono e al loro posto nascono altri piccoli fiori, altre foglie che buttano boccioli che a loro volta si aprono e così via.

Ma qualcosa andava storto con quella piantina. Dopo la prima settimana ha cominciato a deperire. Non solo i fiori vecchi non facevano posto a quelli nuovi, ma era come se tutta la piantina respirasse aria velenosa. Non è possibile, ho messo l'acqua, ho tolto l'erba cattiva, cosa c'è che non va? mi chiedevo contrariata.

Dopo dieci giorni la piantina non respirava più: era grigia e triste e sia i fiori che le foglie tendevano a curvarsi verso il pavimento. Ho comprato del nutrimento per piante. Poi, pensando che stesse stretta in quel vasetto di plastica, mi sono procurata un vaso più grande, di coccio e l'ho travasata, aggiungendo altra terra fertile. Ma non c'era niente da fare. I piccoli crisantemi perdevano colore e le foglie si staccavano ad una ad una come se fossero stanche di vivere.

Una sera, parlando con uno studente di agraria, ho saputo che quelle piantine che vendono nei supermercati americani sono programmate per morire. Devono durare una settimana, non di più. E per quanto vengano innaffiate, curate, nutrite, dopo dieci giorni devono finire nella spazzatura.

«E perché?»

«Per poterne vendere un'altra.»

Chiaro. Semplice. Una meravigliosa filosofia di mercato. Meglio, una preziosa tecnica per incrementare le vendite. Ma a che costo?

Qualcosa di simile accade con la memoria umana di questi tempi. Le piantine seminate con amore e pronte a vivere e riprodursi, subiscono una specie di ordine nascosto che le porta alla morte entro breve tempo. Una memoria programmata per morire, perché la testa, senza ingombri, sia libera per comprare qualcos'altro. Fine, no? Ingegnoso certo.

La Sicilia è quindi prima di tutto il luogo della memoria coltivata. La giardiniera ha rifiutato di seminare fiori a tempo per dedicarsi alla coltura delle piante, anche le più umili, che abbiano davanti a sé tutto il tempo per crescere e riprodursi. Ha fatto un lavoro da certosina perché le radici non assorbano il veleno di una atmosfera culturale che privilegia le ragioni del consumo rispetto a quelle della conservazione e del risparmio.

D. M.

SICILIA

La ragazza di via Maqueda

Sta in piedi appoggiata contro un muro, tenendo una gamba ritta e l'altra piegata, come una gru. Ha i capelli ricci, nerissimi che le incorniciano la faccia tonda e infantile. Porta scarpe dalle zeppe di sughero e lacci che salgono lungo i polpacci magrissimi. Ha la pelle scura, di un profondo colore notturno. Si direbbe una bambina di dieci anni, anche se si guarda intorno con fare adulto e spavaldo. Come se avesse paura, ma nello stesso tempo sfidasse la propria paura con modi sicuri, fumando una sigaretta dietro l'altra. Per terra, intorno a lei, tante cicche e qualche pacchetto vuoto, sgualcito e pestato.

L'ingegnere D.B. la incontra tutte le mattine mentre si dirige verso l'ufficio. Quasi senza volerlo rallenta per osservarla meglio. Ma cosa fa? Aspetta qualcuno? Ma chi, alle otto di mattina?

L'uomo supera la ragazzina che non lo nota affatto, presa com'è dalla sua attesa distratta e temeraria. Senza voltarsi, l'ingegnere solleva gli occhi allo specchietto retrovisivo. La vede allontanarsi come la ballerinetta africana di porcellana che, da quando ha memoria, si trova sul trumò di casa. Ha qualcosa di fisso e di soave, di spettrale e di gioioso che attira lo sguardo. Poi, svoltato l'angolo, l'ingegnere abbassa un poco lo specchietto per guardare la propria faccia. Gli occhi sono pesti, come ogni mattina. E le due rughe attorno alla bocca sembrano più profonde del solito. Prova a sorridersi. Gli viene fuori una smorfia buffa, come se facesse il verso a se stesso. Scuote il capo scontento. È sempre stato così con quell'uomo che gli sta di faccia e con cui ha avuto la sfortuna di condividere la vita.

Corso Calatafimi, via Vittorio Emanuele, via Maqueda, via Oreto, eccolo arrivato in ufficio. C'è un parcheggio interno per le macchine degli impiegati. Il portiere gli fa un segno di saluto. L'ingegnere D.B. accenna un sorriso. Va a posteggiare accanto al Suv del direttore. Si chiede di che umore sarà. È un uomo caratteriale. Va a giornate come il Puntila di Brecht che ha visto quando era ragazzo nello scantinato adibito a teatro di suo fratello in via delle Balate. Il povero servo Matti non sapeva raccapezzarsi: in certi giorni il padrone si mostrava generoso, affabile, lo trattava come un amico, in altri invece diventava irascibile, rabbioso e gli si rivolgeva come al peggiore dei nemici, umiliandolo a sproposito.

Gli viene in mente la faccia di suo fratello, il ragazzone che fa fatica a invecchiare. Si chiede chi fra i due abbia vinto: lui che veniva accusato fin da piccolo di essere goffo, secchione, lento e studioso – uno che si laurea a ventitré anni e trova impiego a venticinque, si sposa con una brava ragazza e ora è padre di due bellissimi bambini, non è un vincitore? O il fratello dagli occhi stellati che è sempre stato esuberante, irrequieto, ha fatto l'attore e il regista di teatro senza successo, ha vissuto da protagonista il Sessantotto, si è sposato due volte e due volte ha divorziato e ora si trova a vivere solo in un piccolo appartamento che puzza di fumo, alla periferia della città?

Eppure ogni volta che si vedono si danno delle gran pacche sulla schiena. Uno dice all'altro: «Tu sì che hai saputo fare qualcosa nella vita». Ma non ne sono convinti. Aleggia il sospetto che il fallimento li abbia acchiappati per il collo tutti e due. Dipende dal punto di vista, certo. Ma rispetto alle grandi ambizioni con cui sono cresciuti, come accettare questa mediocrità? Dove andranno a finire le ambizioni dei giovani?

L'ingegnere D.B. ripensa al tempo lontano in cui erano due ragazzi fradici di sogni e di speranze. Uno bello e ricercato dalle ragazze, l'altro timido e impacciato, solitario. Uno alto, asciutto, con gli occhi azzurri come il padre, l'altro più basso, le gambe e le braccia corte come la madre. Uno dai capelli lunghi fluidi e chiari, l'altro castano, portato alla calvizie. Due fratelli così diversi era difficile trovarli. Eppure si amavano e, seppure di lontano, si tenevano d'occhio.

Mentre se ne sta così, pensieroso, con le gambe fuori dal posto di guida, immobile e assorto nei suoi pensieri, scorge di sguincio il direttore che scende di corsa le scale. Un bell'uomo, sui quaranta, senza un accenno di pancia e con tutti i capelli in testa. Indossa un completo di lino azzurrino. Quanto gli piacerebbe essere snello e asciutto e capelluto come lui! Solleva una mano per salutarlo ma l'altro neanche lo vede. Sta correndo con delle carte in mano verso una macchina lunga e nera che è ferma davanti al portone.

Appena si siede alla sua scrivania sente il cicalino del telefono interno: «D.B. dal direttore!». Cosa vorrà? avrà visto che era in ritardo di dieci minuti? In realtà non è il tipo che badi a questi particolari. Avrà notato la sua aria trasognata, poco efficiente e fattiva?

Entra. Il giovane direttore in completo di lino azzurrino gli lancia uno sguardo affettuoso. Cominciamo bene, si dice D.B. e si siede sulla sedia che gli indica il superiore.

«Questo è il nuovo carico per la Libia. Devi solo firmare.»

«Io? e perché?»

«Non c'è perché. Se l'azienda ti chiede di firmare, tu firmi, tutto qui.»

«Ma di che si tratta?»

«Un carico di bidoni. Carbonato di sodio.»

«E perché tanti segreti per del carbonato di sodio?»

«In mezzo ci sono altre merci. Ma ufficialmente non ci sono.»

«Che merci?»

«Frègatene. Ufficialmente non ci sono... Sai cos'è il carbonato di sodio? Stessa materia dell'idrogenocarbonato di sodio, un sale di sodio dell'acido carbonico. E sai perché sul mercato si chiama Soda Solvay?»

«No, ma...»

«È stato il chimico belga Ernst Solvay nel 1861 a convertire il cloruro di sodio in carbonato di sodio usando carbonato di calcio e ammoniaca, lo sapevi?»

«No, ma...»

«Da non confondere con la soda caustica, che è idrossido di sodio, la cui formula chimica è $NaOH$. Viene adoperato per pulire le cisterne, per lo sviluppo delle pellicole di nitrocellulosa LR 115 che si usano per la misurazione della concentrazione di gas radon. Chiaro?»

«Sì, sì, ho capito, ma io che c'entro con tutto questo?»

«Devi solo firmare. Il resto non conta.»

«Vorrei sapere per lo meno cosa rischio.»

«Niente, cosa vuoi rischiare? Abbiamo tutte le carte in regola.»

«Ma allora perché non firmate voi?»

«Per i miei gusti fai troppe domande. Fìdati. Non avrai niente da temere.»

D.B. dà una occhiata alle carte che l'altro gli ha messo davanti. È scritto tutto minuscolo. Non si capisce granché.

«E se non firmo?»

«Fai come vuoi. Nessuno ti obbliga, s'intende.»

«Allora non firmo.»

«Le conseguenze sono ovvie, talmente ovvie, mio caro ingegnere D.B. che non te le sto neanche a dire.»

Ride, come solo lui sa fare, con un'aria insolente e monellesca. Cerca complicità. E di solito la trova.

D.B. prende la penna che gli viene tesa e, dopo avere cercato nella bocca asciutta un poco di saliva da deglutire, firma. Gli tremano le mani. Ma sa che non ha scelta.

Quando alza gli occhi vede il sorriso soddisfatto del giovane uomo dai capelli castani, le labbra sensuali. Com'è possibile che costui, di due anni più vecchio, sia così giovanile mentre lui perde i capelli e ha la tendenza a mettere su pancia?

A casa, mentre la moglie gli racconta dei bambini che sono andati ai giardinetti con la tata rumena, si studia le carte. In realtà non appare niente di compromettente. Se c'è qualcosa di illecito, è ben nascosto. Ufficialmente si tratta di un carico di carbonato di sodio diretto in nave verso la Libia, tutto lì. Bidoni di materiale chimico che servirà per i solventi, per i saponi, per alcuni medicinali. Comprato dalla sua ditta a Rosignano e rivenduto ai libici. In partenza il 12 maggio verso il porto di Tripoli. Punto e basta. Ma perché lo hanno messo in mezzo? L'inghippo ci deve essere. Sarà il caso di andare a vedere al porto?

Si toglie la giacca e si siede davanti al televisore. Dalla cucina arriva un buon profumo di melanzane alla parmigiana. Ha un sorriso di compiacimento. Sua moglie sa che a lui piace quella pietanza e se ha perso la mattinata a prepararla è segno che vuole dimostrargli il suo affetto. Nonostante la lite della sera prima. O forse proprio per farsi perdonare il tono rabbioso della sera prima quando ha difeso il diritto della figlia di uscire nel pomeriggio con una compagna di scuola. Ma lui è stato irremovibile. La bambina ha dodici anni e non può uscire senza essere accompagnata. Conosce troppo bene i pericoli della città.

La moglie aveva protestato ma senza insistere. Ed ecco che stamattina gli fa trovare il suo piatto preferito: le melanzane alla parmigiana.

D.B. apre la porta della cucina. Trova la compagna della sua vita alle prese coi fornelli: in pantofole, il vestito di lanetta rossa coperto da un grembiule macchiato di sugo, i capelli sfatti tenuti in alto con delle forcine. Si avvicina senza fare rumore e le preme le labbra sulla nuca. La donna sussulta. Si volta rapida, con un ramaiolo in mano.

«Mi hai spaventata!»

«Ti spaventa un bacio?»

La donna posa il ramaiolo, si asciuga le mani umide sul grembiule e abbraccia il marito. Le due bocche ora sono unite. Il bacio è lungo, intenso. Dopo tredici anni di matrimonio, un prodigio! si dice lui annusando il buon odore di melanzana fritta e di sugo all'agrodolce.

La ragazzina è sempre lì. La gru, come la chiama fra sé pensando al famoso racconto del cuoco Chichibio che cucinò per il suo padrone una gru con una coscia sola avendo regalato l'altra alla sua innamorata. Boccaccio racconta che il padrone rimproverò il cuoco per quella zampa in meno che attribuì a un furto, come in effetti era. Ma Chichibio gli rispose che le gru, tutti lo sanno, hanno solo una zampa, che andasse a controllare. In effetti si recarono insieme sul lago dove sostavano le gru e le trovarono che dormivano in piedi su una zampa sola. Vedete che ho ragione? disse il cuoco. Allora il padrone batté le mani e le gru misero giù la seconda zampa prima di prendere il volo. Il cuoco Chichibio, smascherato nella sua bugia, rispose serio: se aveste battuto le mani a tavola, mio signore, anche la gru cotta al forno avrebbe tirato fuori l'altra coscia.

La piccola africana dai ricci neri e la faccia tonda, misteriosa, se ne sta in piedi, una gamba tesa, una piegata, col piede puntato contro la parete di una casa. Dietro di lei una scritta: VIA GLI STRANIERI DALL'ITALIA! Ma non sembra nemmeno averla vista. Se ne sta un po' curva, la faccia serissima, a fumare una sigaretta dietro l'altra.

L'ingegnere avrebbe voglia di chiederle chi aspetta. Ma

poi si dà dell'ingenuo. Aspetta clienti, è talmente chiaro. A quell'età? Chissà da dove viene. Dalla Nigeria probabilmente, o dal Mali. Ne arrivano tante da quei paesi poverissimi. D.B. scuote la testa perplesso. È proibito prostituirsi prima dei diciotto anni, possibile che nessuno controlli?

Accelera e prosegue per via Maqueda. Ma non può fare a meno di seguire sullo specchietto retrovisivo la figurina esile, scura, dai capelli talmente neri che sembrano azzurri. Ha qualcosa di fragile quella ragazzina e nello stesso tempo di così potente che gli mette un groppo in gola.

Al porto, l'ingegnere D.B. passa mostrando il foglio della ditta e la sua carta di identità. Ma deve scendere dall'auto, non si può entrare che a piedi. Davanti a lui si apre il grande porto di Palermo in tutta la sua efficienza e bellezza mattutina. Tira un ampio respiro e sente l'aria salsa salire su per il naso assieme a un sentore di pece e di cordame. Le panchine sono formicolanti di imbarcazioni. Enormi gru in movimento falciano l'aria a venti metri di altezza. Alla parola gru si accorge che la sua bocca si apre in un sorriso di tenerezza. Anche qui delle gru. Solo che queste sono di ferro, mentre l'altra è di carne; queste sono tante mentre l'altra è una sola. Davanti a lui piroscafi, motonavi, pescherecci, aliscafi, battelli. Uno sventolio di bandiere di paesi diversi.

La sua dovrebbe battere bandiera venezuelana. E dovrebbe chiamarsi DELTA. Ma non la vede. Quasi sopra la sua testa si alza la prua possente di una nave da crociera tutta dipinta di bianco. Si chiama LADY DIANA, batte bandiera inglese. Attraccata alla banchina vicina una petroliera dai fianchi rugginosi. E poi ancora una nave da crociera, lunga e grigia, elegantissima, con i bordi dipinti di verde, che porta un nome greco: POTNA. Alla rada una motonave da trasporto, issa bandiera americana. Due petroliere vuote, dalle fiancate scure su cui si vedono i segni lasciati dall'acqua marina quando affonda per il peso del petrolio. Ci sono anche due navi da guerra, grigio argento, con i cannoncini puntati verso l'alto. Ma come sarà la bandiera venezuelana? Ne scorge altre di navi, giganteesche, con piscine e campi da tennis incorporati. Le finestre delle cabine sono accostate. Solo i marinai in coperta puliscono il ponte con le scope.

Ma eccola, deve essere questa. Un battello goffo, panciuto, con due fumaioli e una scritta nero su lilla: DELKTA. Chissà che vorrà dire! Il fumo esce da una ciminiera che sovrasta una cabina scrostata piantata in mezzo al ponte. Una scaletta dall'aria instabile pende dal bordo lungo la fiancata, ma intorno alla nave e sopra non si vede un'anima.

D.B. prende ad arrampicarsi. Arriva in cima col fiatone.

«C'è nessuno?»

Sembra che siano tutti scesi e abbiano lasciato il battello vuoto. Ma alla seconda chiamata, vede un uomo piccolo dalle braccia tatuate che si affaccia dalla cabina di prua e gli chiede chi sia. Mentre lo interroga, scaglia in acqua con gesto rabbioso un sigaro masticato a metà.

«Sono della Panormus. Ho firmato la responsabilità del carico che state per portare in Libia. Vengo a vedere.»

L'altro lo osserva seccato, ma accondiscendente.

«Cosa vuole vedere? È stato già tutto caricato.»

«I bidoni di soda. Quanti sono?»

«Sì, soda e controsoda» dice l'altro ridendo apertamente.

«Perché ride?»

«Se ha firmato deve sapere che trasportiamo materiale pericoloso. Scorie radioattive. Deve saperlo, altrimenti è una testa di cazzo.»

«Sono una testa di cazzo, infatti.»

«Non gliel'hanno detto delle scorie?»

«Era meglio sapere che si tratta solo di soda.»

«L'hanno presa in giro.»

«E dove va il carico?»

«A Tripoli, come nel programma.»

«E se non l'accettano?»

«Abbiamo già pagato.»

«E se non l'accettano comunque?»

«Scarichiamo in mare. Con tutta la nave.»

«Tutta la nave?»

«Per forza... lei mi sembra un poco inesperto, ingegnere. Ma lo vuole un caffè? Rino, portaci due caffè!»

D.B. risponde che non vuole caffè. Deve tornare in ufficio. Ma già, Rino, un anziano marinaio dalla faccia mangiata dal sole, è partito verso la cucina.

«Mi scusi ma io volevo sapere... se... diciamo, se firmo la responsabilità di questo carico, cosa rischio?»

«Niente se tutto va bene. Questi carichi sono talmente ben pagati che tutti li vogliono: li seppelliscono in qualche deserto e buonanotte. Se proprio fanno storie le guardie di frontiera, come qualche volta è accaduto, mandiamo per aria la nave con tutto il carico. Non lontano da una costa tranquilla. Abbiamo le barche di salvataggio pronte. Poi ci penserà l'assicurazione a pagare le spese. È saltata la caldaia, è bruciato tutto. C'è poco da discutere.»

«E le scorie radioattive?»

«Sepolte. Nessuno se ne accorge.»

«Ma inquineranno le acque.»

«Non subito. Fra vent'anni quando i bidoni cederanno. Ma che ci importa di quello che succede fra vent'anni. Se la vedranno i nostri figli.»

«Appunto!»

«I miei sono al sicuro, in Australia.»

«I miei sono qui.»

«Li tenga lontani dalle coste del Mediterraneo. Ce ne sono parecchie di queste navi fantasma col loro carico radioattivo. È roba che procura leucemia. Non a caso in certe città della costa il numero di bambini leucemici è raddoppiato in questi anni.»

«Le sembra morale?»

«Da quando in qua l'economia è morale? Vuole una sigaretta?»

D.B. si accorge che sono le stesse che fuma la piccola gru in via Maqueda. Ha visto il pacchetto accanto ai suoi piedi una mattina: Muratti rosse, con filtro.

«No, grazie, non fumo.»

«Per risparmiare i polmoni? qui tutto è inquinato caro ingegnere, anche l'aria che respiriamo. Cosa vuole che faccia un poco di fumo?»

«Non ho mai fumato.»

«L'hanno pagata bene per questa firma, spero...»

«Be', no.»

«Allora è un ricatto?»

«Forse.»

Il direttore è particolarmente cortese con lui in questi giorni. La nave deve essere salpata. Il lavoro in ufficio non sembra diverso dal solito. Cosa c'è di anormale? I battelli partono dal porto di Palermo carichi di vino, di olio, di arance, di limoni. E anche di carbonato di sodio. Pochi di quei container che vengono tirati su dagli argani del porto saranno controllati a fondo.

Ieri mattina il giovane direttore l'ha addirittura invitato a fare colazione con lui al bar dello Zu Calogero che si trova all'angolo di via Oreto con via Todaro. Lui ha preso un cappuccino e una brioscia fresca. Il direttore ha ordinato una granita di caffè con panna, un cannolo e una pasta con le fragoline di bosco. Come farà a non ingrassare?

«Sta arrivando l'estate» ha detto il direttore con la bocca piena.

«Sì.»

«So che sei stato al porto, D.B. Cos'è, non ti fidi di me?»

«No, be', volevo vedere di persona.»

«E che hai visto?»

«Niente.»

«Bene. È così. Non c'è niente da vedere. Quello che sta scritto nel foglio sta scritto e basta. Ci siamo intesi?»

«Intesi.»

Vorrebbe dirgli del materiale radioattivo e della responsabilità che si deve prendere se vuole tenere il posto. Ma non riesce ad aprire bocca.

«Ah, volevo dirti che il presidente è molto contento. Ha detto che dal prossimo mese ti aumentiamo lo stipendio. Tremila e cinque al posto di duemila e otto, va bene?»

Dovrebbe rilanciare. È il momento buono. Perché non lo fa?

Sente la propria voce che dice lenta e atona: «Va bene, grazie».

«Come mai qui?»

Il fratello lo guarda con occhio stupito. È raro che vada a trovarlo nel suo appartamentino disordinato e squallido di piazza Noce. Di solito è lui che si sposta, una volta ogni tre o quattro mesi, per salutare i nipotini portando dei regali che vengono regolarmente buttati.

«Volevo vedere come stai.»

«Sto bene.»

«Hai bisogno di soldi?»

«No. Me la cavo. Ho aperto una scuola di recitazione.»

«E ci viene qualcuno?»

È sempre stato scettico sulle capacità organizzative del fratello. Una scuola di recitazione poi. In quella topaia!

«Sono già una ventina. E pagano pure.»

«Qui?»

«No, ho affittato una sala. Devi venire a vederla, è grande, in via dell'Uditore. Pago poco. Non c'è luce, ma mi arrangio.»

«Lampade a petrolio, come durante la guerra?»

«No, faccio lezioni di giorno. Dalle otto di mattina alle cinque.»

«E per il riscaldamento?»

«Ora andiamo verso l'estate.»

«E d'inverno?»

«Stufe a cherosene.»

«Sei tu che insegni?»

Si pente subito della domanda e del tono con cui l'ha pronunciata. Ma la faccia tirata e affaticata del fratello che ha la barba lunga, i capelli sporchi e la camicia unta, lo induce, chissà perché, a pensare che sia un pessimo insegnante. E poi, si può insegnare qualcosa in cui non si eccelle? Ha forse partecipato a qualche spettacolo di successo? ha combinato qualcosa nella vita che non siano pasticci con donne diverse? si è mai fatto vedere in televisione in uno dei tanti filmati dove pullulano gli attori italiani? un uomo che puzza di fallimento lontano un miglio, come può proporsi come insegnante?

«Lo so che ti faccio pena. Lo vedo dal tuo sguardo. Ma sbagli. Sto benissimo. Ho trovato una compagna deliziosa. Ora non c'è ma te la faccio conoscere appena posso. Fa l'attrice e insegnerà con me. Ha la mia età, non è una ragazzina bisognosa del padre come la mia seconda moglie. È sposata come me, divorziata e ha una figlia molto simpatica.»

«Hai messo su famiglia!»

«Non ancora. Ma lo farò. Presto. Stiamo cercando casa.»

Sono quasi le otto. Piove. I marciapiedi di Palermo emanano un odore insistente di pesce secco e arance amare. Le palme hanno le foglie lucide. Gli ombrelli corrono, ruotano su se stessi come in una coreografia teatrale. Le vetrine dei negozi sono rigate d'acqua. I lunotti delle automobili si coprono di perluzze luccicanti.

D.B. rallenta. Si vede poco o niente in mezzo a quell'acquazzone. Scansa all'ultimo momento un venditore di cavoli e pomodori che sta trasportando il carretto verso il centro della strada affrontando a testa nuda la pioggia. I pomodori sembrano veramente dei pomi d'oro in quella luce di crepuscolo primaverile.

Eccola lì la piccola gru. O la chiamerò trampoliere? si

chiede D.B. puntando lo sguardo sulla ragazzina nera che se ne sta addossata al solito muro, con una gamba per terra e l'altra piegata. Non ha ombrello e si ripara dalla pioggia sotto un balcone che sporge sulla sua testa. La pelle nuda delle braccia, del collo, delle gambe sembra risplendere in quella penombra piovosa. Il nero a volte è più luminoso del bianco, si dice l'ingegnere ammirando il piccolo corpo compatto e radioso come se nascondesse una lampada sotto la pelle.

Gli viene da ridere a vedere la smorfia infreddolita su quella faccia di bambina. Ma nello stesso tempo prova pena per lei. Cosa fa sempre su quella strada, da sola? Non ha una famiglia? Qualcuno che le badi? La voglia di rivolgerle la parola è talmente forte che il suo piede si appoggia inconsapevolmente sul freno e si trova a sbattere la fronte sul vetro.

La ragazzina ride, ritta su una gamba sola, proprio come una gru che dorme. A D.B. viene voglia di prenderla per la gola. Ma poi si mette a ridere pure lui. Accosta l'auto. Scende aprendo l'ombrello grande, nero e si accosta alla bambina.

«Se vuoi te lo regalo» dice porgendole l'ombrello.

«No, non bisogno io» risponde divertita.

«Come ti chiami?»

«Tu pagarebbe me?»

«Non sono qui per comprarti. Mi hai fatto pena sotto la pioggia e ti volevo regalare l'ombrello. Io mi chiamo...» Ma prima di pronunciare il nome si morde le labbra. Un istinto di segretezza lo trattiene.

«Che fai qui sempre sola?»

«Io non capiscere.»

«Come ti chiami?»

«Ma che voli tu?»

«Niente. Solo aiutarti.»

«Non bisogno aiuto.»

«Lo so, lo immagino. Sei una ragazzina orgogliosa... si vede. Posso chiederti per lo meno quanti anni hai?»

«Tu dai soldi e io con te. Let's go! dove auto?»

D.B. ha un sussulto. Nemmeno per un momento ha pensato di approfittare di quella bambina che potrebbe essere sua figlia!

«Posso offrirti un caffè?»

Una spinta lo manda quasi per terra. D.B. si aggiusta la giacca stupendosi della forza di quelle braccine magre che sbucano da una maglietta rossa coperta di stelline nere.

«Aspetta, dài, volevo solo parlare con te. Io non ci vado con le prostitute. Sono sposato e ho figli.»

La ragazzina lo guarda dalla testa ai piedi con un'aria divertita. Ma questo da dove esce?

«Lo vuoi l'ombrello?» insiste lui.

«No.»

«Hai bisogno di soldi? Non ti chiedo niente in cambio. Solo il nome.»

«Tu polizia?»

«Noooo, che dici? tieni, prendi questi dieci euro. Dimmi solo il nome e me ne vado.»

«Chi faccio con tue dieci euri? Vai via! non qui, io lavoro, vai!»

L'ingegnere D.B. rientra a casa fradicio. La moglie non gli chiede cosa ha fatto. Gli porge un asciugamano dalle lunghe frange bianche.

«Rosa, Mariuccio, venite a salutare papà!»

D.B. abbraccia i bambini e ne spia le facce. Sembrano impauriti da lui. Davvero fa paura ai suoi figli? Gli monta la rabbia contro la moglie, che è sempre pronta a dare loro ragione. Gli scoccia fare la parte del duro. Ma pure qualcuno deve farlo in famiglia, occorre sapere dire dei no, lo raccomandano tutti gli psicologi. Non negoziare, ma stabilire dei valori e imporli. Educare alla riflessione, alla responsabilità. È questo che impone a se stesso.

«Hai fatto i compiti, Rosetta? fai vedere i voti.»

La figlia si è portata dietro il quaderno, sapendo che il

padre glielo avrebbe chiesto. Lo apre con fare sussiegoso. Lui caccia il naso fra le pagine, ma non riesce a distinguere qualcosa di interessante in mezzo a quelle frasi dalle lettere incerte più volte cancellate.

«Non so perché vai così a rilento. Io alla tua età scrivevo come un libro stampato. E prendevo sempre otto. Invece guarda qui, sono più i cinque che altro... come mai amore mio?»

La bambina lo guarda mortificata. Cerca di riprendere il quaderno ma il padre continua a tenerlo sotto gli occhi e ora sbuffa nel vedere le pagine cosparse di maialini, angioletti, gatti, madonne e cani che sbucano da tutte le parti, che sbrilluccicano sfacciatamente.

«Cos'è questa roba?»

«Sono fatti col pantografo» risponde la madre che si affaccia dietro la figlia asciugandosi le mani nello strofinaccio di cucina. «Hai visto che brava?»

«E tu approvi che tua figlia perda tempo a riempire il quaderno con queste porcherie fosforescenti!»

«Non sono porcherie, papà.»

L'ingegnere non può trattenersi dal darle un buffetto sulla testa.

«Sono porcherie. Non tentare di avere ragione con tuo padre!»

«Ma i compiti li ha fatti, e ha avuto un buon voto!»

«Questi me li chiami compiti ben fatti! guarda che scrittura stentata e storta! una ragazza a dodici anni non può scrivere ancora così. C'è da vergognarsi.»

Il fratellino gongola per questi rimproveri. Si sente vendicato di tutte le angherie che la sorella maggiore gli ha fatto durante la mattinata.

«Sono porcherie» dice imitando la voce severa del padre. E ride. Anche la madre ride. E la bambina, che ha le lagrime agli occhi per il rimprovero, non sa se ridere o piangere. Intanto il fratellino continua a ripetere cocciuto «sono porcherie, sono porcherie».

L'ingegnere D.B. tiene il giornale aperto davanti al viso. Ha appena bevuto un caffè e gli sono rimasti due baffetti neri agli angoli della bocca. Leggendo i titoli viene preso da un tremito che gli fa ballare il foglio fra le dita. Come è possibile? come è possibile? si chiede mentre legge, con occhi che divorano i caratteri, la notizia di una nave venezuelana bruciata vicino alle coste della Calabria, fra Roccella Ionica e Siderno.

Il capitano e i suoi marinai si sono salvati in due canotti approdati sulle spiagge di Bovalino Marina.

D.B. chiude rabbiosamente il giornale e si dirige a gran passi verso l'automobile. La moglie lo aspetta seduta accanto al posto di guida.

«Già finito?» le chiede lui dando una occhiata ai sacchi del supermercato che giacciono sul sedile posteriore.

«E tu, hai preso il caffè? ...ma che hai? stai male?»

«Sto benissimo.»

«Ti tremano le mani.»

«Ho letto di quella nave affondata sulle coste calabresi. Mi ha fatto impressione.»

«L'ho sentito anch'io, lo dicevano alla radio poco fa. Per fortuna non aveva petrolio a bordo. Ti ricordi l'anno scorso quella petroliera che è affondata inquinando il mare Ionio? ti ricordi le fotografie degli uccelli tutti neri di pece che i ragazzi del WWF cercavano di pulire con l'alcol?»

«Può essere peggio questa volta.»

«Perché, cosa portava?»

«E che ne so! che cavolo ne so!»

D.B. si guarda le mani e pensa come fare per controllarle. Anche la sua voce è uscita stridula e rabbiosa. Non dovrebbe rivolgersi così alla moglie. Non ha colpa se non sa. Ma il nervosismo lo mangia vivo. Per non continuare a litigare, accende la radio e alza il volume al massimo.

Una voce maschile, saccente e distratta commenta la notizia della nave bruciata al largo di Siderno.

«Abbiamo raggiunto il capitano della nave Delkta. Ecco la sua testimonianza. Scusi capitano, so che è ancora sofferente per la fuga dalla nave in fiamme, so che ha rischiato di morire soffocato, ma ci potrebbe dire cosa è successo?»

«È scoppiato un incendio nella stiva...» dice la voce resa grassa e pastosa dal fumo dei sigari che riconosce immediatamente. «Una combustione naturale. Qualcosa ha preso fuoco nella stiva. Non ce ne siamo accorti subito. Solo quando il fumo ha cominciato a uscire prepotente dal boccaporto e ha invaso il ponte abbiamo capito che la cosa era grave. Abbiamo messo in moto l'impianto antincendio ma era troppo tardi.»

«Qualcuno da riva ha parlato di una esplosione.»

«No, nessuna esplosione. Sa, sono navi vecchie, e qualcosa non ha funzionato a dovere.»

«Cosa portava la nave?»

«Carbonato di sodio comprato a Rosignano da rivendere in Libia.»

«Niente altro?»

«Niente altro.»

L'ingegnere spinge il pulsante della radio. Ma ancora gli tremano le mani. E la moglie se ne accorge. Ma non parla. Sa che non serve. Si limita a guardarlo con occhi assorti e curiosi.

La ragazza-gru scappa e lui la rincorre. Sono in una specie di deserto dai cespugli folti e spinosi. Lei procede velocemente sulle gambe agili e snelle. Lui la insegue, si affanna, inciampa, cade, si rialza. Ma non la perde di vista. Si accorge che lei, con un gesto rapido si libera delle scarpe dal tacco altissimo e continua a fuggire a piedi nudi lungo un pendio pietroso. Ogni tanto si guarda indietro e gli pianta addosso quel suo sguardo lucido e canino. Lui cade di nuovo. Si riempie le mani di graffi sopra un cespuglio di more. Si rialza, riprende l'inseguimento. Come fa quella bambina a procedere con tanta rapidità?

Adesso vorrebbe ucciderla. Se la prendo la ammazzo, si dice mentre continua la corsa affannosa verso le pendici di un monte che appare da lontano come una torre rossiccia dalle pareti aride e nude. Lei sembra scappare dalla sua voglia di uccidere. Ma ha veramente voglia di ucciderla o di prenderla e di carezzarla, come farebbe con un gatto riottoso?

Ora vede che sosta un attimo a riprendere fiato. Si porta una mano al petto come per tenere il cuore fermo sotto la camicetta. Deve assolutamente raggiungerla. Ma lei è sempre a una decina di metri di distanza e non accenna a rallentare. Ormai sono alle falde della montagna e lei comincia ad arrampicarsi sulle rocce rossicce mettendosi a quattro zampe come una scimmia. Anche lui ora si trova le rocce davanti e deve aggrapparsi con le mani oltre che puntare i piedi se non vuole scivolare e cadere di sotto. Possibile che non riesca a tenerle testa? Ormai non ha più fiato. Ma anche lei deve essere sfiatata. Corri, si dice, corri, non puoi lasciarla andare!

Finalmente ha l'impressione che la ragazzina abbia rallentato. Lo spazio fra di loro si sta accorciando. Ora la prendo, ora la prendo, dice una voce esultante dentro di lui. E in effetti lei si fa sempre più vicina.

Si capisce che è stanca, non ce la fa più. Poi, guardando bene si accorge che ora sta procedendo con una sola gamba. L'altra non c'è più. Dove l'ha lasciata? Intanto sente il respiro di lei farsi affannoso, sempre più prossimo. L'ho raggiunta, si dice, l'ho raggiunta. Allunga una mano verso la gonnellina corta di lei.

Ma invece di trovarsi la stoffa della veste si accorge che tiene fra le mani una coda scivolosa e ispida. Non è più la bambina-gru che stringe fra le braccia ma una specie di topo gigantesco dalla pelliccia ruvida.

Gli viene da vomitare e si sveglia in preda all'angoscia in un lago di sudore.

Per fortuna sua moglie è uscita presto per portare i

bambini a scuola. C'è ancora l'odore del suo corpo sulle lenzuola tiepide. D.B. si precipita in bagno a orinare. Un lunghissimo schizzo di orina bollente che fuma nell'aria fredda di prima mattina. Ancora e ancora, il getto non finisce mai. Come se con l'orina scagliasse fuori tutta l'angoscia del sogno.

D.B. bussa con mano incerta alla porta del direttore.

«Avanti!»

«Mi scusi ma volevo parlarle.»

«Che c'è, D.B. Accomodati!»

Lui si siede in punta di sedia. Tiene strette le mani perché non tremino con le dita intrecciate.

«Volevo dirle che ho letto... ho letto della nave affondata sulle coste calabresi... non sarebbe il caso di avvertire la polizia di quel carico di materiale radioattivo? Potrebbe provocare una catastrofe ecologica e io...»

«Ancora! Quindi non ti fidi?»

Vorrebbe dire un no ben preciso, ma la lingua non obbedisce ai suoi ordini. La voce lenta gli esce dalla bocca senza che lui la guidi.

«È una cosa estremamente pericolosa.»

«Chi l'ha detto? eh, chi l'ha detto? i soliti ecologisti che ci rompono sempre il cazzo! È da loro che hai sentito queste baggianate? I bidoni sono blindati. Non c'è nessun pericolo.»

«Sì ma...»

«Allora non ci siamo capiti, ingegnere D.B. Quella nave è a posto. Non c'è niente che non vada. Il materiale è a posto. Sono bidoni di soda, solo soda Solvay, comprata a Rosignano e pronta a essere rivenduta in Libia. Ma il destino o un Dio malvagio ha voluto che scoppiasse un incendio a bordo. La nave è bruciata. Affondata con il suo carico. Non c'è niente di oscuro. Niente, capito?»

Vorrebbe ribattere ma sente che dall'altra parte l'uomo si sta facendo sempre più minaccioso e impaziente.

«Come ti è venuta l'idea della polizia?»

«Be', io...»

«Ti voglio parlare chiaramente: se vai alla polizia, nei guai ti ci metti da solo, perché sei tu che hai firmato quelle carte e noi non ne sappiamo niente. Guardami in faccia, cosa intendi fare?»

«No... niente... non andrò alla polizia, può stare tranquillo.»

Ma capisce che l'altro non sta tranquillo affatto.

«Va bene, ora vai. Vai, vai che devo parlare con il presidente.»

D.B. si chiude la porta alle spalle con la sensazione bruciante che la sua vita non valga più una cicca.

Sono due ore che gira con la sua famigliare a cinque porte, sotto la pioggia battente, senza sapere dove andare. A casa non ci vuole tornare. L'idea di affrontare le domande della moglie lo spaventa. Cosa potrebbe risponderle? Niente. Niente di niente. Si avvia automaticamente verso la casa del fratello ma poi ricorda che ha cambiato indirizzo.

Palermo sembra più bella sotto questa pioggia che lava le strade, lava i tetti, lava le automobili e dà pace al respiro.

La macchina, come d'incanto, si ferma all'angolo di Quattro canti. D.B. posteggia in un posto dove non potrebbe stare, ma chi se ne frega! Non si vede un vigile sotto questa acqua. Chiude a chiave e si avvia a piedi lungo via Maqueda verso piazza Verdi.

La vede di lontano. Se ne sta appoggiata come al solito contro il muro, con una gamba per terra e una piegata, al riparo di un balcone che sporge. Ecco la gru, si dice, ecco la piccola misteriosa gru che mi ossessiona anche di notte.

Si ferma accanto a lei che tiene le spalle curve per difendersi dall'acqua. La ragazzina lo guarda stupita.

«Che c'è?»

«Niente. Oggi non posso neanche offrirti l'ombrello. L'ho lasciato a casa.»

«Tu soldi?»

«Io soldi sì. Dove andiamo?»

«Vieni.»

Lo dice con voce divertita, allegra. E prende a correre. Oh dio, proprio come nel sogno. Lei avanti, sulle lunghe gambe magre da uccello e lui dietro che arranca, soffia, suda.

Ma contrariamente al sogno questo inseguimento dura poco. Dopo una cinquantina di metri lei si ferma. Lo aspetta. Lui arriva trafelato. Lei apre un portone di legno pesante e si trovano nel buio di un androne.

La bambina richiude il portone e prende a salire quasi saltando sui larghi gradoni di pietra grigia.

«Qui» dice fermandosi davanti a una porta rossiccia su cui spicca una targa: PENSIONE SOLE.

Spinge l'uscio che tintinna. Lo lascia entrare. Si avvia per un corridoio buio che puzza di cavolo. Si ferma davanti a un'altra porta. Gli fa cenno di non fiatare mettendosi un dito sulla bocca. Lui inghiotte la saliva che gli sale in bocca.

«Pensione sole» si ripete piano mentre osserva i poveri mobili logori che occupano il corridoio.

La bambina si chiude la porta alle spalle. Accende la luce. Agli occhi dell'ingegnere D.B. si rivela una piccola stanza tappezzata da una carta da parati a rose gialle e rosse cosparsa di gore grigiastre. Un letto da una piazza e mezza occupa quasi l'intera stanza e si appoggia con una testiera di legno scuro contro una delle pareti. Sopra la testiera un enorme crocifisso con un rametto di olivo infilato fra la schiena e la croce di legno.

La bambina, con poche mosse, si sfila la giacchina di maglia rossa. Poi, con aria professionale, serissima, prende a slacciargli la cintura. Lui la lascia fare. Non saprebbe fare un gesto. È paralizzato.

La bambina gli sfila la cintura. Lascia che i pantaloni cadano per terra. Con un gesto rapido gli cala le mutande.

Lo afferra per il membro come fosse una maniglia e lo tira verso il letto. Quindi si butta, con un gesto frettoloso e repentino sopra le coperte, con le scarpe ai piedi. Sotto il gonnellino è nuda.

Quando rientra a casa è buio. Ha smesso di piovere. Gli occhi sono gonfi, la gola riarsa. Le mani sembrano prese dal ballo di san Vito. Non riesce a respirare.

Spera che sua moglie sia già a letto addormentata. Invece la trova in piedi che lo aspetta leggendo un libro.

«Che hai fatto?»

«Niente. Poi ti racconto. Ora fammi dormire che ho sonno.»

«Stai male?»

«No. Solo mal di testa.»

«Da un po' di tempo sei strano. Perché non mi dici che hai?»

«Non ho niente. Lasciami in pace!»

La donna non insiste. È abituata ai silenzi del marito. Si spoglia in fretta e si caccia sotto le lenzuola senza una parola. Si volta dalla parte del muro e spegne la luce.

Lui si sveste piano. Entra nel letto pensando di cadere addormentato per la stanchezza. Invece si trova sveglio più che mai, con gli occhi spalancati a guardare il soffitto nella penombra della stanza.

Poi sente il respiro della moglie farsi più quieto, più regolare e capisce che si è addormentata. Si volta verso di lei. Aspira il buon odore di innocente e timida sensualità che emana da quel corpo assopito. Non riesce a trattenersi dall'abbracciarla stretta. Un gemito gli sale dal petto irrefrenabile. Ora ha la testa infilata fra la spalla e i capelli lunghi e profumati della moglie e singhiozza piano, senza consolazione.

Sulle orme di Maupassant

"In Francia si è convinti che la Sicilia sia un paese selvaggio, difficile e persino pericoloso da visitare" scrive Guy de Maupassant nel capitolo "La Sicile", che fa parte del libro *La vie errante* pubblicato nel 1890. Ma il viaggio che fece in Sicilia è del 1885, e ciò che scrive venne pubblicato nella rivista "La Nouvelle Revue" nel 1886.

Un uomo giovane, robusto, di una vitalità esuberante, era stato canottiere sulla Senna – possiamo immaginarlo osservando i quadri di Manet, in una di quelle feste all'aperto dipinte con tanto spirito di osservazione che oggi chiameremmo antropologico – fra gli alberi di una Parigi ancora molto vicina alla campagna, i lampioni colorati accesi al crepuscolo, i tavoli improvvisati sul lungosenna fitti di bicchieri e fiaschi di vino, le ragazze con la gonna lunga, i cappelli come graziosi cavoli appena fioriti, mentre cagnolini dal pelo riccio corrono fra le scarpe dalle alte ghette dei signori a passeggio. Il giovane Guy è uno di quelli che indossano la maglietta a righe rosse e bianche, da cui sbucano due braccia nude e muscolose. Porta in testa un cappello di paglia circondato da un nastro rosso che scivola baldanzosamente su una spalla.

Eppure, quando arriva in Sicilia, questo giovane uomo è già in preda alla sifilide che presto gli devasterà il cervello e lo porterà alla morte a soli quarantatré anni. Ma, preso da una smania di conoscenza, come molti altri suoi contemporanei, visita convulsamente tutti i luoghi del turismo dell'epoca, da Segesta a Selinunte, da Monreale ad Agrigento. Aggiungendovi di suo – inusuale impegno per un borghese dell'epoca – la visita a una miniera di zolfo.

Nonostante la malattia lo renda fiacco e gli tolga il fiato, trova l'energia per arrampicarsi fino al Castellaccio sopra Monreale, si infila nei cunicoli e nei pozzi della miniera di Agrigento, batte le strade sotto il sole di mezzogiorno e quando la sera ne scrive sul diario definisce la Sicilia "uno strano e divino museo di architettura". Oggi l'architettura è morta, sostiene Maupassant, si è perduto il dono di costruire la bellezza con le pietre, quel "misterioso segreto della seduzione per mezzo delle linee, quel senso della grazia nei monumenti". Sulle pagine dei quaderni di viaggio annota scrupolosamente la differenza fra le cattedrali gotiche del Nord così austere da indurre alla tristezza, e le chiese siciliane che seducono per la loro sensualità.

"Rientro lentamente all'albergo delle Palme che possiede uno dei più bei giardini della città, pieno di piante enormi e strane." Dove sarà mai andato a finire quel meraviglioso giardino? Sarà stato distrutto in una sola volta o piano piano, mangiato dal cemento e dall'avidità dei costruttori di palazzi? chissà quando avrà finito di esistere nel processo devastante dello sviluppo disordinato e selvaggio della città di Palermo. Lo stesso Maupassant racconta che in quel giardino usava passeggiare Wagner, il quale proprio a Palermo ha scritto le ultime note del *Parsifal*. Un individuo "dal carattere insopportabile, che ha lasciato in questa città il ricordo del più asociale degli uomini".

Il giovane scrittore chiede di visitare la stanza dove abitò Wagner, sperando di trovare, "un oggetto amato, una sedia preferita, il tavolo dove lavorava, un qualsiasi segno indicante il suo passaggio". Invece trova solo un banale appartamento di albergo. Sembra proprio che non sia rimasto niente del grande Wagner. Ma prima di andare via deluso, decide di dare uno sguardo dentro l'armadio a specchi che sta in fondo alla stanza. E viene investito da un profumo "delizioso e penetrante, come la carezza di una brezza che fosse passata su un roseto". Il padrone dell'albergo gli spiega che Wagner usava spruzzare la biancheria con acqua di rose.

Nei siciliani, Maupassant scorge tratti arabi. Contrariamente ai napoletani che gesticolano, "si eccitano senza motivo", i siciliani "possiedono la gravità dei movimenti tipica degli arabi, benché tengano degli italiani una grande vivacità di mente". I siciliani sono orgogliosi, continua, hanno un grande amore per i titoli e le loro facce spesso fanno pensare alle facce degli spagnoli. Mentre i banditori nelle strade, con il loro suono gutturale, ricordano l'Oriente.

Una sera Maupassant si reca al teatro Massimo di Palermo per ascoltare la *Carmen*. Lì scopre che i siciliani sono identici a tutti gli altri italiani: "adorano la musica, hanno un orecchio infallibile, ma quando stanno in folla diventano una specie di bestia vibrante che sente ma non ragiona". Capaci di battere le mani freneticamente a un acuto, mentre a una stecca appena accennata prendono a tempestare coi piedi sul pavimento, lanciando i peggiori insulti verso i cantanti che si muovono sul palco.

Passeggiando per Palermo Maupassant sente la gente comune che canta le arie della *Carmen*, soprattutto quella del Toreador e ne è contagiato. E pensare che Bizet è morto di dolore per l'insuccesso colossale della sua *Carmen*. Destinata a diventare solo pochi anni dopo un successo internazionale. Le donne "avvolte in colori sgargianti rossi blu e gialli, chiacchierano davanti alle loro porte e vi guardano passare con occhi neri che brillano sotto la foresta di capelli scuri" scrive Maupassant. E racconta come, fermandosi davanti a un banco del lotto che funziona continuamente da servizio religioso, osserva un uomo uscirne col biglietto della lotteria in mano, lo vede fermarsi davanti alla statua della Vergine, estrarre dalla borsa un soldo che infila nella cassetta dell'elemosina, poi farsi il segno della croce tenendo in mano la carta numerata, raccomandarsi alla Madonna e allontanarsi speranzoso.

Su una bancarella vede appesa la fotografia della Cripta dei Cappuccini, con i morti ben vestiti seduti sulle panche o con la schiena appoggiata contro la parete. Di cosa si tratta? I palermitani interrogati lo scoraggiano dall'andare a visitare "quell'orrore". Ma naturalmente lui non seguirà i loro consigli: "Volli visitare subito questa sinistra collezione di defunti" scrive deciso. E parte di primo mattino per bussare alla porta del piccolo convento. Gli apre un frate cappuccino, quasi nascosto dentro un saio marrone troppo grande e lo precede "senza dire una parola", ben sapendo cosa vogliono vedere gli stranieri, verso i sotterranei.

Dopo avere attraversato corridoi bui e sceso scale anguste, "ad un tratto vedo davanti a noi una galleria immensa, larga e alta, fra i cui muri sosta una vera e propria popolazione di scheletri vestiti in modo bizzarro e grottesco". Lo colpiscono i morti dalla carne incartapecorita, che stanno appesi affiancati, lungo le pareti imbiancate. "Certe teste sono corrose da muffe disgustose che deformano ancora di più le mascelle e le ossa." Il suo sguardo orripilato, ma anche affascinato, si posa sulle centinaia di cadaveri, di cui descrive nei dettagli ogni vestito, ogni posa. Alla fine li definisce "ridicoli" perché, da scheletri, sono stati abbigliati rispettando le gerarchie sociali, conservando i colori delle famiglie, mantenendo i loro stemmi d'oro impolverato. Al collo portano ciascuno un cartello su cui è incisa la data di morte: 1690, 1720, 1886...

Le donne appaiono ancora più grottesche degli uomini, annota, perché sono state acconciate con qualche civetteria; "le teste vi guardano, strette nelle cuffie con nastri e merletti, di un candore niveo attorno ai visi anneriti, imputriditi, corrosi dallo strano lavorio del tempo. Le mani simili a radici monche di alberi, sporgono dalle maniche del vestito nuovo e le calze che avvolgono le ossa delle gambe paiono vuote. Talvolta la defunta calza soltanto scarpe, scarpe smisurate per i poveri piedi rinsecchiti".

Ancora di più rimane impressionato davanti alle ragazze, che portano sulla fronte una corona metallica, segno della loro innocenza. "Hanno sedici, diciotto anni e sembrano vecchissime" tanto sono rinsecchite, sdentate, e coi capelli radi. E poi ci sono i bambini: "le ossa appena formate non hanno resistito". E qui si commuove il nostro scrittore parigino, di fronte ai corpicini devastati dal salnitro che portano ancora le tracce delle cure materne. Quei costumi da soldatino, quei baveri pieghettati, quei merletti che rivelano la pazienza di chissà quante mani femminili all'opera per anni.

Dopo questa visita lugubre, "ho sentito il bisogno di vedere dei fiori" scrive Maupassant e si fa portare a Villa Tasca "colma di meravigliose piante tropicali". Un altro di quegli splendidi giardini decantati da tutti i viaggiatori dell'epoca scomparso negli anni della rapina del territorio, poco dopo la seconda guerra mondiale.

Il giorno seguente il nostro scrittore decide di andare fino al Castellaccio. Un antico castello ormai abbandonato dove si erano accampati i briganti prima di venire cacciati dal generale Pallavicini. Così gli viene detto. Ma lui non si fida tanto e si informa altrove, da amici francesi. I quali gli dicono che in effetti i briganti sono scomparsi. Le imboscate dei comuni malfattori sono sempre possibili, ma "confrontate con gli assalti che in una sola giornata si compiono a Londra o a Parigi o a New York, la Sicilia fa solo ridere".

Giorni dopo Guy de Maupassant si avvia, con una carrozza, verso Agrigento, di cui ammira i templi: "qualcosa di bello come un sorriso umano/ sopra le fredde pietre del tempio" scrive parafrasando Victor Hugo che parlava di Atene. "Si ha l'impressione di avere davanti a sé l'Olimpo, l'Olimpo di Omero, di Ovidio, di Virgilio; l'Olimpo degli dei graziosi, carnali, appassionati come noi, fatti come noi, che impersonavano poeticamente tutte le tenerezze del nostro animo, tutti i sogni della nostra mente, tutti gli istinti dei nostri sensi."

A questo Olimpo grazioso e sensuale si contrappone, in basso, il regno di Satana. Una "strana collina chiamata Maccaluba" gli si presenta davanti agli occhi, fatta di argilla e calcare, coperta di decine di coni alti una ventina di centimetri. Sembrano pustole, "una mostruosa malattia della natura". I coni lasciano scorrere fango caldo, che straripa come da una orribile suppurazione del suolo. "Piccoli vulcani bastardi e lebbrosi, ascessi scoppiati."

Gli accompagnatori pensano che ne abbia a sufficienza di tutto quello zolfo che bolle e che penetra negli occhi e nel naso. Ma lui insiste per infilarsi dentro la miniera. E loro, a malincuore, lo accontentano. Prendono a scendere una rapida e stretta scala dai gradini disuguali, dentro pozzi scavati nello stesso zolfo. Nonostante i canali che portano l'aria all'interno, fra quelle pareti che trasudano calore si soffoca.

Appena scesi, Maupassant si accorge che il popolo di quel satanico sotterraneo è fatto di bambini che non superano i dieci anni. "Ansimano e rantolano i poveri carusi, carichi di cestini, schiacciati sotto il fardello." Ogni giorno salgono e scendono fino a quindici volte quelle scale, e ogni discesa viene loro pagata solo un soldo. "Sono piccoli, magri, giallastri, con occhi enormi e lucenti e visi smunti dalle labbra sottili che mostrano i denti, brillanti come i loro sguardi."

"Questo sfruttamento rivoltante dell'infanzia è una delle cose più penose che si possano vedere" commenta desolato. Ma già rassegnato all'idea che non ci sia niente da fare, si dedica a organizzare l'arrampicata sull'Etna che lo coinvolge moltissimo. Si alza che è ancora notte. Supera i primi mille metri a cavallo di un piccolo mulo dal piede prudente e preciso. In certi momenti il povero animale sprofonda nella neve fino al petto, ma in qualche modo riesce a tirarsi fuori, per ricominciare la difficile salita. A un certo punto il viottolo finisce e bisogna lasciare i muli per proseguire a piedi. Gli ultimi trecento metri li dovrà fare arrampicandosi penosamente su una parete di rocce coperte di cenere su cui si scivola pericolosamente, costeggiando uno spaventoso baratro.

Non mancano nel viaggio di questo tenace pellegrino le isole Eolie, un altro vulcano da scalare, un altro orrido da scrutare dall'alto, e poi il mare, i fiumi, i boschi che in quell'epoca erano rigogliosi e coprivano quasi tutta l'isola.

Per ultimo il suo entusiasmo si accende di fronte alla statua della Venere di Selinunte, che gli appare in fondo a un corridoio, priva di testa e di un braccio "mai tuttavia la forma umana mi è apparsa più meravigliosa e più seducente". Quella che vede non è l'effigie di una donna bella e idealizzata, ma l'immagine femminile "così come la si ama, la si desidera, la si vuole baciare". E i baci? Per baciare ci vuole una bocca e per avere una bocca ci vuole una testa. Certo, senza testa, pare un poco difficile. Sarà un amore senza baci? Ma Maupassant non pare turbato dalla mancanza della testa della statua. Solo per vedere questa Venere valeva la pena di fare tante fatiche, si dice. È tutta lì la ricompensa di un anno di pellegrinaggi per l'Italia e la Sicilia. Una ragazza robusta "col petto colmo, l'anca possente e la gamba un po' forte". Così la descrive, innamorato. "Il marmo è vivo e lo si vorrebbe palpeggiare con la certezza che cederà sotto la mano, come la carne." Non resiste a fare un paragone con la Gioconda: "davanti a lei ci si sente ossessionati da non so quale tentazione di amore snervante e mistico. Esistono donne viventi i cui occhi ci infondono quel sogno di tenerezza irrealizzabile e misteriosa". Mentre la Venere di Selinunte, senza testa, è "la perfetta espressione della bellezza possente, sana e semplice". La donna che tutti vorrebbero. Probabilmente soprattutto perché inerme, lontana e muta. Non appena infatti un uomo "tocca la mano di una donna in carne ed ossa, il suo pensiero vola via lontano, verso il sogno". Come dire che ogni rapporto fra uomo e donna è impossibile. Solo il legame fra uomo e sogno vale qualcosa, il resto è pettegolezzo, volgarità, vincolo pesante, noia.

Curiosa questa filosofia che ci riporta a Platone e alle sue ombre, mentre Maupassant è uno scrittore concreto, attento alle cose quotidiane. E le sue eroine non sono solo sogni ma donne dotate di corpo e di spirito. Abbiamo imparato che spesso le teorie degli scrittori non corrispondono alla loro scrittura, che per fortuna supera tutti gli ideologismi, le costruzioni intellettuali e li porta con la forza dell'osservazione nel mondo dove le cose accadono prima ancora che possano essere catalogate e spiegate.

Il capitolo sulla Sicilia finisce con una bellissima descrizione dell'Anapo che doveva essere un torrente largo e possente, con le sue anse serpeggianti, i suoi papiri, i suoi giunchi, le sue canne. "Ci allontaniamo dalle sue rive aiutandoci con una pertica. Il fiumiciattolo serpeggia con graziosi panorami, prospettive fiorite. Un'isola appare infine piena di strani arbusti. Gli steli fragili e triangolari, alti da nove a dodici piedi, portano in cima ciuffi tondi di filamenti verdi, lunghi, esili e soffici come capelli. Sembrano teste umane divenute piante, gettate nell'acqua sacra della sorgente da uno degli dei pagani che vivevano lì una volta." Sono papiri. Che "fremono, mormorano, si chinano, mescolano le loro fronti pelose, le urtano, paiono parlare di cose ignote e lontane". E molto ironicamente si chiede se non sia strano che quell'ineffabile arbusto che ha avuto il potere di tramandarci il pensiero dei cari morti, che è stato custode del genio umano, abbia in cima al corpo una grossa criniera folta e fluttuante, simile alla testa dei poeti.

Ci viene da chiederci se ancora oggi, anche solo simbolicamente, le teste dei poeti siano sormontate da criniere leonine.

Ragazze di Palermo

Erano cinque. Abitavano nella stessa città ingentilita dalle palme, Palermo. Frequentavano la stessa scuola, il Pascoli. Portavano i nomi che si usavano allora: Giusi, Mariola, Cettina, Tanina e Rodi. Questa ultima era la sola che avesse un nome stravagante. Una ragazza pallida e bionda. Si chiamava Rolanda, ma non piaceva a nessuno quel nome e così l'avevano abbreviato in Rodi.

Giusi era la più alta delle cinque amiche, bravissima nella corsa, aveva già vinto due tornei e la scuola era molto fiera di lei. Stava nella memoria di tutti la festa per la sua vittoria alle gare regionali dei duecento metri a cui avevano partecipato le migliori atlete di tutte le scuole della Sicilia. Le quattro amiche erano rimaste ai bordi del campo a fare il tifo per lei. Qualcuno in quell'occasione ha anche scattato una fotografia che ancora oggi Rodi, che da pochi mesi è diventata nonna, tiene appesa con una puntina in camera da letto: si vede Giusi che passa correndo sulla pista, i capelli legati dietro la nuca con un laccetto rosso, i pantaloncini corti di tela blu, i muscoli delle gambe tesi in una posa dinamica che colpisce per il suo slancio felino.

Dietro, lungo la pista si vedono le quattro amiche: Mariola la bruna, chiamata Ava Gardner per la somiglianza con l'attrice; Cettina detta la suora per il suo pudore monacale, la faccetta da cinese, il sorriso triste; Tanina, per le amiche Butirrita che vuol dire piccolo burro, così la chiamava la nonna madrilena. Il seno le esplode nella camicetta, la faccia larga è sempre ridente, ha una tendenza irrimediabile ad ingrassare. Ultima Rodi, pallida e minuta, i capelli biondi lunghi sulle spalle, gli occhi vivi. È ritratta mentre, protesa in avanti con le due mani chiuse a cono davanti alla bocca, grida «Forza Giusi!».

«Piatta come un ferro da stiro» dicevano le amiche di Giusi, alludendo al suo seno da bambina che non si decideva a crescere. Lei ne era ferita, ma non rispondeva. Qualche volta, quando andavano a ballare insieme, si imbottiva il reggipetto col cotone, «così ho un seno anch'io», diceva divertita. Ma poi succedeva che una mammella risultasse più grande dell'altra o che improvvisamente il cotone scivolasse verso la pancia e allora si stufava e, senza pudore, si strappava l'ovatta dal reggipetto e la lanciava in aria ridendo con le amiche.

Quel giorno delle gare regionali, quando aveva vinto, Giusi si era messa a saltare, spingendo in alto i pugni chiusi come se volesse colpire il cielo. Le amiche erano accorse a festeggiarla. L'avevano portata in trionfo costruendo un seggiolino con le braccia. Com'era bella Giusi in quei quindici anni della sua giovane vita! Socchiudeva gli occhi al sole e sorrideva alle amiche, grata della loro solidarietà. Era il sorriso di una bambina che vuole essere amata. Di quell'amore che le era stato negato quando era morta la giovane madre, di parto, lasciandola a otto anni con un fratellino orfano e un padre stordito che non sapeva cosa fare di loro. Eppure si era incaponito, Michele Rolla, a tirarli su da solo. Non aveva voluto un'altra moglie e aveva fatto di tutto per renderli felici. Anche se i parenti lo consideravano uno sprovveduto pieno di contraddizioni. Da una parte si mostrava severo fino alla crudeltà: «Ti proibisco di andare a scuola da sola! quelle amiche chi sono? cosa vogliono?». Dall'altra appariva indulgente fino alla sconsideratezza: lasciava che i due figli si rimpinzassero di panelle fritte, di salame, mortadella e cassatine, a tutte le ore del giorno. Sul tavolo di casa Rolla, per cena, si trovavano invariabilmente: pollo arrosto di rosticceria, pane in cassetta, formaggi vari, mortadella, fagioli in scatola, frutta sciroppata. Ogni tanto veniva la nonna Rina a cucinare e lasciava pentole colme di minestre e arrosti farciti che però, dopo essere rimasti per settimane nel frigorifero, finivano regolarmente nella pattumiera. Il fatto è che anche loro, i bambini, trovavano più divertente mangiare il pollo di rosticceria, le mozzarelle, le pizze e i dolci confezionati, anziché le pietanze cucinate fresche dalla nonna.

Giusi si preparava a diventare una campionessa di atletica leggera. Sapeva volteggiare sulla pertica. Sapeva stare in bilico sull'asse come nessun'altra. Sapeva correre senza mai risparmiarsi. Sapeva fare le capriole appesa agli anelli. Era bravissima anche nella palla a volo. Si buttava a tuffo sulla palla, senza preoccuparsi di cadere abbracciata alla sua preda sbattendo le spalle, i gomiti, le ginocchia. Ma doveva essere molto amata dagli dei perché se la sono portata via che non aveva ancora compiuto vent'anni. Un incidente d'auto, sulla strada che da Palermo va a Mondello. Conduceva il suo fidanzato, un certo Giordano Calicò, che aveva appena preso la patente e amava guidare con le braccia tese, un cappelletto da fantino in testa, la sigaretta appesa al labbro come aveva visto fare al suo idolo: il bellissimo e misterioso James Dean.

Alle feste in casa di Francesco Aiello ci andavano tutte e cinque. Giusi era la sola che avesse già il fidanzato fisso. Quel Giordano con cui amoreggiava da quando aveva tredici anni. Le altre si innamoravano, ma mai troppo sul serio. Avevano tanti pretendenti, soprattutto Mariola-Ava

Gardner che era la più bella. Ma in fondo preferivano stare tra di loro anziché appartarsi con l'innamorato. Sapevano tutto l'una dell'altra, studiavano ora a casa di Mariola, ora a casa di Rodi. Agli innamorati non avrebbero mai dato altro che un bacio sulle labbra chiuse. E in fondo si divertivano di più a raccontarsi le avventure che a imitare le diciottenni che portavano un anello finto all'anulare, passeggiavano a braccetto con i loro fidanzati e praticamente mimavano i modi dei loro genitori sposati da anni.

Le cinque amiche si davano appuntamento la mattina a piazza Crispi. Lì si passavano i compiti mentre una barbona le minacciava con l'ombrello perché invadevano la sua casa. C'era in effetti un materassino che la donna srotolava di notte sotto un tetto di edera e di caprifoglio, ai margini del giardino pubblico. E loro andavano a sedersi proprio sotto quel riparo verde, facendo arrabbiare la donna.

Cettina era brava in matematica e faceva i compiti per tutte. Giusi era un asso in geografia. Rodi aveva familiarità coi classici perché sua madre era insegnante di francese e la loro casa era piena di libri, soprattutto in francese, lingua che la ragazza parlava bene. Mariola non era molto portata per gli studi: era pigra e presa da un suo mondo interiore che restava un poco misterioso perfino alle sue più intime amiche. Bella com'era, si considerava insignificante. La sua avvenenza classica e altera, non piaceva molto ai ragazzi della sua età, mentre incantava gli adulti. Ma lei non era interessata agli adulti e trascorreva il tempo a leggere storie d'amore in cui si raccontava di ufficiali di marina che si innamorano di sartine e di piloti che rischiano la vita per andare a salvare un amico in mezzo alla giungla. Ogni tanto, mentre faceva i compiti con le amiche, si interrompeva per raccontare loro le intricate vicende dei suoi romanzi sentimentali. Le altre la ascoltavano distratte. A nessuna veniva in mente di andare a comprarsi uno di quei polpettoni zuccherosi. Rodi leggeva Balzac e Flaubert, libri che stavano negli scaffali di casa e poi li passava a Cettina, che fra tutte era quella più interessata alla letteratura. Giusi era troppo presa dall'atletica per leggere. Quando trovava del tempo fra un allenamento e l'altro si dedicava agli atlanti geografici su cui poteva passare ore a contemplare un lago, una catena di montagne. Tanina-Butirrita amava soprattutto la musica. Era sempre in cerca di dischi a poco prezzo, andava a tutti i concerti dei cantanti preferiti e sapeva a memoria le parole delle canzoni più in voga. *Non ti fidar/ di un bacio a mezzanotte/ se c'è la luna non ti fidar*, cantava quando camminavano insieme per via della Libertà.

Gruppi di uomini sfaccendati seduti al bar, o che facevano crocchio negli angoli delle strade, le guardavano passare e aguzzavano gli occhi. Notavano e commentavano le gambe lunghe e muscolose di Giusi, i fianchi larghi e morbidi di Tanina che quando camminava faceva ballare le gonne come fosse una danzatrice del ventre. Notavano e commentavano i capelli biondi lisci e lunghissimi di Rodi, la faccia bruna e bella di Mariola che assomigliava tanto ad Ava Gardner, ridacchiavano dei modi spigolosi e rigidi della piccola Cettina la suora, delle sue lunghe gonne a pieghe, delle sue camicette severe, dei suoi capelli corti, irti e neri.

Rodi aveva in casa i dischi di Edith Piaf e li faceva ascoltare alle amiche, di nascosto dalla madre che ne era molto gelosa. *Allez, venez, Milord,/ il fait si froid dehors/ venez vous asseoir à ma table/ ici c'est confortable./ Laissez-vous faire, Milord/ et prenez bien vos aises/ vos peines sur mon cœur/ et vos pieds sur une chaise,/ je vous connais, Milord/ Vous ne m'avez jamais vue/ je ne suis qu'une fille du port/ une ombre de la rue*. Se chiude gli occhi, ancora oggi, dopo cinquant'anni, Rodi vede le teste delle amiche chine sui fogli mentre ascoltavano lei che traduceva religiosamente: «Su venite Milord,/ fa tanto freddo fuori/ sedete alla mia tavola / si sta comodi qui da me.../ le pene sul mio cuore,/ i piedi su una seggiola./ Io vi conosco Milord/ non mi avete mai vista/ non sono che una figlia del porto/ un'ombra della strada».

Tanina, la guardava a bocca aperta, la faccia lentigginosa sepolta in mezzo ai capelli rossi. I bellissimi occhi neri sognanti si levavano verso la finestra come aspettandosi di vedere arrivare da lì, volando, un giovane dal sorriso seducente, elegante e gioioso, un ciuffo di capelli biondi scivolati sulla fronte, che spinge indietro con un gesto spavaldo della mano. Quello era Milord e lei era una "figlia del porto", "un'ombra della strada". Anche le altre se ne stavano incantate ad ascoltare la voce roca della Piaf: «Ancora, Rodi, traduci ancora» chiedevano e lei traduceva fedelmente: «Su, venite Milord/ avete l'aria di un ragazzino/ lasciatevi fare, Milord,/ venite nel mio reame,/ io curo i rimorsi/ canto i milord/ che non hanno avuto fortuna./ Guardatemi Milord/ non mi avete mai vista/…ma voi piangete, Milord/ eppure non mi avete mai incontrata,/ voi piangete Milord,/ non l'avrei mai creduto./ Ma su, Milord/ sorridete Milord/ un piccolo sforzo ancora/ ecco, così/ forza, ridete!/ Milord/ ta ta ta ta/ Ma sì, ballate Milord/ ta ta ta ta/ bravo Milord/ ballate Milord/ ballate con me!».

In classe le amiche si tenevano nelle ultime file, per potere chiacchierare senza essere notate. Appena arrivate, si infilavano il grembiule nero, andavano a prendere posto nei banchi in fondo, scarabocchiati e macchiati. I sedili erano scomodi, di legno intarsiato da generazioni di coltellini che avevano scavato, scolpito, intagliato. Il ripiano di pino chiaro si apriva per fare posto ai libri. Là dentro ci andavano a finire le fotografie da mostrare alle amiche, qualche fiore secco in ricordo di una serata estiva, qualche libro proibito, un biscotto fatto in casa, le forcine per i capelli, un tubetto di rossetto. Sopra, su un piccolo ripiano orizzontale, c'era ancora il buco per la boccetta dell'inchiostro anche se ormai da qualche anno si scriveva con la penna a sfera, la famosa Bic. «L'inventore si chiamava Ladislao Bíró, era ungherese» le sembra di sentire la voce saccente di Cettina. «Poi il brevetto fu comprato da un certo Bich che inventò la famosissima Cristal Bic.» La suorina teneva al suo ruolo di enciclopedia vivente. Butirrita la guardava sorpresa. Mariola sorrideva ma non poteva nascondere l'ammirazione di fronte a quegli sfoggi di erudizione. Anche Rodi la scrutava con un poco di soggezione. Solo Giusi sembrava infischiarsene.

Si spalleggiavano le cinque amiche. Avevano trovato un modo di comunicare con l'alfabeto muto quando una di loro veniva chiamata per l'interrogazione e non sapeva cosa rispondere. Un alfabeto che prendeva lo spunto dal linguaggio dei sordomuti, ma molto semplificato e legato alle lettere anziché al concetto. Per A si mettevano il pollice e l'indice allargati davanti alla bocca, per B si toccavano l'occhio destro, per C facevano un mezzo cerchio con indice e pollice, per D curvavano il medio appoggiandolo all'indice e così via. Erano diventate velocissime nell'utilizzare il loro alfabeto e si capivano a distanza senza che l'insegnante se ne accorgesse. Il professore di greco era il più facile da ingannare. Entrava in classe come una furia, correndo e scivolando sull'impiantito di marmetta, sbatteva i registri sulla cattedra e cominciava l'appello tenendo gli occhiali calati sul naso. Amato! Presente. Bagnara! Presente. Biagio! Presente. Calò! Presente. Aveva una tale fretta che spesso non aspettava la risposta e scriveva sì anche quando la ragazza non era al suo banco. Ma lui non controllava, non gliene importava un fico. Vestiva sempre di scuro, con le maniche delle giacche che luccicavano per i colpi del ferro da stiro. Dicevano che vivesse da solo, il professor Benito Carrà, assieme alla vecchia madre, che stava morendo ma non moriva mai. Erano già tre anni che si parlava di questa morte. Lui la accudiva, faceva la spesa, cucinava lavava e stirava per lei, così si raccontava.

Ogni tanto le ragazze lo incrociavano dalle parti del Papireto, dove abitava Ava Gardner. Lui teneva le braccia tese e faticava vistosamente a reggere le due sporte piene di patate, melanzane e pomodori. Appena le vedeva, scantonava. Si metteva pure a correre, per non farsi scorgere con la spesa in mano. E loro ridevano di lui che era timido, severo a scuola e impacciatissimo nella vita.

Una volta erano pure andate a trovarlo a casa. Lui aveva aperto la porta a metà, sospettoso. Non gli era venuto neanche un sorriso, vedendole sulla soglia, anzi si era incupito e non aveva voluto farle entrare. Dall'ingresso buio sgusciava un odore di cavoli bolliti e di sarde fritte. Avrebbero voluto conoscere la madre, quella donna indomita che combatteva con spade e lance invisibili contro la morte. Ma lui le aveva fermate sulla soglia farfugliando qualcosa di incomprensibile e aveva subito chiuso la porta girando venti volte la chiave nella toppa. Le amiche erano scese giù per le scale ridendo e facendogli il verso. Giusi era bravissima a imitarlo. Tirava su la testa con i movimenti a scatto di un uccello rapace. Del rapace il professore aveva il naso aquilino e la bocca piccola con le labbra rivolte all'ingiù, come un becco. Quando Giusi gli faceva il verso, le altre scoppiavano a ridere e le chiedevano di ripetere ancora e ancora l'imitazione.

In fondo alle scale, nel desolato androne ingentilito da una palmetta nana, si erano messe a fare "il teatro": cominciando con la voce lamentosa della madre che chiedeva al figlio una patata bollita e lui la metteva a cuocere sul fuoco, sbagliando pentola, scordandosi di aggiungere l'acqua, e poi il sale, insomma un disastro di gesti inconsulti che faceva piangere dalle risate le amiche. Alla fine la madre moribonda si alzava dal letto e correva dietro al figlio per prenderlo a sberle.

Improvvisamente si erano trovate davanti una donna, ritta sul portone, con le braccia conserte e una faccia che non prometteva niente di buono. La portinaia. Una donna massiccia, dalle mani come pale. E infatti, senza dire una parola, si era buttata a colpire le ragazze mulinando le braccia e assestando manate a destra e a sinistra. E loro erano sciamate via, ridendo, gridando, correndo. Mariola aveva perso una scarpa che la portiera le aveva tirato dietro chiamandola puttana. A Cettina erano caduti due libri che non aveva più ritrovato.

Un anziano signore che passava di lì, si era fermato a godersi la scena, sorridendo e le aveva chiamate in cuor suo "deliziose cinciallegre che giocano fra i poveri arbusti della città". Quel signore si era talmente divertito alla scena, che aveva deciso di seguirle e così aveva fatto proseguendo dietro di loro lungo via Matteo Bonello. Poi le cinciallegre si erano fermate al bar Sicilia, sotto una tenda tutta frange bianche e blu per raccontarsi quello che era successo, ciascuna a modo suo, aggiungendo divertimento a divertimento. Una di loro, forse Butirrita, aveva proposto di prendere un gelato. Ma nessuna aveva soldi. Allora il vecchio signore si era fatto avanti, elegante e serio, si era cavato il cappello e le aveva salutate, quindi aveva detto, con voce gentile: «Posso offrire un gelato alle signorine?» e loro erano rimaste di stucco. Butirrita era stata la prima ad acconsentire, con un sorriso storto. La voglia di quel gelato la spingeva ad accettare, anche se sapeva che non era corretto gradire regali dagli sconosciuti. Ma pareva così compìto quel signore! Intanto Rodi aveva trovato degli spiccioli nel fondo di una tasca e li stava contando. Ma non era riuscita a racimolarne abbastanza per pagare cinque gelati. Così avevano finito per accogliere l'offerta del vecchio signore il quale, molto educatamente, non aveva chiesto niente in cambio, nemmeno una parola di ringraziamento e com'era sbucato dal nulla, era sparito, dopo avere fatto un leggero inchino e avere sollevato il cappello sulla testa pelata.

A scuola se la cavavano le cinque amiche. Non prendevano otto e dieci, ma non andavano mai così in basso da essere bocciate alla fine dell'anno. La loro preoccupazione era di rimanere insieme. Se una fosse stata bocciata sarebbe finita in un'altra classe e questo era intollerabile. Perciò, in nome dell'unità del gruppo si aiutavano, si sostenevano a vicenda. Ormai da sei anni avanzavano insieme e non intendevano cambiare. Il solo che le aveva seriamente in antipatia era il professore di italiano e latino, il dandy Fabio Mollica, da loro soprannominato Tyrone Power o, abbreviando, Tirone. Portava ogni giorno una giacca di colore diverso dal taglio all'ultima moda. Indossava camicie rosa, lilla, bianche a righe celesti, bianche a righe rosa. Era un bell'uomo, alto, magro e molto contento di sé. Scriveva qualche articolo di critica letteraria sul "Giornale di Sicilia", per questo si considerava superiore a tutti gli altri insegnanti del Pascoli. Stroncava i più prestigiosi romanzi che apparivano sul mercato nazionale e di questo andava molto fiero. Come faceva coi temi dei suoi allievi, si metteva a testa china sulle pagine appena stampate e le riempiva di segni blu e rossi. Era stato molto ammirato dal preside della scuola per l'impeto con cui aveva bocciato un libro che tutti in città avevano trovato bellissimo, *Paolo il caldo* di Brancati. L'aveva imbottito di segnacci rossi e aveva scritto un articolo "al vetriolo" come diceva lui stesso, sorridendo soddisfatto. Di un solo libro si sapeva che aveva parlato più che bene, colmandolo di elogi ed era *Il libro nero* di Papini. Aveva avuto l'ardire di portarlo in classe dopo averlo elogiato pubblicamente sul "Giornale di Sicilia" e aveva letto alle allieve stupite alcune pagine di invettive contro la filosofia moderna. Allora non si usava leggere testi di autori viventi in classe, tanto meno di uno scrittore sulfureo e risentito come Papini. Succedeva che il professore, sempre elegante e dalle mani curate, si soffermasse in mezzo a una lezione sul Carducci per spiegare quanto lui e Papini si intendessero. «È uno stroncatore come me» diceva sorridendo; «ha distrutto la filosofia moderna, ha avuto questo grande coraggio!» Finiva alzandosi di scatto dalla sedia e brandendo il gessetto con cui tracciava sulla lavagna i nomi degli illustri filosofi da lui disprezzati: Kant, Leibniz, Fichte, Engels, Stuart Mill, Bergson. Una volta tracciati i loro nomi, li cancellava uno per uno con un tratto rabbioso di gesso. Quindi, a stampatello scriveva rapido "Io licenzio la filosofia!" Alla fine lanciava via il gessetto, sapendo che qualcuno poi l'avrebbe raccolto e avrebbe cancellato quelle sue parole rabbiose.

Quasi sempre era la professoressa di filosofia, la signora Violetta Sumò, a raccattare il gessetto finito sotto la lavagna o ai bordi della finestra. Una donna gentile, tranquilla, dal busto esile e un enorme sedere che traboccava dalla piccola sedia dietro la cattedra. Entrava in classe aprendo con cautela la porta sgangherata e chiedeva timidamente di fare silenzio. La cosa curiosa è che gli studenti le ubbidivano. Lei intanto raccattava il gessetto gettato via da Tirone e cancellava con la cimasa i nomi su cui spiccava una croce e li riscriveva lentamente, amorevolmente. Quindi prendeva a parlare di Kant, con voce calma, gentile. Come se fosse un vicino di casa di cui conosceva tutte le abitudini, tutti i pensieri anche quelli più segreti. Ne parlava con tanto amore che finiva per contagiarle tutte. Alla fine della lezione veniva voglia di dirle «e mi saluti il signor Kant e la sua gattina!».

Purtroppo la professoressa Violetta Sumò si ammalava spesso. Soffriva di asma e dolori di testa. Quando l'assalivano le fitte alle tempie, diventava pallida, si aggrappava al bordo della cattedra e mormorava «scusate, scusate», quindi scappava via. Una volta erano andate Cettina e Rodi a casa sua portandole dei fiori e l'avevano trovata in vestaglia, con le occhiaie scure che le invadevano le guance e l'aria pesta. Le aveva accolte con un sorriso ma poi era tornata in camera, dove diceva che doveva rimanere sola, al buio senza aprire gli occhi, altrimenti vomitava. E loro se ne erano andate dopo avere cacciato i fiori dentro un vasetto di vetro trasparente. La casa era tutta al buio, con le persiane accostate e puzzava di piscio di gatto. Si sapeva che le figlie della professoressa erano emigrate in Canada, che il marito era scappato con una ragazza molto più giovane e lei viveva sola nell'ampio appartamento buio con un vecchio gatto che si chiamava Fuffi.

Ogni tanto ne parlava in classe, come dell'essere più prezioso della sua vita. E mescolava i racconti di Fuffi con quelli del signor Kant o dell'amico Platone, che era un altro suo parente, quasi un cugino, di cui sapeva morte e miracoli, soprattutto per quei dialoghi stravaganti e profondi che a volte leggeva in aula con voce appassionata. Le volevano tutte bene, anche se la prendevano in giro per quel sedere da divinità arcaica.

Quando la professoressa si ammalava, arrivava la supplente, la signorina Benedetta Infante, un tipo proprio buffo: asciutta come un palo, si vestiva sempre di bianco e portava in testa dei cappelli fioriti, come se fosse alla Corte della regina d'Inghilterra. Una camicia bianca aperta sul collo, un filo di perle minuscole. La bella faccia senza trucco era quasi interamente coperta da un paio di occhiali dalla montatura gigantesca. I vetri: due fondi di bottiglia. Cerchi e stanghette: nero carbone. I capelli sempre raccolti dietro la nuca, il naso leggermente adunco, gli occhi piccoli e miopi. In classe la chiamavano "la talpa". Secondo Cettina la talpa era "ignorante come una cucuzza". Certo, di fronte alle conoscenze della Sumò era rozza e priva di spirito. I filosofi li conosceva ma in modo libresco. Non riusciva a incantare la classe con i racconti delle loro vite, delle loro idee narrate come se appartenessero a un membro della famiglia. In compenso era precisa e attenta. Aveva subito imparato i nomi delle alunne a memoria e interpellava ciascuna con fare gentile. Si avvicinava ad Ava Gardner, le accarezzava i capelli dicendo: «Tu scommetto sai dirmi qualcosa di Socrate... ci vuoi provare Mariola?». Ava Gardner non sapeva niente di Socrate, né le importava di imparare. La signorina Infante aspettava con pazienza che la ragazza dicesse qualcosa sul filosofo. L'altra non parlava. Alla fine le dava un piccolo colpetto sulla nuca e si allontanava cantilenando «siamo ignorantelle, ragazze, siamo proprio ignorantelle».

Molte approfittavano della sua miopia per farle scherzi e dispetti di ogni genere. Un giorno avanzavano, tutte d'accordo, fino ai bordi della cattedra, trascinando piano piano i banchi in modo che lei non si accorgesse di nulla e si trovasse improvvisamente la classe trasformata, con le ragazze quasi sotto i piedi. Altre volte spostavano la lavagna in modo da creare un sipario che le copriva al suo sguardo, d'altronde cortissimo, rimanendo invece visibili alle altre scolare. Da quella posizione inscenavano uno dei soliti teatrini: Giusi recitava la parte della Infante, cacciandosi sulla testa un fazzolettone in forma di cappellino. Un'altra al suo braccio fingeva di essere il marito. Perché la signorina Infante, così tutti la chiamavano, aveva un marito veramente imprevedibile: un grasso e rubizzo omaccione che faceva il macellaio al mercato della Vucciria. Da quando l'avevano scoperto non facevano che imitarlo, legandosi un grembiule macchiato di inchiostro rosso alla vita, fingendo di fumare sigari pestilenziali, cacciandosi in testa delle coppole sempre sporche di grasso e di sangue rappreso.

Il vecchio signore che aveva offerto il gelato alle ragazze, in gioventù era stato un rubacuori e ora si limitava a osservare e ammirare la gioventù da lontano. Misteriosamente faceva in modo di trovarsi spesso sulla strada delle nostre cinque amiche palermitane. Portava un libro sotto il braccio, un impermeabile liso di taglio antiquato, un cappello alla Humphrey Bogart appoggiato sulla testa ormai calva. Fingeva di passare per via Crispi la mattina all'ora dell'ingresso nelle scuole. Si trovava per caso sulla via Libertà quando le ragazze ridendo e chiacchierando rientravano verso casa facendo ciondolare le borse coi libri. Allora non si usavano gli zainetti e i libri stavano affastellati nelle retine della spesa, oppure venivano legati con un laccio di gomma e portati penzoloni sulla schiena.

Una mattina, mentre passeggiava per via Maqueda, il vecchio signore le aveva viste improvvisamente passare, arrampicate in cinque su una carrozzella tirata da un cavallo giovane e scalpitante. Si era fermato a guardarle, e accennando il gesto cavalleresco di togliersi il cappello, le aveva seguite con lo sguardo mentre ridevano fra di loro e il vento scompigliava graziosamente i loro capelli. Poi, non si sa come, preso da un impeto di ardore giovanile, vedendo un'altra carrozzella che passava vuota, aveva fermato il conducente con una mano alzata, era salito con uno spigliato gesto giovanile di cui si era stupito lui stesso e aveva ordinato al vetturino di seguire la carrozzella carica di ragazze. Il vetturino l'aveva preso alla lettera, come fosse stato implicato in un pedinamento poliziesco: con molta abilità si era tenuto tanto vicino alle "picciridde" da non perderle di vista, ma nello stesso tempo abbastanza lontano da non farsi notare. D'altronde le ragazze avevano altro per la testa, intente com'erano ad ascoltare la storia di un film che solo due di loro avevano visto e che le aveva incantate. Si trattava di *Ziegfeld Follies* con Esther Williams che nuotava dentro una grande piscina come se fosse un delfino in alto mare. Mariola descriveva i costumi che indossava Esther, dai colori sgargianti e mai visti: blu argento, oro vecchio, rosso salmone, «mii! aveva i capelli tirati indietro e chiusi dentro una retina d'oro, e la cosa chiù straordinaria è che non ci colava u rimmel sulle guance mentre si tuffava». «E come fa sott'acqua, gli occhi li tiene aperti o serrati?» ribatteva Butirrita. «Sale dal fondo della piscina china di un'acqua celeste ma tanto celeste che sembra dipinta, tutta pettinata e truccata, senza una lacrima niura, senza niente, non è meraviglioso?»

Cettina, la storica del gruppo, aveva subito cominciato a raccontare la storia di Esther Williams che «a quindici anni aveva vinto tutte le gare di nuoto e si preparava ad andare alle olimpiadi in Finlandia quando...» ma era stata bruscamente interrotta da Butirrita che voleva sapere se Esther ballava in acqua da sola o faceva parte di un gruppo di ballerine nuotatrici. «Devi vedere quannu vengono fuori, a tempo di musica, venti braccia, venti colli di cigno che corrono a ritmo di musica. E in mezzo di 'sto carosello ecco che improvvisamente ci appare lei, la dea. Sorride, susapiddu, in mezzo a tutti quegli spruzzi, ha i denti più bianchi del mondo, sempre fresca, in ordine, manco una zampa di gallina, che so, un poco di pelle d'oca, niente, è perfetta.»

Il vecchio signore le aveva seguite sorridendo, immaginando i loro discorsi anche se c'era troppo rumore per distinguere le parole. La carrozzella aveva proseguito per via Maqueda, poi per via Oreto e quindi aveva ripiegato per una straducola di campagna fino a raggiungere via Maresciallo Diaz e immettersi nella Marina. Chissà dove andavano, si chiedeva il vecchio signore, un poco preoccupato dal prezzo della scarrozzata che sarebbe salito di molto se continuavano a procedere verso l'uscita dalla città. Ma siamo in ballo e balliamo, si diceva trattenendo il cappello con una mano. Il vento aumentava mano a mano che aumentava l'andatura del cavallo. Intanto la carrozzella con le ragazze si era fermata sul bordo della via Messina e il vecchio signore aveva visto scendere, anzi saltare giù dal predellino a una a una le cinque ragazze spensierate, nei loro vestiti estivi svolazzanti, le loro retine colme di libri. Una portava a tracolla una macchina fotografica, aveva notato. Erano entrate in uno stabilimento popolare ed erano sparite alla sua vista. Che fare? Seguirle ancora? Assistere ai loro bagni fra le rocce rese nere dalle alghe dello stabilimento Trinacria?

Dopo avere pagato il vetturino ed essere sceso con le gambe un poco malsicure sul marciapiede infuocato, aveva deciso che era più saggio per lui tornare a casa, camminando lentamente. Si sarebbe accontentato di immaginarle. La sua immaginazione d'altronde non era affatto avvizzita. Anzi, considerava con un poco di soddisfazione il vecchio signore, da ultimo si era rinforzata. Bastava darle un giro di chiave che cominciava a ruotare e suonare come una deliziosa pianola meccanica. Le vedeva tutte e cinque, appollaiate sulle rocce scure che discutevano animatamente. Scorgeva la bruna, quella somigliante ad Ava Gardner, togliersi la camicetta bianca e mostrare un costume chiaro a righe da cui spiccava un seno prorompente. Ma notava che nascondeva le gambe, forse per non mostrare le cosce troppo piene. E quell'altra, la atletica dai capelli a coda di cavallo, la vedeva saltare da una roccia all'altra prima di buttarsi dentro l'acqua non molto pulita della periferia palermitana. Così rimuginando e fantasticando il vecchio signore si era incamminato verso la sua casa di corso Tukory.

La sua immaginazione in effetti non si era allontanata molto dal vero. Le ragazze avevano mangiato degli arancini appena usciti dall'olio, ungendosi le mani e il mento. Poi, con incoscienza, erano uscite sul mare che da quelle parti è poco adatto ai bagni, basso, a metà fatto di sabbia e metà di pietre. Sopra una spiaggetta striminzita cosparsa di rocce aguzze e poco ospitale, si erano sedute in cerchio, proprio come le aveva immaginate il vecchio signore, i piedi nudi che affondavano nella rena calda, a parlare dell'amore e del futuro con una serietà commovente. Ma anche di stupidaggini, come chiedersi per esempio cosa pensino i granchi mentre corrono di traverso sulla sabbia umida, o cosa ricordino le barche mentre se ne stanno capovolte al sole.

Non lontano da loro c'erano dei pescatori che, seduti

per terra, rammendavano le lunghe reti. Le guardavano di sottecchi, imbarazzati. Non condividevano che delle ragazze da marito si facessero vedere in giro da sole, vestite di abiti leggeri e corti sulle ginocchia. Ma non avrebbero detto una parola nemmeno sotto tortura. Erano uomini discreti e sapevano che quelle erano ragazze privilegiate, certamente figlie di professionisti con case, servitù e giardini, che si potevano permettere alcune libertà rispetto alle loro figlie e alle loro mogli.

Cettina cercava l'amicizia di Giusi. Nella sua timidezza ammirava l'agilità, la sveltezza dell'amica e le era devota. Qualche volta Giusi se la portava dietro come terza incomoda. Andavano nella casa al mare di Giordano, a Mondello, con la macchina del padre. D'inverno non ci stava nessuno e i due innamorati si ritiravano nella camera da letto, lasciando l'amica a leggere un libro nel salotto. Cettina non si lamentava di dovere fare la guardia. Se suonava il telefono era proibito rispondere. A meno che non facesse tre squilli seguiti da altri tre squilli. Quello era il segnale che una delle cinque amiche stava cercando le altre per qualche ragione impellente. «Mi telefonò il papà di Giusi, la sta cercando. Ci dissi che sta da Rodi. Tu avvertila!» Cettina telefonava subito a Rodi avvisandola di staccare il telefono. Poi avrebbero detto che stavano parlandosi fra di loro, perciò era occupato. Intanto Giusi aveva il tempo di tornare a Palermo e rientrare in casa come se niente fosse. Sempre accompagnata da Cettina, per non insospettire il padre. «Sono stata a studiare da Rodi con Cettina.» E Cettina confermava, anche se di malumore.

Giusi era la sola che avesse già fatto l'amore e le altre la ammiravano per il suo coraggio. «Ma com'è?» le chiese una volta Cettina e le altre fecero finta di non sentire quella domanda, anche se erano curiosissime di conoscere la risposta. Sapevano che, nel caso di Cettina, non si trattava di curiosità, ma di una supplica. Era come se avesse chiesto all'amica di non lasciarla sempre fuori dalla porta ma di ammetterla in quel luogo misterioso dove un ragazzo e una ragazza si accoppiano sul letto dei genitori. Probabilmente, una volta nuda sul lenzuolo, non avrebbe saputo cosa fare ma era stufa di stare a guardia mentre la sua diletta si squagliava di baci e di carezze con quel tanghero di Giordano. Cettina non l'aveva mai amato quel ragazzo viziato, sempre con la sigaretta accesa, vestito all'ultima moda, sprezzante con le donne. «Chissà perché ti piace tanto?!» diceva sottovoce, più a se stessa che all'amica. «Neanche ci assomiglia poi a James Dean, vuoi mettere!»

Giusi non rispondeva a Cettina quando le faceva domande indiscrete. La fissava con gli occhi spalancati. Aveva delle pagliuzze d'oro nelle pupille scure, che luccicavano ad ogni movimento delle iridi. Giusi sapeva che chi la guardava rimaneva incantato al bagliore di quelle pagliuzze, perciò se ne stava lì impalata. Infine alzava le spalle e se ne tornava sorridendo divertita al suo allenamento. «Dicono che l'amore fa male alle atlete» insisteva Cettina come se parlasse di tutte le atlete del mondo, eccetto della sua amica Giusi dalle gambe lunghe e gli occhi dalle pagliuzze d'oro. Una volta sola Giusi le aveva risposto, seria: «Io non decido niente, è il mio corpo che fa». Cettina e anche Mariola e Rodi che erano presenti, l'avevano guardata con stupore. La bella e scattante Giusi dal corpo muscoloso, un poco androgino, che non mangiava grassi per non appesantirsi, che stava attentissima a tenere i muscoli sempre in moto, che contava i minuti per correre agli allenamenti, che prediligeva le scarpe da tennis e la tuta come una vera ginnasta, sosteneva che era il suo corpo a fare tutto! Strano davvero. Si sarebbe detto il contrario.

Il professore di religione era quello che le innamorava tutte. Era un prete laico, come amava definirsi lui. Non portava la tonaca ma i pantaloni neri, sempre puliti e un paio di scarpe all'americana, larghe e robuste, una maglia blu scura da cui compariva un collarino bianco, solo segno della sua consacrazione. Quei maglioni dalle maniche lunghe, di lana blu o grigia profumano di violetta diceva Butirrita carezzandolo con gli occhi. Era tanto giovane che sembrava un loro coetaneo più che un insegnante. Entrava in classe con passo elastico, morbido. Disdegnava la sedia e passeggiava su e giù per l'aula parlando del cielo con una voce dolcissima che le mandava in estasi.

Gli piaceva dilungarsi sulla vita quotidiana della Galilea ai tempi di Cristo e a tutte pareva di vedere il biondo Gesù che sgambettava per i cortili dove si ammucchiavano gli orci pieni di vino e di acqua, dove le galline starnazzavano mentre il bambino diventava un ragazzo e il ragazzo un uomo che sapeva conquistare i cuori della gente.

Ava Gardner, la donna libera che sprezzava l'amore sentimentale e il giovane don Luigi Pietralunga erano i due miti della classe terza C. Sulla parete di fondo le cinque amiche avevano appeso una fotografia gigantesca di Ava la bella. Incedeva altera, audace, sovranamente indipendente, stretta in un tailleur color tabacco. Ma mentre la testa dai capelli neri, corti si voltava verso i passanti, le gambe la conducevano da un'altra parte creando una strana confusione cinetica. Gli occhi verdi, penetranti, si fissavano verso un punto della fotografia, fuori dai margini, come se vedesse qualcosa di molto attraente: un uomo desiderato? La bocca dalle labbra carnose, di un rosso ciliegia si aprivano come per un saluto.

Il professor Benito Carrà aveva strappato via la fotografia indignato. «Basta con le icone! In classe si studia, non si fa il tifo!» questo era stato il suo commento. Ma le ragazze non si erano perse d'animo e ne avevano subito trovata un'altra: un fotogramma dal film *Il grande peccatore*. Accanto alla scintillante Ava Gardner si vedeva un Gregory Peck dallo sguardo ironico e innamorato. Anche quella foto era stata staccata, questa volta dal bidello, il signor Paternò, uomo pigro e annoiato, ma che obbediva ciecamente agli ordini del preside. Aveva accennato un sorriso di scusa mentre riduceva a brandelli l'immagine che sapeva essere molto popolare in quella classe. Aveva sollevato le braccia come a dire che non ci poteva fare nulla. Lui ubbidiva soltanto agli ordini superiori. Dopo due giorni Cettina aveva portato di nascosto un altro rotolo, questa volta addirittura un manifesto intero e lo aveva appeso con quattro puntine durante l'ora di ricreazione. Era un disegno e rappresentava Ava Gardner nel film *Mogambo*, accanto a Clark Gable. Tutti e due giovani, bellissimi, si abbracciavano, ma in modo da mostrare il viso al pubblico, lui accogliendola fra le braccia da dietro la schiena e lei stringendo con le palme grandi le mani di lui. I capelli di Ava apparivano più neri del solito, gli occhi di un verde smeraldo sfavillante. «Con questo film diretto da John Ford, Ava Gardner ha vinto l'Oscar nel '53» ha detto Cettina che ancora una volta sorprendeva tutti con la sua memoria di ferro.

Il manifesto stranamente era rimasto sulla parete fino alla fine dell'anno scolastico. Chissà perché. Forse perché non aveva la verosimiglianza di una fotografia, forse perché si erano stufati di strappare manifesti, forse perché non volevano troppo dispiacere alle "signorine" che presto avrebbero affrontato gli esami e poi chissà se l'anno prossimo sarebbero tornate in quella scuola, con quei professori, quel preside che non si faceva mai vedere.

Allez venez Milord,/ il fait si froid dehors,/ ici c'est confortable/ laissez-vous faire, Milord. Erano andate all'obitorio, insieme. Giusi se ne stava stesa su un lettino di ferro. Aveva la testa rasata e fasciata in modo maldestro. All'ultimo, cercando di salvarla, le avevano trapanato il cranio. Ma non era servito a niente. Le fasce erano macchiate di sangue. La bella testa di Giusi sembrava un melone giallo, spaccato, rimesso insieme alla bell'e meglio. Il giovane padre sedeva in un angolo ingobbito. Non aveva più di quarant'anni. Accanto a lui il fratellino piccolo di Giusi dormiva con la bocca aperta, la testa appoggiata alla spalla paterna. Le quattro ragazze si stringevano fra di loro, non sapendo che dire e che fare. Era la prima morta che vedevano in vita loro ed erano sicure che non si trattasse di Giusi ma di un fantoccio pieno di polvere di legno, come le bambole con cui avevano giocato da bambine. Qualcosa di assurdo e di inerte che a toccarla avrebbe cominciato a buttare segatura. Cosa avevano in comune quel corpo bianco, quella faccia terrea e immobile con la sfuggente abile e rapida Giusi che correva come un grillo da una parte all'altra del campo di palla a volo: «Passa la palla, passa la palla, scimunita! Non lo viristi ca sto sutt'a rete?». La sua voce era ancora nelle loro orecchie, ma la sua bocca era muta. Ripensavano al suo modo di gettarsi nelle gare, che la portava sempre alla vittoria. Non si tirava mai indietro, non aveva timori, paure, esitazioni. Era precisa e serena e sapeva come muovere il corpo. Strano che dicesse di essere in balia di quel corpo. Come se la guidasse un demone sfacciato. E sul più bello questo corpo l'aveva tradita.

Cettina, inginocchiata accanto al catafalco, tremava, si sforzava di non piangere. Era più pallida lei della morta. Per due giorni era venuta in classe ma non aveva aperto bocca. Poi le era scoppiata la scarlattina e non aveva potuto frequentare la scuola per quasi un mese. «Non hai l'età per la scarlattina» le diceva Rodi andandola a trovare nella casa modesta. Cettina era figlia di operai e viveva in periferia, dalle parti di Acqua dei Corsari, sulla strada per Villabate. Aveva una cameretta piccola, un letto di ferro, per comodino una sedia dal fondo di legno. Sulla parete una grande fotografia di Giusi in corsa, i capelli legati col laccetto rosso, le gambe dai muscoli in rilievo, robusti e scattanti. Una foto che era uscita sul giornale della scuola. Sotto, in lettere cubitali c'era scritto: "La nostra campionessa, Giusi Rolla".

Giordano non era venuto al funerale perché era in ospedale con una gamba rotta. Ma dopo un mese l'avevano visto sfrecciare per via Libertà con la macchina da corsa, il berretto da fantino e la sigaretta all'angolo della bocca. Qualcuno continuava a sostenere che assomigliasse a James Dean. Accanto a lui una bella ragazza che l'anno prima aveva fatto il liceo nella loro stessa scuola. Cettina aveva sputato per terra quando l'aveva visto. Ma lui non si era accorto di niente.

Cettina era uscita dalla scarlattina più alta e già donna. Sembrava che la malattia l'avesse maturata anzitempo. La piccola suora dal sorriso triste era diventata una donna severa e dignitosa, ma anche battagliera e pronta a difendere coi denti i suoi diritti. Cosa che aveva fatto in famiglia decidendo di diventare giornalista e andarsene da Palermo. Il padre, operaio, uno che appena entrava in casa si infilava il pigiama e non se lo levava neanche per salutare gli ospiti che la figlia invitava a pranzo, avrebbe voluto che diventasse maestra elementare. Non si sa perché. Ma ci teneva tanto. E soprattutto non sopportava l'idea che la figlia andasse a studiare da sola a Bologna. Quando Cettina gli comunicò che aveva trovato una camera presso una famiglia, lui la prese a schiaffi davanti ai vicini. Lei non aprì bocca ma da quel giorno non rivolse più la parola al padre. «Di' a tuo marito di mettersi una camicia, che ho ospiti» diceva alla madre e Gabriella Monaco – quello era il nome della donna ancora giovane e bella – andava dal marito e supplicarlo di infilarsi una camicia, se non voleva di nuovo litigare con la figlia. Lui si chiudeva a chiave in camera cantando a squarciagola «Avea nu sceccarieddu, ma veru saporitu, avea nu sceccarieddu, ammia me l'ammazzaru».

A sedici anni Mariola si era sposata con il cugino Gianmaria Pepe. Era più vecchio di lei di dodici anni. Nessuno dei due voleva mettere su famiglia, ma la ragazza era rimasta incinta. E i parenti avevano organizzato una festa colossale che era durata tre giorni e tre notti, invitando tutte le persone importanti di Palermo. Si mormorava che avessero speso cinque milioni sani sani. La professoressa Violetta Sumò aveva supplicato il ricco commerciante di vini di lasciare per lo meno che la figliola finisse il liceo, ma lui era stato irremovibile. Non potevano mica diventare nonni senza la benedizione della Chiesa! Nessuna delle amiche si era accorta che Mariola era rimasta incinta. Lo nascondeva molto bene. In quanto al cugino, Gianmaria il bello, non lo si vedeva mai con lei. Il tutto era avvenuto nelle stanze segrete della grande casa paterna ed era stata la madre, la signora Rosa, a fare in modo che il padre lo venisse a sapere senza traumi, che gli zii acconsentissero al matrimonio, che d'altronde li avrebbe arricchiti di una bella tenuta a Petralia Sottana e una graziosa villetta a Mondello.

Lo sposo era proprio bello quel giorno, nel suo abito grigio perla, i capelli castani che gli scendevano sulla fronte, il sorriso scanzonato stampato in faccia. Come a dire: tutto questo non l'ho fatto io, ma acconsento, cedo, perché così mi piace, mi si addice. Mariola era un poco ingrossata ma stava benissimo bruna com'era nell'abito da sposa color latte, avvolta nei veli tempestati di stelle bianche su bianco, con un mazzetto di roselline candide fra le dita nervose. Un acconciatore era venuto apposta da Napoli, si diceva che avesse pettinato la bella principessa Capece Minutolo che aveva sposato l'Aga Khan, un uomo che ogni anno veniva pesato e i suoi sudditi e gli davano l'equivalente in oro, così dicevano i giornali. Ava Gardner aveva cominciato a diventare meno americana e più palermitana. Il sorriso aveva perso quel che di sfrontato e sensuale che incantava chi la incontrava. Era diventata più segreta, più umile, più lontana. Nessuno infatti la chiamava più Ava Gardner.

Cettina invece sembrava ancora più suora: portava un vestito lungo, di cotonina celeste, accollato, le scarpe basse, i capelli tagliati corti. Prendeva ottimi voti e si sapeva che appena superata la licenza liceale, si sarebbe iscritta a un corso di giornalismo a Bologna. Le amiche erano convinte che sarebbe riuscita a fare quello che voleva nonostante i pochi soldi in famiglia, nonostante l'avversità del padre. Scriveva con disinvoltura, si teneva informata su tutto, era dotata di una ottima memoria e non aveva paura di niente.

Butirrita sembrava un bignè alla crema il giorno del matrimonio di Mariola. Si era infilata un vestito rosa confetto, in testa un tocchetto di raso dalla retìna trasparente che le fasciava la fronte. I guanti lunghi le coprivano le braccia rosate, i seni erano esposti generosamente, incorniciati da una scollatura bordata di merletto. Sorrideva soave e gli adulti si dicevano che il prossimo matrimonio sarebbe stato il suo. Sembrava proprio pronta alla maternità anche se era ancora una adolescente. Non era questo il destino di ogni ragazza perbene?

Accanto a lei Rodi sembrava una tredicenne: minuta, biondina, aveva scelto un vestito di cotone bianco e blu e non portava né cappello né guanti. «Sembri una bambina che va all'asilo» le aveva mormorato Butirrita con riprovazione. Cettina aveva fatto cenno di tacere. Era appena cominciata la messa. Le due amiche erano scoppiate a ridere nei fazzoletti. La musica pomposa dell'organo le aveva sorprese mentre sfogavano una ridarella da nervosismo.

«Siamo rimaste in tre» aveva detto Tanina togliendosi il tocchetto dalla testa, quando le automobili scure avevano chiuso le portiere con un tonfo secco ed erano partite lente, una dietro l'altra come seguendo un funerale. Sola differenza: queste erano cinte da nastri candidi che attraversavano le fiancate e finivano con un lucido fiocco bianco sul cofano.

Mariola e il cugino erano andati in viaggio di nozze a Parigi. La madre e il padre li avevano accompagnati al traghetto per Napoli portando le valigie che erano una decina e non si capiva proprio come se la sarebbero sbrigata con tutto quel bagaglio.

La giovane sposa le aveva informate al ritorno dal viaggio che avevano trascorso il tempo nei locali notturni, a guardare le ballerine che si spogliano, per volere di lui e curiosità di lei, rimanendo poi a crogiolarsi nel letto dell'albergo fino alle due. Il tempo di una lauta colazione, di un altro riposo e l'orario dei musei era già arrivato alla chiusura. Perciò non avevano neanche visitato il Louvre o il Jeu de Pomme. In compenso avevano comprato delle stampe antiche per il salotto della casa nuova e della *lingerie* piccante per la bella moglie che il marito voleva sempre seducente per sé, anche se vestita seriamente per gli altri.

Finito il liceo anche Cettina era partita ed erano rimaste in due a ricordare il vecchio gruppo di amiche: Tanina e Rodi. Erano state tutte e tre promosse con buoni voti. Avevano fatto una gran festa, di cui è rimasta una fotografia che Rodi tiene sul comò. C'è tutta la classe, i professori seduti in prima fila: Benito Carrà in lutto perché nell'ultimo anno era morta la madre. La professoressa Viola Sumò con un sorriso forzato, come se stesse per affrontare un ennesimo violento mal di testa, il professor Mollica elegantissimo e sprezzante come al solito, don Luigi Pietralunga dal sorriso dolce e ingenuo. C'era pure la "signorina" Infante con un cappellino grondante fiori e il bidello Lillino Paternò tutto vestito di scuro che sorrideva beatamente alla macchina fotografica.

Tanina e Rodi si sentivano perse senza le amiche con cui avevano diviso la vita per tanti anni. Mariola era talmente presa dal figlio appena nato che non si faceva né vedere né sentire. E poi il marito non voleva che uscisse da sola. Con Cettina si scrivevano ma non molto spesso. Lei si giustificava dicendo che studiava tanto e non aveva tempo per la corrispondenza. Eppure le sue lettere erano molto attese perché vergate con mano rapida e vivace, perché parlava loro di un mondo sconosciuto e differente in cui le ragazze bevevano e fumavano per strada, vivevano in comune coi ragazzi, ciascuna poteva avere anche due o tre fidanzati senza per questo essere considerata una prostituta.

Rodi e Butirrita facevano del loro meglio, a Palermo, per seguire l'esempio di Bologna. Si divertivano a scandalizzare la città fumando per via Libertà con aria sfacciata, oppure uscendo da sole la sera per andare al cinema. Ma Palermo stava cambiando: si stava dilatando, popolando. Non succedeva più che passeggiando per via Maqueda si dovessero salutare tutti i passanti che erano o amici o conoscenti. C'era tanta gente nuova che approdava ogni giorno dalla provincia, tanti contadini che si facevano cittadini e le case non bastavano mai. Anche gli amici di sempre erano presi dai nuovi problemi della guerra fredda e non avevano più tanta voglia di spettegolare. Le ragazze di buona famiglia non trascorrevano più il loro tempo gettate sui divani a sognare un marito. Molte, sempre più spesso, prendevano la laurea, si mettevano a lavorare. La sera uscivano con giovanotti ben vestiti con cui facevano l'amore senza essere sposati, e questo non provocava nemmeno tanti sensi di colpa o rimorsi. Ma al primo segno di gravidanza, ci si doveva sposare, non c'erano alternative.

Tanina e Rodi si erano giurate di rimanere vergini. Non per esaltazione religiosa o per un eccesso di pudore, ma perché era il solo modo che conoscevano per mantenere l'amicizia e non scomparire risucchiate dalla logica perversa delle coppie. Andavano insieme all'università, studiavano insieme nella casa di Rodi che era più spaziosa ed era munita di una grande terrazza da cui si scorgeva il porto di Palermo. Quando si stancavano, bevevano degli enormi bicchieri di caffè con ghiaccio, ascoltavano Edith Piaf e si raccontavano di quando erano ragazze e andavano insieme al Pascoli con Cettina, Ava Gardner e Giusi.

Si ripromettevano ogni tanto di fare una visita alla tomba di Giusi a Mondello, ma non si decidevano mai. Preferivano ammirare le fotografie che la ritraevano fresca, pronta a scattare, la coda di cavallo sempre saltellante sulle spalle, le scarpe da tennis, il sorriso da coniglio. Mariola la incrociavano ogni tanto al teatro Biondo a vedere uno spettacolo. Era sempre incinta. Aveva fatto un primo figlio e ora ne aspettava un altro. Si salutavano di lontano, senza mettersi a chiacchierare. Sapevano che il marito le avrebbe raggiunte dopo un momento, avrebbe preso la moglie per un braccio e l'avrebbe portata via. Detestava le amiche di lei e non voleva neanche che parlasse con loro al telefono.

Spesso andavano al cinema insieme, Tanina e Rodi. Era la sola distrazione che veramente le saziasse. Nelle grandi sale si vedevano i film di Hollywood che facevano sognare. Quando davano un film di Ava Gardner si poteva essere sicuri che le due amiche si sarebbero trovate in prima fila alla proiezione pomeridiana. Poi c'era il cinema Cunicolo in via dello Spasimo, un vero buco in cui dei compagni di università organizzavano la visione di film difficili come *La corazzata Potëmkin*, *Nosferatu*, o *La nascita di una nazione*. Forse in fondo al cuore preferivano il grande cinema americano che tanta parte aveva avuto nei sogni di un paese poverissimo appena uscito dalla guerra. Ma amavano anche sedersi sulle seggiole sfondate del Cunicolo e affondare gli occhi nei bianchi e neri dei grandi autori del cinema sperimentale.

Durante gli intervalli si mostravano le lettere che avevano ricevuto da Cettina: pagine spiritose in cui prendeva in giro i suoi insegnanti, i suoi compagni di università. Una volta però era arrivata una missiva lunghissima in cui raccontava di un incontro che l'aveva lasciata senza fiato: "Indovinate chi mi sono trovata davanti, Rodi e Butirrita, non lo indovinereste mai: Ava Gardner in persona. Al ristorante della Maya desnuda, qui a Bologna. Sono rimasta folgorata, come potete immaginare. Ero in piedi in mezzo ai tavoli e non riuscivo più ad andare né avanti né indietro. Lei ha sollevato la testa verso di me con una espressione perplessa, ma non seccata, sembrava più divertita che altro della mia faccia sbalordita. Mi ha fatto un rapido sorriso, si è messa di piatto ed è passata fra me e il tavolo senza sfiorare nessuno dei due. Mi sono girata e l'ho vista prendere posto su una sedia di legno scuro, accanto a un uomo in cui, pensate la fortuna, ho riconosciuto subito Walter Chiari. Sono rimasta lì impietrita. Li osservavo con una tale intensità che lei mi ha fatto un saluto con la mano. Una mano grande e bianca, con un anello verde che scintillava sul mignolo. È la donna più bella che abbia mai visto in vita mia. Ho pensato di andare da lei e chiederle se mi firmava un autografo. Ma ha vinto la mia goffaggine. Non avrei mai saputo come chinarmi senza cadere per terra. Forse non avrei nemmeno saputo tirare fuori una parola dalla gola contratta. Dite a Mariola che non le assomiglia affatto. Nei film forse sì. Ma nella realtà ha qualcosa della pantera che a lei manca. Sembra il ritratto della libertà in persona. Mi chiederete com'è finita la serata? quanto tempo sono rimasta immobile in quella posizione da scema in mezzo al ristorante? Be', sinceramente non lo so. A un certo punto il cameriere passando mi ha dato una spinta e io lentamente, a testa bassa, mi sono avviata verso la porta, dove mi stava aspettando un amico".

Rodi studiava Lettere. Butirrita naturalmente si era iscritta anche lei a Lettere e Filosofia. Avevano trovato dei nuovi amici, fra cui un certo Salvo Manetta che piaceva a tutte e due. Anche lui sembrava amarle entrambe e non sapeva decidersi per l'una o per l'altra. Loro lo prendevano un poco in giro fingendosi gelose, ma in realtà si raccontavano i baci che dava all'una in assenza dell'altra. «L'ultimo bacio fu da sette» diceva Butirrita. «E l'ultimo tuo?» «Be', forse sette meno meno» replicava Rodi ridendo. «Sai, Salvo vuole per forza fare l'amore, ma io gli dissi di no. Non voglio sposarmi.» «Te lo ricordi il patto, Tanina? niente gravidanze involontarie, niente fidanzamenti precipitosi, niente matrimoni di comodo. Se vuoi stare libera tieni lontano il sesso, te lo ricordi?»

Qualcuno suggeriva gli anticoncezionali. Una cosa proibita dalla Chiesa e anche dalle famiglie. Guai solo a parlarne! Fra gli amici più adulti c'era chi girava con delle bustine di preservativi che distribuiva agli amici. Erano però soprattutto uomini. Le donne non osavano. Portare un preservativo in borsa sarebbe stato come dichiararsi disponibile e quindi spregevole.

Un giorno avevano deciso di andare a Bologna a trovare Cettina. Si erano scambiate lettere frettolose e piene di eccitazione. Non la vedevano da quasi un anno. Il viaggio era lungo ma non mancava loro il coraggio. «Vi proibisco di andare sole!» aveva urlato la madre di Tanina. E aveva impedito alla figlia di comprarsi il biglietto. Ma Rodi, che aveva genitori più comprensivi o forse solo più indulgenti, si era fatta prestare i soldi per acquistare tutti e due i biglietti e poi erano partite, senza salutare, dopo avere preparato le valigie in fretta e furia, di nascosto.

Rodi era arrivata al porto in anticipo. La nave per Napoli non aveva ancora aperto i portelli e lei si era seduta su una gomena arrotolata osservando il mare davanti a sé. In quel momento aveva sentito un suono di campanelli, si era voltata e aveva visto passare un funerale su via Francesco Crispi. Istintivamente si era fatta il segno della croce. Dietro il feretro c'erano poche persone, e di corone non se ne vedevano. "Un poveretto" aveva pensato distrattamente Rodi osservando il magro cavallo coperto di mosche che procedeva lento con il paraorecchie incollato al muso. Non sapeva che in quella bara c'era il vecchio signore dal cappello alla Humphrey Bogart che tante volte le aveva seguite, osservate, ammirate e riverite. Anche ora, chiuso nella sua bara, aveva sentito il profumo delle *jeunes filles en fleur* come le chiamava dolcemente fra sé, e aveva fatto un saluto con la mente.

Il traghetto non partiva e le due ragazze che avevano trascinato i bagagli su per la scaletta e dentro la stiva, fino a una cabina illuminata al neon che puzzava di cesso, erano tornate sul ponte e ora stavano affacciate con le braccia incrociate sul parapetto aspettando che la nave si staccasse dalla banchina. Palermo era davanti a loro, rumorosa e sporca, ma anche bella, con le sue chiese barocche, le sue ville, le sue statue, i suoi giardini. A destra, azzurrate, si intravedevano incombenti e bellissime le rocce del monte Pellegrino. L'ora della partenza era già passata ma la nave era sempre all'àncora.

Dopo quasi un'ora di attesa, avevano visto una macchina scura seguita da altre auto e perfino da due carrozzelle che si fermavano sulla banchina. Era sceso un uomo grassoccio, tutto vestito di blu. Accanto a lui una piccola folla di amici e accoliti. «Chi è quel signore per cui la nave ha ritardato di un'ora la partenza?» aveva chiesto Rodi ai marinai. Ma nessuno sembrava saperlo. Finché un facchino si era fermato accanto a loro, asciugandosi la fronte, dopo avere posato una enorme valigia dalle borchie d'oro e aveva detto scandalizzato: «Cu è? è iddu, l'onorevole». Dopodiché si era incollata la valigia e e era sparito nel ventre della nave.

«E noi abbiamo aspettato un'ora per iddu?» aveva detto Rodi e Tanina si era messa a ridere. «Iddu è iddu.» E ridevano di cuore quando improvvisamente accanto a loro era apparso, tutto impettito e impomatato, proprio iddu, l'onorevole. Le aveva fissate per un momento, sospettoso. Che ridessero di lui? Ma non aveva trovato opportuno informarsi. Forse si riprometteva di vendicarsi più tardi, durante la cena. E aveva proseguito lasciandosi dietro una scia di profumo alla lavanda.

A Bologna Cettina le aveva accolte con grandi feste. Aveva trovato per loro una pensione vicino alla stanza dove abitava. Aveva mostrato loro le torri, i palazzi antichi, le chiese. Le aveva portate a passeggio sotto i portici, a cena in una trattoria antica dove si mangiava la salama da sugo e i cappelletti in brodo. Avevano trascorso delle serate intense ricordando la Palermo del dopoguerra, i giardini profumati, il gelo di mellone, la scuola dai banchi mobili e scorticati, il professor Fabio Mollica detto Tyrone Power, la sublime professoressa Violetta Sumò, e il timido e frettoloso professore Benito Carrà. «Ti ricordi quel giovane che ci aspettava all'angolo della scuola, e appena ci vedeva apriva il cappotto e sotto non portava niente?» «Sì, tu ti mettesti a insultarlo una volta e lo mortificasti, meschino!» «Mariola invece si spaventò ed andò a raccontarlo al preside.» «E Giusi, te la ricordi?, si avvicinò a du cristiano e dopo avere guardato ben bene da vicino quello che metteva in mostra ci disse "Be', n'haiu visti di megghiu".»
«Ava Gardner come sta?» chiedeva Cettina. «Ha il pancione. Aspetta il terzo figlio.» «Io ho deciso: figli non ne faccio, fino a quando non mi sarò sistemata col lavoro. Tanto sino a quarant'anni ho tempo, no?»
Erano andate a ballare con degli amici di Cettina, tutti molto garbati e gentili, forse un poco "secchioni", come li chiamava lei, ma pronti a offrire gelati confezionati, che facevano rimpiangere i meravigliosi gelati palermitani.

Dopo una settimana Rodi e Butirrita erano rientrate a Palermo. Al piroscafo erano venuti a prenderle i genitori che avevano pianto abbracciandole. Poi ciascuna era andata a casa sua, ripromettendosi di ritrovarsi la mattina dopo per andare insieme all'università.

Ma la mattina dopo Tanina non era venuta all'appuntamento e non aveva telefonato. Rodi, preoccupata, aveva fatto una corsa fino a casa dell'amica, per sentirsi dire che era uscita e non si sapeva quando sarebbe tornata. Rodi aveva continuato tutto il giorno a telefonare. Ma all'apparecchio, la voce fredda della madre le ripeteva che Tanina non c'era, era fuori col papà, e poi fuori con la nonna, insomma irraggiungibile.

Il giorno dopo, al posto della madre era venuta al telefono la tata per dirle che Tanina era malata di una malattia contagiosa e il dottore aveva raccomandato che non ricevesse nessuno. «Ma neanche un saluto da lontano?» «No, nuddu l'ave a virili.» «Fatemela salutare per telefono.» Ma neanche quello le era stato permesso.

Nei giorni seguenti Rodi era passata e ripassata sotto la casa dell'amica cercando di capire cosa stesse succedendo. Se stava male perché non poteva vederla, anche solo per un saluto da lontano? Se fosse veramente così contagiosa e grave non l'avrebbero portata già all'ospedale? Perché la madre le impediva di introdursi in quella casa dove era sempre entrata a tutte le ore, portando i quaderni su cui studiare, portando un gelato da dividere, portando un disco nuovo da ascoltare insieme?

Un pomeriggio aveva comprato un mazzetto di fiori legati con un nastro rosso ed era andata in via Principe di Belmonte. "Questa volta non citofono, non telefono, salgo e basta" si era detta. E così aveva fatto. Arrivata al quarto piano, aveva suonato alla porta. Ma nessuno aveva aperto. Suona, risuona, aveva preso a bussare con i pugni chiusi. Ma dall'altra parte c'era solo silenzio. Che l'abbiano davvero portata in ospedale? Almeno le dicessero dove si trovava, in quale ospedale, "che ci vado a portare i fiori" si ripeteva rabbiosa. Ma dalla casa non proveniva un suono, niente, nessuna risposta.

Infine, scoraggiata, si era seduta sul gradino vicino al vecchio ascensore, coi fiori in grembo a pensare cosa fare. Nel silenzio aveva sentito un fruscio dietro la porta e poi una voce che diceva: «Finalmente se n'è gghiuta la rompi-scatole!». Allora aveva sbattuto i fiori contro la porta e se n'era scesa giù a piedi, piangendo.

Due settimane dopo, una mattina, aveva letto sulle cro-nache cittadine del "Giornale di Sicilia" che Gaetana Giu-bilo figlia del grande commerciante di stoffe Giovanni Giubilo e della nobildonna Agata Saponaro di Campofio-rito, si era sposata con il giovane Salvo Manetta, figlio del-l'onorevole Manetta, candidato alla presidenza della Re-gione siciliana. Era per questo che si era chiusa in casa, che non aveva più voluto vederla? Lì per lì le era venuto da ridere: era vero che avevano amoreggiato tutte e due con Salvo Manetta, ma se Butirrita lo voleva veramente tutto per sé, lei glielo avrebbe lasciato con gioia. Non lo considerava di sua proprietà. Sarebbe stata contenta di vederli insieme. Perché l'avevano esclusa così crudelmen-te? Perché non l'avevano invitata al matrimonio?

Solo mesi dopo aveva scoperto che Tanina, la carissima amica Butirrita, bella e rotonda e morbida come un ric-ciolo di burro, era già incinta quando erano partite per Bologna e le aveva tenuto nascosta la verità per settimane, come se niente fosse. Sapeva che la madre stava preparan-do il matrimonio riparatore e forse per vergogna, forse per obbedire ai genitori, forse per rompere definitivamente col passato, aveva voluto chiudere in un modo così sub-dolo e infelice con la sua migliore amica.

Ora sono rimasta sola, si era detta Rodi. Dovrò trovar-mi un marito anch'io. E si era guardata intorno interessa-ta. Aveva preso a frequentare dei bei ragazzi che promet-tevano mari e monti. Ma intanto volevano fare subito l'a-more. E lei non era d'accordo. Dopo mesi di false partenze finalmente aveva trovato uno che faceva per lei. Si chiamava Arnolfo e studiava Filosofia come lei. Ma nessuno dei due aveva voglia di maritarsi. C'erano pochi soldi, non avevano un lavoro né una casa propria e non si sentivano nemmeno maturi per mettere su famiglia. La vista di Mariola che ogni tanto incrociava per via Maqueda, ingrassata e deformata, i capelli tinti male, la risata infelice, non la incoraggiava certamente a sposarsi.

Una mattina aveva incontrato anche Tanina, che spingeva una carrozzina per via Ruggero Settimo. Lei non era cambiata. Era la solita piccola Butirrita dalla pelle bianca e lentigginosa, i folti capelli rossi, il sorriso timido. Le era andata incontro a braccia aperte ma Butirrita aveva scantonato, girando la testa dall'altra parte, come se non la conoscesse. Rodi era rimasta impietrita. Allora ce l'aveva con lei! Ma perché?

La ragione l'aveva saputa da Cettina, mesi dopo, durante una sua frettolosa visita a Palermo. «Qualcuno ha pensato che foste amanti, Rodi, stavate sempre insieme, siete venute insieme a Bologna. Pare che la voce sia circolata: e lei ha paura del marito.»

Così era finito il gruppo, con una stupida incomprensione. Rodi non riusciva a farsene una ragione. Persone che si erano capite così bene, che erano state felici insieme, potevano diventare estranee?

Per fortuna restava Cettina. L'ultima notizia era che aveva trovato lavoro in una televisione privata che l'aveva mandata come inviata in un paese in guerra. Da lì scriveva a Rodi delle lettere allarmate ma anche piene di vita. E Rodi stava progettando di trasferirsi anche lei a Bologna. Ma con quali soldi? I suoi non erano ricchi. E lei aveva cominciato a insegnare in una scuola di Partinico, facendosi tre ore di autobus al giorno. Con Arnolfo si vedevano la sera, quando non erano troppo stanchi e facevano progetti per il futuro. Progetti di viaggi soprattutto. Si mettevano sdraiati per terra sul tappeto, aprivano una grande carta del mondo e si raccontavano quello che sapevano dei paesi che mano mano mettevano in lista per una visita. Prima di tutto c'era la Grecia, dove avrebbero seguito le tracce dei loro amati maestri: l'Atene di Socrate e Platone, la Samo di Pitagora, la Efeso di Eraclito, la Abdera di Democrito.

«Voglio anche vedere la Mantinea di Diotima.»

«E chi è Diotima?» aveva protestato Arnolfo baciandole l'angolo della bocca.

«Socrate nel *Simposio* racconta che è una sacerdotessa dotata per la filosofia, e gli ha suggerito delle bellissime idee sull'amore. Non l'hai letto il *Simposio*?»

«Sì che l'ho letto.»

«Ma non ci hai fatto caso.»

«Non ci avrò fatto caso.»

«Allora andremo anche a Mantinea?»

«Andremo a Mantinea.»

Sulla parola Mantinea, ripetuta più volte, si erano abbracciati e baciati. Rodi aveva pensato che amava questo buffo Arnolfo dal nome ariostesco come non aveva mai amato nessuno. Sapeva che il suo non sarebbe stato un matrimonio riparatore. Forse non si sarebbero nemmeno sposati. Ma sarebbero andati a Mantinea insieme e avrebbero fatto l'amore.

All'Aspra in bicicletta

Una ragazzina bionda legge al lume di una candela. È appena finita la guerra. C'è fame in giro. A Bagheria in molte case è già stata installata la luce, nella loro ancora no. Appena imbrunisce accendono dei rozzi lumi a petrolio che rischiano continuamente di cadere e incendiare la casa. Ma lei non può rinunciare a leggere. È la sua passione. Divora i libri come fossero cibi prelibati e se ne nutre. Qualche volta ne fa perfino indigestione e si trova un pancione gonfio di esperienze libresche che fanno malloppo nelle viscere e non riesce a mandarlo né su né giù.

La ragazzina porta le scarpe risolate venti volte, si mette addosso gonne allungate con stoffe diverse, si infila maglioni che le stanno o troppo stretti o troppo larghi, resti del guardaroba di sua nonna. Per uscire si calca in testa un cappelletto a cui è molto affezionata, venuto fuori dalle mani pazienti di sua madre, di un morbido velluto cremisi.

La più grande ricchezza però è una vecchia bicicletta di suo padre, troppo alta per lei, ma a cui si è abituata, e che inforca saltando sul pedale mentre la manda giù per la discesa. Con quella bicicletta vola per le vie scoscese di Bagheria. Molte volte è caduta sbucciandosi a sangue le ginocchia. Ma non per questo ha mai pensato di rinunciarvi.

Ogni mattina la ragazzina bionda pedala fino alla scuola e lì abbandona la bicicletta appoggiandola contro un palo. Sebbene tutti abbiano fame in quei grami anni del dopoguerra, nessuno oserebbe rubare una bicicletta. Il paese è compatto, occhiuto e vigile, in preda alle grandi manovre della mafia che si sta riorganizzando con l'aiuto degli americani, ma già controlla la piccola malavita cittadina.

A scuola la ragazzina ritrova i suoi compagni, le sue compagne, con cui ha una buona intesa. Discutono, giocano. Lo studio è un sottofondo doveroso a cui ci si assoggetta con pazienza. I professori volenterosi corrono su e giù, chiusi in cappotti lisi, pronti a sbraitare per ogni sciocchezza, ma anche attentissimi alle grandi voci della letteratura italiana. Leggono in classe Manzoni e Leopardi e costringono gli scolari a imparare interi paragrafi a memoria.

Ma la gioia più grande sta nelle gite domenicali, in bicicletta. Col fagottello appeso al manubrio, a cercare granchi lungo le coste del monte Zafferano. Tutti imbacuccati e col cappuccio calato sul naso, cercando di schivare gli spruzzi alti delle onde, d'inverno; liberi e allegri correndo a tuffarsi dalle rocce alte nel mare agitato, d'estate.

Una fresca mattina di una domenica di luglio la ragazzina bionda fila in discesa lungo la strada di terra che collega la villa al paese. È stata nel passato una grande villa piena di cose preziose. Ora, nel dopoguerra, assomiglia più che altro a una magione in rovina, con le lunghe finestre senza vetro, le grondaie bucate in cui fanno il nido i passeri, le erbe che sbucano fra le mattonelle della terrazza. Ma la bambina ama quella villa in sfacelo, il suo odore di vecchie pietre, le pareti che si sfaldano cancellando gli affreschi settecenteschi, la luce che filtra polverosa dalle persiane sconnesse.

Quella domenica di luglio scendono in cinque verso il

promontorio dell'Aspra. Uno sperone di roccia chiara che si protende sul mare libero. Non c'è una casa da quelle parti né una strada asfaltata. Solo un sentiero terroso su cui cresce la gramigna e su cui le bisce prendono il sole arrotolate.

I cinque pedalano rincorrendosi, superandosi, frenando all'improvviso e ridendo di ogni sciocchezza. Quando arrivano alla salita del monte Zafferano, appoggiano le biciclette fra due rocce basse che formano un rifugio naturale. Da lì a piedi, saltellando e correndo, scendono lungo il pendio del monte, fino al mare. Sul tragitto incontrano solo un impagliatore di sedie che, seduto per terra, tira le scorze delle agavi tagliate e seccate al sole, facendo perno sull'alluce in fondo alla gamba tesa. L'uomo solleva la testa per osservare quel gruppetto di ragazzini dalle magliette sbrindellate, lancia un saluto gutturale come un richiamo per le pecore e riprende pensoso il suo lavoro.

La ragazzina bionda si precipita giù per le rocce, seguita dai compagni di scuola. L'acqua ha un colore che non rivedrà più nel corso della sua vita: di oro liquido, in cui le profondità azzurrine sono attraversate da frotte veloci di minuscoli pesci di un viola stupefacente.

Lì i ragazzi ammucchiano in un canto, al riparo di una roccia, i fagotti con la colazione, le magliette sudate e i sandali rattoppati. Quindi si gettano dall'alto di un masso in mezzo al cavallone che avanza. L'abilità consiste nel buttarsi a testa in giù, le braccia protese contro l'onda montante. Se si sbaglia si rischia di finire schiantati contro gli scogli. Ma nessuno ha mai sbagliato.

I tuffi si riservavano al mare mosso. Quando il mare invece è calmo e pacifico come oggi, i ragazzi si dedicano alla pesca dei ricci che lì sono molto abbondanti. Anche senza maschere né occhialetti da mare, sanno distinguere le femmine dai maschi. Le femmine hanno le spine con le punte violette o marroncine, mentre i maschi sono sempre neri e più piccoli. Le femmine portano le uova gonfie e incollate al dorso, i maschi no. Li distinguono da lontano a occhi nudi e si lanciano sott'acqua agitando braccia e gambe, fino a raggiungere i tre, i cinque metri di profondità. Bisogna però stare attenti a non pungersi nello staccarli dalla roccia. E quindi tornare in superficie rapidamente spingendo la testa in alto per arrivare a respirare prima di soffocare.

Seduti sui blocchi di pietra grigia, sotto il sole che ora è robusto e feroce, i ragazzini spaccano i ricci pescati. La bambina bionda è abilissima nell'usare un coltellino dal manico di legno che si porta sempre dietro. Appoggia il riccio contro un sasso e con un colpo secco lo divide in due perfette metà. Una contiene le uova, l'altra no e viene buttata via. La piccola faccia lentigginosa si avvicina a quel mezzo riccio appena pescato e con la punta della lingua assaggia una di quelle striscioline di minuscole uova che mandano un odore acre e marino. Il compagno più vicino stende la mano. Lei gli allunga il mezzo riccio ancora intatto e lui a sua volta lo passa ad un altro. È l'addetto alla distribuzione. Farà in modo che nessuno ne mangi più degli altri.

Appena finito di succhiare quelle liquide delizie, via a pescarne degli altri. Qualche volta, nel nuotare in fretta, la punta del piede tocca senza volerlo uno di quei ricci e gli aghi penetrano nella carne dolorosamente. La ragazzina bionda sa come fare. Si mette seduta col piede del compagno o della compagna fra le mani, i capelli che le cascano bagnati sulle guance arrossate. Con la punta del coltello, ma molto delicatamente, senza fare male, estrae la spina nera che si sbriciola fra le dita.

Quando il sole diventa insopportabile e picchia sulle teste riarse, si accucciano all'ombra di uno scoglio e estraggono dalla grotta i panieri. Pane di Bagheria, chiamato rimacinato, giallo e spugnoso, coperto di comino, buonissimo. I ragazzi divorano quel pane con una fetta di mortadella, o anche solo condito con un poco di olio e due pezzi di pomodoro. Quindi si sdraiano su alcune pietre larghe e piatte che sporgono sulle onde, parlando di cose gravi. È il momento più serio della giornata. Qualcuno si chiede cos'è il mondo, se soltanto una grande truffa da non prendersi sul serio, oppure un cruciverba insolubile che porta soprattutto dolore e strazio. Per quanto spensierati, i ragazzini hanno stampati nella memoria gli orrori della guerra appena finita, sanno cos'è la malattia, la morte. In paese tutto avviene nella consapevolezza di tutti, in un comune sentimento di controllo e di curiosità, che ha i suoi lati oscuri ma anche i suoi lati felici. Non ci si sente mai soli a Bagheria.

Una volta la bambina ha captato la parola "mafia". Ma subito un compagno di giochi ha aggiunto «la mafia non esiste». E la bambina si è chiesta se fosse lui a parlare o qualche adulto in lui. D'altronde anche lei ne sapeva poco o niente. Allora la mafia era un tabù soprattutto verbale, e quando si diceva che non esisteva, voleva dire che non doveva esistere.

Appena il sole comincia a farsi più debole e distante, si sa che bisogna prepararsi a tornare a casa. Nessuno ha l'orologio. La ragazzina bionda lo desidera con tanta passione che tormenta ogni giorno sua madre. Ma finora non si sono trovati i soldi per un simile regalo.

Senza che nessuno glielo abbia raccomandato, i ragazzini sanno che non debbono lasciare resti sulle rocce. Quindi puliscono le pietre dove giacciono le carcasse dei ricci con l'acqua di mare; cacciano nei panieri le bucce dei fichi, la carta in cui è stata avvolta la mortadella e si arrampicano sulle rocce ancora calde, per riprendere le biciclette e poi, lenti lenti, affrontando la dura salita, tornano verso casa.

Tanto vale vivere

Le pantofole scalcagnate, la testa spettinata, gli occhi gonfi di sonno, Ramona sfoglia sul tavolo della cucina il giornale che una mano gentile ha cacciato sotto la porta di casa. Davanti ha una tazza di caffellatte e una fetta di pane abbrustolito.

Lo sguardo le cade sulla foto di un bambino scheletrico con grumi di mosche agli angoli della bocca. Una contrazione allo stomaco: è un bambino e sembra già vecchio. Ha la fronte coperta di rughe. Le rughe della fame, si dice Ramona soffermandosi pensosa su quella immagine straziante. Ecco qualcuno più disperato di me. È pietà quella che prova? Certo che sì, ma si rende conto che dal bambino la commiserazione scivola velocemente verso la sua persona: trentadue anni, orfana di padre, doppia laurea con lode e nessun lavoro. Finora ha vissuto della pensione di sua madre che però, con l'avvento dell'euro, ha perso metà del suo potere d'acquisto. Ha dovuto lasciare il minuscolo appartamentino vicino all'università che le dava una certa autonomia. È dovuta tornare nella casa della sua infanzia dove dorme su un divano, nel tinello, visto che la sua camera è stata affittata a uno studente.

Sono ormai parecchi mesi che Ramona si alza alle sette per andare a cercare lavoro, ma non ha ancora trovato proprio niente. Se non potesse disporre del tinello riscaldato per dormire, se non potesse approfittare di quel poco di spesa che sua madre divide con lei, come farebbe? È un anno che non si compra un paio di scarpe: sia quelle basse blu, che quelle nere col tacco per uscire la sera, sono sformate e sbucciate. Le farò aggiustare, si ripromette, anche se non sa dove. Nel quartiere popoloso della Zisa dove abita non ha mai visto un calzolaio. Ma ne esistono ancora?

Ramona torna a sfogliare il giornale, fermandosi con occhio distratto sulle pagine interne. Una donna seminuda fa la pubblicità a una marca di birra. Per un momento la sua mente, ancora assonnata, si sofferma stordita cercando il nesso fra la birra e la donna spogliata in modo allusivo, ma non lo trova.

Finalmente ecco la pagina delle offerte di lavoro. "Cercasi sciampista per negozio di parrucchiere." Crocetta rossa. Perché no? Più sotto c'è la richiesta di un garzone per un forno. Ma potrebbe anche presentarsi una garzona o no? Crocetta anche su quella. "Cercasi muratore", "Cercasi donna di servizio", "Cercasi modella per una linea nuova di costumi da bagno Comfort e Seduzione". Crocetta o no? Le viene in mente una recente esperienza grottesca di un provino per la pubblicità degli Slip Caramella. Si era trovata chiusa in un salottino tutto rosa, con addosso solo un paio di mutandine rosso ciliegia mentre un sedicente regista calvo e panciuto le ordinava di chinarsi, di alzare la gamba, di porgere il petto. Intanto un fotografo baffuto, accucciato per terra, manovrava una grossa macchina che mandava lampi e faceva un rumore di motore a scoppio. Il regista l'aveva costretta in posizioni sempre più umilianti e lei aveva obbedito anche se a malincuore, sperando che tutto finisse presto con un poco di soldi in tasca. Invece la cosa era degenerata. Il regista calvo e panciuto le aveva chiesto di togliersi lo slip, "per continuare meglio il servizio" e mentre lei borbottava che non era nei patti, se l'era trovato accanto sul divanetto che si sbottonava i pantaloni. Intanto il fotografo dai baffi folti continuava a scattare. A questo punto era scappata via imprecando. Aveva finito di vestirsi correndo giù per le scale. No, niente crocetta. Non crede proprio che si presenterà a via degli Emiri numero 16, per fare la pubblicità ai costumi da bagno Comfort e Seduzione.

Cercasi, cercasi... "Venditrice porta a porta, bella presenza, automobile propria." Niente crocetta nemmeno qui. L'ha già fatto una volta e non ha nessuna voglia di riprovare. Doveva presentarsi in agenzia la mattina alle cinque, con la sua vecchia automobile comprata a rate, doveva prendere in consegna due valigette piene di orologi e lanciarsi nel traffico caotico, tenendo l'elenco degli appuntamenti sul cruscotto. Aveva salito migliaia di scale, bussato a centinaia di porte, si era trovata faccia a faccia con dei maleducati, dei cafoni, dei profittatori. Quando finalmente aveva incontrato qualcuno di gentile, era rimasta inchiodata ad ascoltare i guai e le sofferenze di una derelitta. Se alla fine della settimana aveva venduto due orologi era grasso che colava. Oltre tutto spendeva in benzina più di quanto guadagnasse con la vendita di quei maledetti orologi. No, decisamente non era brava a commerciare. Si faceva impietosire, oppure si faceva imbrogliare.

"Cercasi badante per pensionato non autonomo novantenne." Niente crocetta. Anche questo l'ha già fatto e ne è uscita con le ossa rotte. Il vecchio signor Emilio era tranquillo, non gridava, non sbavava, ma se la faceva addosso anche dopo cinque minuti che lei lo aveva pulito. Proprio come un bambino dispettoso. Infatti sorrideva contento mentre lei lo puliva, lo cambiava e poi, dopo nemmeno un'ora sentiva puzzo di orina. Gli chiedeva: «Ma signor Emilio, se l'è fatta di nuovo addosso?» e lui, arrossendo, chinava la testa.

C'era qualcosa di talmente infantile e tenero in lui che non riusciva a rimproverarlo. Eppure aveva figli sessantenni che venivano a trovarlo ogni due o tre giorni, gli parlavano facendo la voce dolce, si chinavano a baciarlo sulla testa cosparsa di lanugine, e se ne andavano. Lei rimaneva là, prigioniera di quella camera che puzzava di orina, alla mercé di un bambino di novant'anni.

Dopo sei mesi non ce l'aveva più fatta con quel continuo cambio di pannoloni, quel pulire e lavare mutande bagnate e se n'era andata senza neanche chiedere l'ultimo stipendio. Lui l'aveva salutata con le lacrime agli occhi. No, niente badante.

Andiamo, si dice, non fare la difficile, bisogna pur guadagnare qualcosa! Ma possibile che le due lauree prese con tanta fatica non debbano servire proprio a niente? Si era iscritta a tutti i concorsi possibili e immaginabili per ottenere un incarico scolastico. Ma ogni volta che arrivava alla selezione si trovava a dovere competere con duemila concorrenti e quasi sempre i prescelti erano raccomandati. Ha messo centinaia di inserzioni, disposta a dare lezioni private anche a casa, in quel tinello dove dorme e studia, ma non ha avuto risposte. Che sia iellata?

Si alza, si lava, si veste, passa a dare un saluto a sua madre che sta rammendando dei calzini per la vicina di pianerottolo. Sa già che la pagherà alla fine del mese con una decina di uova fresche, oppure un cestino di fichi, o anche un pacco di pasta.

Il parrucchiere dell'inserzione si trova in via Generale Cadorna 41. Sono le nove ma il negozio è già pieno. C'è un via vai di ragazze in gabbanella verde che si chinano su teste ricciute e teste lisce. Altre, senza guanti, sono indaffarate a spalmare tinture tossiche sui capelli di alcune signore semisdraiate che chiacchierano fra di loro, mentre la radio trasmette una musica petulante e sincopata.

Ramona si fa avanti timidamente. Una donna grassa le si avvicina chiedendole se vuole uno shampoo al balsamo o l'antiforfora. «No» dice Ramona «sono qui per quell'annuncio, non cercate una sciampista?» La donna grassa cambia subito espressione. La studia dalla testa ai piedi con occhi duri e inquisitori. Poi risponde lenta, scandendo le parole: «Già trovato, scimunitedda, sei arrivata in ritardo» e le fa un gesto con il mento come a dirle di uscire al più presto, che non ha tempo da perdere.

Ramona esce inciampando stupidamente, e quasi va a finire lunga sul marciapiede. Si siede scoraggiata sopra un gradino e si ripete meccanicamente una poesia-filastrocca di Dorothy Parker che le è rimasta incollata alla memoria e le torna in testa ogni volta che le prende la voglia di morire:

I rasoi fanno male,
i fiumi sono freddi,
l'acido lascia tracce,
le droghe danno i crampi,
le pistole sono illegali,
le corde cedono,
il gas è nauseabondo,
tanto vale vivere.

Due o tre cose che so di lei

Le mani: piccole, nervose. Non sembravano mani adatte a curare malati, eppure di fronte ad un corpo sofferente si facevano sapienti e ardite. Non erano mani belle, nel senso della lunghezza, della bianchezza, della morbidezza. Non erano né candide, né sinuose, e le dita non terminavano in punte dotate di tondeggianti unghie rosate, come insegna la tradizione letteraria. Flaubert descrive le mani di Emma Bovary come "brillanti, fini in cima, più lisce dell'avorio di Dieppe e tagliate a mandorla". Eppure Flaubert le critica quelle mani perché "non sono abbastanza pallide e perché sono un poco secche sulle falangi e anche troppo lunghe e prive di quelle molli sinuosità delle linee sui contorni". Emma, sappiamo, aveva l'abitudine di curarsi le unghie col limone. Li apriva a metà, li immergeva nell'acqua calda per ammorbidirli un poco, vi affondava le dita e poi finiva l'operazione strofinando le unghie con le bucce. In limoni, Emma spendeva quello che si rifiutava di sborsare per vestire meglio la figlia Berte, racconta malignamente Flaubert.

Le mani di Morena erano minute, avevano le vene in rilievo, erano capaci di stringere come tenaglie ma anche di carezzare e consolare. Con quelle mani si era aggrappata da bambina alle rocce di Capo Zafferano durante le epiche "arrampicate" che compiva assieme al padre amato.

Erano mani che profumavano spesso di bucce d'arancia. Morena amava molto le arance e se le portava dietro chiuse in una reticella trasparente.

Con la stessa precisione con cui sbucciavano una arancia, le dita di Morena si posavano su una schiena dolente per un massaggio all'olio di Iperico, o su una gamba gonfia per frizionarla con l'alcol e il cotone, oppure si stringevano attorno ad un pene reso inerte dalla malattia per farvi scivolare dentro un catetere, o ancora scendevano delicate e fulminee su una natica per una iniezione di antibiotico.

Quelle stesse mani avevano imboccato il padre quando si era ammalato. E gli avevano chiuso le palpebre quando era morto. In una stanza di ospedale, proprio il giorno dopo essersi diplomata. L'odore forte delle piaghe da decubito si mescolava a quello acuto delle tuberose. Era rimasta sola in quella stanza di ospedale, accanto al cadavere dell'uomo che più aveva amato nella sua vita, senza riuscire a piangere, prigioniera di quei due odori: uno amaro e rivoltante, l'altro dolcissimo e spossante. Una parte di lei avrebbe voluto scappare giù per le scale. Un'altra parte la teneva lì inchiodata a quel letto, a contemplare il corpo inerte dalla bocca rigida che sembrava stringersi per la paura di farsi scappare una parola affettuosa contro la propria volontà. O forse teme che l'anima gli voli via, aveva pensato Morena ricordando l'avarizia e la cocciutaggine del padre.

Aveva stretto una mano gelata e già quasi rigida fra le sue e aveva provato a riscaldarla. "Ti ho amato tanto, padre mio" si ripeteva "ti ho amato tanto ma ora non provo più niente, niente." Sapeva che non era vero: semplicemente lo strazio della perdita era talmente vicino ai suoi occhi da rimanere invisibile.

La madre di Morena, Adalgisa Monti, era stata da ragazza ballerina al teatro Massimo. Da quando era piccola

Morena aveva convissuto con spumosi tutù che venivano stirati, strato per strato, da mani pazienti e innamorate. Aveva assistito alla quotidiana ricerca delle scarpine da ballo che, non si sa come, tendevano a farsi trovare spaiate o a sparire del tutto. «Dove sono le mie scarpine?» gridava la donna svuotando cassetti e frugando negli armadi.

Era così magra sua madre Adalgisa che le si potevano contare le costole. Ma aveva una voce squillante e una testa piena di capelli scuri e ricci che nessun laccio o elastico riusciva a contenere. «Le ballerine tengono i capelli ben pettinati e lisciati all'indietro con una crocchia sulla nuca» spiegava alla figlia, ma in realtà rivolgendosi a se stessa nello specchio. Morena non poteva fare a meno di trovare comica la disperazione della madre per quei capelli ricci che le sguciavano fuori dal nodo o dalla treccia, in un disordine così poco *comme il faut*, mentre si sollevava con destrezza sulle punte dei piedi.

Quando aveva sei, sette anni Morena aveva sognato di fare la ballerina anche lei. Ma poi, con gli anni le era passata la voglia. «Niente di più spoetizzante di una madre ballerina» aveva spiegato ad una amica che studiava danza con lei. Bastava la vista di quei tutù dall'orlo sporco dimenticati su qualche sedia, di quelle famose scarpine dai lunghi lacci rosa abbandonate sotto il letto. Ma soprattutto erano stati i piedi di sua madre a farla desistere dal sogno del ballo.

Dopo lo spettacolo qualche volta le era capitato di trovarsi sola con la madre stanca, accasciata su un divano: «Che dolore, Morena mia, che dolore... fai qualcosa, massaggiami i piedi, non lo vedi che piangono e gridano vendetta!».

E lei, con pazienza, sollevava una delle gambe materne, la appoggiava sulle proprie ginocchia, prendeva in mano uno di quei poveri piedi indolenziti e lo massaggiava a lungo. Le dita erano storte e rattrappite, offese da quel continuo insistito tenersi in bilico sulle punte. I calli le ricoprivano come cuscinetti di carne spessa e gialla il calcagno, si infilavano sotto l'alluce, fra un dito e l'altro, e la pianta rugosa era spesso coperta di lividi.

Quei piedi le ricordavano il racconto di una professoressa che a scuola aveva loro spiegato come le cinesi dei secoli scorsi fasciassero e schiacciassero le dita, le piante e i calcagni delle donne nobili perché non crescessero. «Possedere piedi piccolissimi come miniature era considerato un grande valore e le donne si sottomettevano alle pratiche più brutali per mantenere quelle estremità da nani. Naturalmente poi non potevano camminare e venivano portate in giro da serve sollecite e compiacenti. Ma se aveste visto quei piedi, una volta sciolti dai lacci e dalle costrizioni: erano poveri corpicini torturati, coperti di piaghe e tutti ritorti su loro stessi. Erano il segno della servitù femminile.»

Morena era rimasta colpita dalle parole della professoressa di storia. E quando teneva fra le mani i piedi callosi, storti e indolenziti della madre pensava alle donne cinesi e alle loro dita torturate. Si chiedeva se anche questi piedi brutalizzati delle ballerine di oggi non fossero il resto di una antica servitù femminile. I ballerini non avevano l'obbligo di issarsi sulla punta dei piedi, appoggiando tutto il peso del corpo su quei due piccoli pavimenti di durissimo gesso. Le ballerine sì. Il balletto moderno per fortuna ha gettato alle ortiche le scarpette torturatrici. Perché sua madre aveva scelto il balletto classico?

«Prendi dell'olio, mi fai male con le mani asciutte» brontolava Adalgisa spingendo indietro la testa ricciuta. Morena andava in cucina, tornava reggendo la bottiglia dell'olio d'oliva, se ne versava un poco sul palmo della mano e riprendeva a stropicciare e carezzare i poveri piedi indolenziti della madre.

Eppure quei piedi, una volta chiusi dentro le scarpine da ballo, correvano felici per il palcoscenico come se fossero dotati di ali. Non si poteva non ammirarla quando saltava, piroettava su se stessa, si chinava toccando terra con le lunghe braccia bianche mentre una delle gambe si sollevava, si sollevava miracolosamente verso il soffitto.

Giselle, forse il balletto più eseguito al teatro Massimo, Morena lo conosceva a memoria. Ogni tanto, ancora oggi, quando non riesce a dormire, si canta mentalmente il motivo delle *notturne Villi* e riesce piano piano a darsi pace e a prendere sonno.

Una volta che la prima ballerina si era ammalata quando stavano per andare in scena il regista aveva scelto lei, Adalgisa, per sostituirla. Era considerata una ballerina "matura" nei suoi trentadue anni: magra, asciutta, agile nei movimenti e certamente la più affidabile nelle sostituzioni. Fra l'altro era la sola che conoscesse a memoria la parte della prima ballerina.

Quel giorno a casa Morena aveva sentito la madre cantare in cucina mentre preparava il pranzo per il marito e per la figlia. Di solito evitava di affrontare un motivo conosciuto perché si riteneva stonata. Ma quel giorno era troppo eccitata per preoccuparsi delle note sbagliate. Pregustava una serata trionfale in cui si sarebbe per una volta trovata al centro della scena, mentre le compagne di sempre le avrebbero fatto corona e il famoso ballerino belga, Robert Marsener avrebbe giostrato all'unisono con lei per l'ampia scena.

A pranzo non si era seduta a tavola con loro. Aveva sbocconcellato una banana ritta al telefono, nel corridoio. Stava chiamando tutti i parenti e gli amici, perché venissero ad ammirarla quella sera al teatro Massimo. Il problema era che disponeva di pochi biglietti-omaggio, nemmeno cinque in tutto. E come fare per gli altri? Ne aveva parlato col marito e avevano deciso di comprarli i biglietti purché parenti e amici fossero presenti a quella unica occasione. Avevano speso una fortuna.

Era maggio, gli ultimi giorni delle repliche dei balletti. La sala era affollata. Il grande lampadario carico di grappoli di lampadine dorate scintillava al centro del soffitto. Il sipario rosso sangue con il motivo di cigni in volo era chiuso ma palpitava come se esprimesse l'emozione dell'avvenimento.

Morena se ne stava seduta in prima fila accanto alla nonna. Avvertiva il chiacchiericcio della gente, l'orchestra che provava gli strumenti nella fossa e se ne beava. Nell'aria vagavano sottili segni di una comune attesa: un oboe che insisteva svirgolando su un'aria dolcissima miracolosamente limpida in mezzo allo stridere confuso degli altri strumenti; il lampo di un fotografo; una risata allegra e scrosciante che proveniva dalla piccionaia; lo strusciare di un'unghia sul velluto rosso delle poltroncine; il passaggio di una gran dama dal vestito ampio, frusciante. Tutto sembrava convergere verso quel palco di legno rosato, verso quel corpo di donna magro e leggero che da lì a poco avrebbe mostrato la sua meravigliosa abilità ad un mondo di esperti e di critici. La gola di Morena si era chiusa nella morsa dell'emozione. Non vedeva l'ora che spegnessero le luci per potere, al buio, godere dello spettacolo.

Ed ecco, al tintinnio di un campanello, la sala si era prima oscurata e poi abbuiata, dopo avere lasciato il tempo ai pochi spettatori ancora in piedi di prendere posto nelle poltroncine di velluto rosso. Il sipario si era arricciato lentamente sui lati lasciando scoperto il palcoscenico illuminato. La scena era vecchia: ormai da anni le *Giselle* si rappresentavano sempre davanti allo stesso fondale di rocce azzurre e grigie che si sporgono su un villino cadente dalle finestre illuminate. Ma ogni volta faceva il suo effetto.

Era entrato il serpentone delle ballerine nei tutù bianchi vaporosi. Rappresentavano, nella loro parte di fate notturne, la maledizione del ballo. Chi danzava con loro non poteva più fermarsi ed era destinato a consumarsi come una candela accesa per una notte intera. Di solito mamma Adalgisa stava in quel serpentone e si distingueva solo per quel cespo di capelli ribelli che tendevano a sgusciarle dalla crocchia. Ma per il resto era una delle tante, la sua arte consisteva nel non distinguersi. Più erano brave e più si appiattivano sui gesti comuni: le gambe che si sollevavano all'unisono come spinte da un unico meccanismo, le giravolte che coincidevano perfettamente nei tempi, quasi fossero accese dalla stessa precisa energia, le braccia che si levavano leggere seguendo lo stesso ritmo.

Ma quella sera no, quella sera mamma Adalgisa avrebbe vibrato da sola. Si sarebbe mostrata in tutto il suo talento e la sua competenza che lei sapeva essere grandissima. Avrebbe dato il meglio di sé e il pubblico in sala avrebbe gridato alla meraviglia. Sicuramente da quel momento in poi non avrebbe più ballato in mezzo alle altre, ma il suo splendore sarebbe stato riconosciuto come il fulgore di una stella solitaria. Morena ne era così convinta che già vedeva sul cartellone il nome della madre rifulgere in grassetto fra i grandi del balletto classico.

Sul palcoscenico il serpentone si era allungato, disteso, sciorinando braccia e gambe argentate che si erano snodate come anse pigre e soffici. I nuvolosi tutù si erano aperti come corolle rovesciate mentre gambe calzate di bianco saettavano, si incrociavano, saltellavano leggere. Le scarpine puntate verticalmente contro il pavimento, martellavano il palcoscenico col loro inconfondibile rumore sordo e ritmato.

Quando finalmente le sessanta ballerine si erano aperte formando una mezzaluna fosforescente, era entrata lei, da sola, altissima su quelle scarpine luminose, intatte. Con le braccia tese in alto a formare un cerchio sopra la testa, aveva prillato sulle punte, con abilità vertiginosa, fino al proscenio e poi aveva piroettato su se stessa, senza mai perdere l'equilibrio, con assoluta sicurezza e maestria, tanto da tenere il pubblico col fiato sospeso.

Subito dopo era stata raggiunta dal Duca di Albrecht,

impersonato dal famoso ballerino belga Marsener, che l'aveva presa per una mano e l'aveva trascinata in un rapinoso *pas de deux* che li aveva visti scivolare allacciati come spinti da un'onda amorosa. Infine lui l'aveva sollevata per la vita con due mani decise e sicure e l'aveva fatta scivolare lungo il fianco come fosse una lumaca. Una macchia candida sul pavimento, e quella coroncina di nontiscordardime che si curvava, si curvava quasi a spezzarle il collo e quindi hop, con un gesto mirabolante lui la inalberava verso il soffitto mentre giravano e giravano vorticosamente. Che temerarietà! La piccola Morena riusciva a stento a trattenersi dal battere le mani. Ma non staccava gli occhi dalle figure dei due primi ballerini. Il corpo di sua madre non le era mai apparso così lieve e aereo, pronto a vincere ogni legge di gravità per librarsi in quel turbinio di veli trasparenti, come una libellula dalle ali iridescenti. Il pubblico certamente era contagiato da quella rivelazione di bellezza e di maestria.

Tutto era finito troppo presto nello spazio di un'ora e mezza e il pubblico aveva applaudito con calore, ma senza quell'entusiasmo che la bambina aveva provato e che avrebbe voluto si fosse manifestato con segni di giubilo: fiori lanciati sul palco, baci e grida di "brava brava" che non si potevano fermare, battito di scarpe e grida di "bis" urlati ripetutamente, un accalcarsi di fedelissimi sotto il palco. I battimani erano arrivati a scroscio ma per la durata di appena pochi minuti. Poi, tutti presi dalla fretta di raggiungere il guardaroba prima degli altri per farsi consegnare il soprabito e l'ombrello, erano scappati via lasciando la sala vuota e cosparsa di programmi abbandonati.

Morena, che aveva stretto la mano del padre nei momenti di maggiore emozione, era scivolata in un pianto silenzioso in mezzo alla platea vuota. Era chiaro che la rivelazione non c'era stata. Che Adalgisa nonostante la sua meravigliosa capacità di volare sul palco, non era stata apprezzata come meritava e certamente domani sarebbe tor-

nata a riempire quel buco in mezzo al serpentone di ballerine, una fra le tante Villi, danzatrici della notte tenute insieme da un incantesimo di morte, nel tran tran del mestiere di una ballerina di fila.

«Come hai cominciato a fare l'infermiera?» le aveva
chiesto un giorno sua figlia Adalgisa. E Morena aveva risposto che non lo sapeva. Si era trovata una mattina in
classe, china su una compagna di scuola che aveva avuto
un attacco di epilessia. E mentre le altre gridavano e correvano in su e in giù senza sapere che fare, lei si era inginocchiata per terra, aveva liberato il collo della ragazza, le
aveva aperto delicatamente la bocca con due dita per fare
sì che la lingua non la soffocasse, l'aveva accarezzata sulle
tempie finché non era rinvenuta.

Da quel momento a scuola quando c'era qualcuno che
si feriva o sbatteva un ginocchio mandavano subito a cercarla. La chiamavano "la dottorina" e così fu apostrofata
per anni, anche quando andava a ballare in casa di qualche compagno e si scatenava in tanghi e valzer rapinosi:
«Ehi dottorina, ti va di fare un giro?».

Dalla madre aveva preso il senso del ritmo e l'agilità del
corpo. Dal padre una certa lentezza razionale. Di ogni cosa le piaceva analizzare il pro e il contro. E prima di decidersi ad agire, si faceva mille domande, a volte anche inu-
tili. Le succedeva di arrivare in ritardo agli appuntamenti,
per quella sua benedetta abitudine a tirare in lungo prima
di "mandare giù il boccone" come diceva sua madre. «Sei
troppo pigra per fare carriera nella vita. Rimarrai seduta
su una sedia a guardare gli altri muoversi».

Dopo il liceo aveva deciso che non sarebbe andata al-
l'università. Il padre era morto proprio quell'anno e pensava che fosse suo dovere trovare un lavoro per non gra-
vare sulla madre e la sua scuola di ballo.

Si era iscritta a un corso per infermiere ed era riuscita in
due anni a passare tutti gli esami con il massimo dei voti.

C'è una fotografia di Morena a diciannove anni, in via Libertà che esce da un esame, con un cappelletto buffo in testa: un piccolo tricorno settecentesco, le braccia ciondoloni lungo i fianchi magri, la faccia da furetto, gli occhi grandi e neri che guardano gioiosamente davanti a sé. "Ce l'ho fatta" dice quella faccia scura e spigolosa nell'affrontare i gradini di una scala che si apre a ventaglio.

Non si può dire che sia proprio bella, ma tutta la sua persona esprime gioia di essere al mondo e un profondo orgoglio di sé. Il suo sorriso è decisamente materno, anche se tuttora si considera più figlia che madre.

La scuola di ballo *La libellula* si trova al terzo piano di una palazzina anonima nel quartiere Calatafimi. Un appartamento bruttino, senza vista, rallegrato solo da un paio di enormi specchi che coprono tutta la parete di fondo di un salone che la madre ha ricavato buttando giù due tramezzi. Le finestre sono riparate da tendine ricamate con motivi di tralci di viti, ma sono disegnate da gore grigiastre di umido, i vetri portano tracce di polvere e macchie di unto. Il pavimento di linoleum è sbiadito e rattoppato, ma in compenso conserva un buon odore di cera fresca.

Vicino alla finestra, un pianoforte a coda davanti a cui siede una ragazzina dall'aria sofferente, sempre vestita di rosa. Golfini di angora e camicette color aurora, un cerchietto di velluto ciclamino le tiene indietro i capelli biondi stopposi. Le dita corrono rapide sulla tastiera. Si chiama Ester e tutti le vogliono bene per la sua goffa pazienza. Quando le chiedono di ripetere un pezzo lo fa senza fiatare e spesso dimentica di pranzare per restare a disposizione delle allieve e della maestra Adalgisa che ammira come fosse più che una regina, una dea della danza.

Nei primi anni si contavano a decine le bambine che frequentavano la scuola di ballo *La libellula*. La maestra stava molto attenta che le scarpine delle sue allieve fossero quelle giuste, con la punta di gesso ben stabile e compatta, con i nastri di raso di un rosa lucido e pulito, che i capelli fossero chiusi in una crocchia e appuntati sulla nuca con le forcine, che gli scaldamuscoli di maglina lilla e bianchi si tenessero ben aderenti ai polpacci, che il corpetto di seta si conservasse sempre teso e pulito, senza mostrare i segni del sudore sotto le ascelle.

Ma con gli anni qualcosa si era guastato. Le bambine avevano cominciato a saltare i corsi, a non rinnovare le iscrizioni. Forse perché la maestra si distraeva sempre più facilmente e passava lunghi minuti a guardare fuori dalla finestra mentre le piccole allieve aspettavano una sua parola. O perché invece di mostrare come si fa a reggersi sulle punte accennando lei stessa i passi canonici, stava sempre più di frequente seduta su una sedia a dare ordini sconclusionati. O forse perché non ricordava mai se una alunna avesse pagato la sua retta o meno e spesso si trovava a chiedere più volte gli stessi soldi ad una mamma esterrefatta che protestava timidamente.

Fatto sta che il popolare istituto di ballo *La libellula* si era trasformato in una scuolina sciatta frequentata solo da bambine di famiglie povere, convinte che il ballo rendesse "più belle" le loro figlie e le preparasse a una vita di mogli e di madri da pubblicità televisiva: donne che si libravano leggere fra i fornelli, volando come angeli da una stanza all'altra. «Andranno incontro ai loro mariti con grazia, senza sbattere continuamente contro gli spigoli» diceva la maestra Adalgisa sorridendo. Allora era considerato quasi osceno che una madre progettasse per la figlia un futuro di lavoro.

I capelli della maestra Adalgisa erano diventati grigi e la vita le si era ingrossata fino al punto da non entrare più in nessun tutù. Chiusa in un paio di pantaloni di flanella blu, con addosso una camiciola stinta a furia di essere lavata, continuava a esporre le sue teorie sul ballo che avevano tanto incantato la figlia quando era bambina. «Ogni corpo vorrebbe planare, bambine mie. Forse perché abbiamo nostalgia del nostro passato di uccelli» diceva sorridendo beata, «il ballo ti aiuta a scordare la pesantezza della vita. Planiamo, anche a bassa quota, per imparare a spiccare il volo, quello vero, quando moriremo.» Lo diceva senza malinconia, con un sorriso all'angolo della bocca.

La prima volta che era entrata in un ospedale Morena aveva subito riconosciuto l'odore dell'amore. Era lo stesso odore della stanza del padre morente, di fiori e di carne malata. Aveva aspirato quell'odore come inebriata e aveva socchiuso le palpebre sovrapponendo al miasma dei corpi sofferenti quello della giovinezza ardimentosa dell'uomo che più aveva amato nella sua vita, all'aria stagnante il frullio delicato e leggero del vento che agitava le foglie nel giardino di casa quando lui le insegnava la tabella pitagorica, al chiacchiericcio degli infermi il fruscio delle scarpe di tela dell'uomo affascinante e silenzioso che era stato suo padre.

Il primo incarico che aveva avuto era stato quello di preparare i carrelli col cibo per gli ammalati. E si era messa di impegno a trasportare le vivande da un reparto all'altro, distinguendo i piatti secondo le malattie: «La minestrina all'uovo e il purè di patate per l'operato di ulcera; il petto di pollo ai ferri e gli spinaci all'olio per il diabetico; la pasta al sugo e la carne in fricassea per la malata di cancro». Aveva imparato a imboccare chi non riusciva a tenere la forchetta in mano. Ad allacciare il tovagliolo attorno al collo di coloro a cui tremavano le braccia. A soffiare sulla minestra troppo calda come si fa per i bambini piccoli. E i suoi gesti erano talmente pazienti e affettuosi che dopo un po' tutti i malati avevano preso a chiedere solo di lei.

«Inutile che reciti la parte della Nightingale!» le aveva sibilato una collega con una crestina bianca in testa che sembrava un galletto indispettito «non incanti nessuno!» Morena non aveva risposto. Non le piacevano i battibecchi. Il guaio è che a lei il lavoro di infermiera piaceva. E lo faceva senza fatica. Quando le altre si riunivano nella saletta dei dottori a fumare e chiacchierare, lei se ne stava in disparte a leggere un libro di anatomia. «Non fuma la signorina!» rideva qualcuno. «Dico a te, che cazzo hai in quella testa?»

«Eh?» Morena sollevava il capo guardandosi in giro, persa. Davvero non ascoltava i loro discorsi. Davvero era interessata al libro che stava leggendo. Per le colleghe quel distacco non era altro che superbia e quello zelo solo presunzione e recita. Per lei era un modo naturale di stare al mondo. Ma si rendeva conto di suscitare ostilità e rimediava con dei sorrisi timidi e impacciati che indisponevano ancora di più i suoi interlocutori. Sono sbagliata, si diceva spesso, sono proprio sbagliata.

Ciò che stupiva Morena era il modo che avevano i medici di trattare le infermiere: come corpi accondiscendenti e morbidi a cui attingere nei momenti di inquietudine sessuale. Erano consapevoli che le infermiere sarebbero state disponibili, consenzienti, non si sa se per insicurezza, o per paura di ritorsioni, o per civetteria, o semplicemente per poca stima di sé. Chi portava il camice aveva in mano il futuro e le giovani infermiere amavano e temevano quel futuro.

A Morena non piaceva la maniera con cui alcune infermiere rispondevano agli assalti con risatine sornione, con sguardi furtivi e piccole mosse seduttive. Preferiva cacciare il naso nei libri. «A far così rimarrai zitella» l'aveva avvisata una volta una ragazza appena assunta, con gentilezza. Forse ha ragione, si era detta Morena, ma sì ha proprio ragione, sono troppo musona, mi nascondo sempre, sono un disastro. Ed era rimasta con il libro in mano a meditare su se stessa. Infine aveva deciso di mostrarsi più socievole e sorridente quando stava con gli altri. Non poteva farsi ridere dietro da tutti. Eppure proprio poco dopo questi propositi, quando un medico le aveva dato disinvolto del tu non era stata capace di sorridergli come si era proposta. Aveva inghiottito la saliva chinando gli occhi, ferita dalla impudenza dell'uomo che neppure la conosceva. Era l'uso che i medici dessero del tu alle infermiere, mentre le ragazze dovevano in ogni caso rivolgersi ai superiori con un lei umile e devoto.

In una fotografia che tiene in mano la piccola Adalgisa si vedono delle rocce di un grigio scintillante. E seduti, contro un profilo di cime annuvolate, un uomo giovane, bellissimo e una bambina: Morena e suo padre Roberto sulle rocce dello Sciliar. Lui porta pantaloni di velluto a coste. Ai piedi scarponi da rocciatore, leggeri e robusti nello stesso tempo. Un ciuffo di capelli biondi gli scivola sulla fronte, malandrino. Anche il sorriso rivolto alla macchina ha qualcosa di ironico e feroce nella sua determinazione alla seduzione.

L'uomo si arrampica davanti a lei, meticoloso e paziente, scegliendo con una sola occhiata sicura il punto in cui la roccia forma un piccolo scalino nella pietra e lì appoggia la punta del piede, mentre con una mano si tiene alla fune e con l'altra si aggrappa ad una sporgenza invisibile della parete scagliosa. Sospeso com'è sul vuoto, gira il capo verso la figlia che si arrampica sudando appesa alla stessa corda e le chiede ridendo «come va?». La bambina volge lo sguardo in alto, soffermandosi sugli scarponcini chiodati del padre, sui polpacci coperti da spugnosi calzettoni di lana di pecora, sui pantaloni alla zuava di velluto a coste di un verde sbiadito, sulla cintura stretta in vita, sulla camicia a scacchi verdi e rosa, sul collo muscoloso e teso, sul dolcissimo sorriso, sugli occhi brillanti di un azzurro che richiama quello del cielo alle sue spalle.

«Ho paura» dice in un soffio cercando di non spostare lo sguardo verso l'abisso che si apre sotto di lei. «Ottocento metri di vuoto... cosa sono? nulla... pensa che sia solo un gradino» dice ridendo il giovane padre e sporge il mento sfidando la vertigine. Mentre lei si sente scivolare le dita sui sassi, incapace di andare avanti o indietro. Mai più si ripete mandando giù il cuore che tende a salire fino in bocca, mai più...

La sera, nel rifugio, venivano raggiunti dalla madre che era salita con la Topolino blu, accompagnata da due amiche ballerine e insieme cantavano motivi montanari e bevevano la "vinassa" mentre la giovane sposa pizzicava la chitarra.

Ad un certo punto Adalgisa si accorgeva delle manovre del marito che si strusciava contro la più carina delle sue amiche e rompeva un bicchiere per terra, urlando che era stufa della vita e del mondo e voleva morire, morire.

Lui si stupiva ogni volta, il bellissimo Roberto Monti, come se tutto accadesse per caso, al di fuori della sua volontà. E per rassicurare la moglie prendeva ad abbracciarla teneramente strusciando il naso sul collo di lei. La tempestava di piccoli baci affettuosi, e poi la trascinava in un ballo mulinante mentre le altre continuavano a bere e a cantare.

La bambina Morena si era spesso assopita in braccio alla madre durante queste serate di festa e nel suo orecchio mezzo addormentato le voci accaldate dei genitori si erano mescolate con quelle angeliche e lontane dei sogni. Sotto le palpebre chiuse gli occhi ciechi scorgevano lunghe braccia bianche che si trasformavano in serpenti dai colori struggenti, mentre petti soffici di cigno si alzavano e si abbassavano al ritmo di affrettati respiri, e lagrime di lacca rossa rotolavano su guance trasparenti e le risate di cento sorelle colmavano i vuoti della notte.

La mattina si ritrovava in un letto estraneo, con delle strisce di sole polveroso che le tagliavano la faccia, un senso di arsura in gola, una improvvisa paura di non sapere chi fosse. Un sentimento che spesso l'attanagliava: cos'è questo corpo che mi sta stretto e manda un odore di erba selvatica? Cos'è questo sapore che ho in bocca, in cui mi riconosco e che mi è profondamente estraneo? È il sapore dell'anima?

Una volta alzata però dimenticava ogni timore. Si guardava intorno stupita. La meraviglia di quelle montagne che sfilavano una dietro l'altra come in un gioco di specchi, si ripeteva ogni volta con nuove prospettive, nuove sorprese. Le variazioni del celeste: turchino, cilestrino, colore del myosotis, colore della malva, compatto e maestoso come l'acqua di mare, trasparente come l'acqua di fiume. Ogni volta era uno sbalordimento. «Cosa c'è, papà, dietro quei cocuzzoli che cambiano colore ogni momento?» «Altre montagne e poi altre montagne e poi ci siamo noi.» «Come, noi?» «Be', se il mondo è tondo come sembra, partendo da noi e girando intorno alla cintura della terra torniamo un'altra volta a noi.» Questo cerchio chiuso la inquietava. Come una condanna alla ripetizione. Era questa l'eternità? «L'eternità forse non esiste, o per lo meno non esiste il tempo fermo. Noi siamo dentro un cosmo che corre, sopra una terra che si precipita silenziosamente verso la sua consumazione.» «E poi?» «Poi cosa?» Non osava dire che lei nel banco di scuola aveva costruito un altare minuscolo con l'immagine di una Madonna dalla faccia aggrondata e che ogni giorno le portava dei fiori freschi per rallegrarla col loro profumo.

«L'anima non so cosa sia, Morena mia. Tua madre ci crede, ogni tanto si chiude le mani sul petto come per proteggerla. Ha paura che io gliela tolga con la sola forza delle parole. L'anima sta qui» diceva lui indicando la tempia, «sentimento e ragione in un solo abbraccio intelligente.»

La bambina Morena beveva le parole dell'ardimentoso padre. Gli credeva fiduciosa. Ma solo quando erano insieme. Da sola, poi, nel suo letto di ragazzina o a scuola davanti al banco tutto inciso e sporco di inchiostro si faceva invadere dai sogni. Sogni di eternità, di sicurezza: una madre indulgente dal largo manto turchino che la prendeva per mano e la portava verso una casa felice. Un Cristo gentile che le sorrideva fra le lagrime, e poi, al gesto di un angelo dalle grandi ali bianche, staccava le mani e i piedi dalla croce e scendeva con un salto a giocare con lei come fosse un suo coetaneo.

Una sera il "gran tenente, quasi generale Roberto Monti", come lo chiamava sua moglie, aveva preso con sé la figlia Morena per una gita sul fiume. In quel periodo erano stati trasferiti a Firenze e abitavano in via Danzica.

«La porto a fare un giro in moto. Me lo chiede sempre e io non ho mai tempo. Oggi è domenica e ogni promessa è un debito.» Adalgisa aveva acconsentito pensando ad altro. Teneva in mano una delle sue scarpine da ballo dal raso strappato e sembrava si stesse chiedendo se rattopparla con la colla o con un rammendo meticoloso.

Il padre era impaziente. L'aveva tirata giù per le scale a passo di corsa. Avrà avuto sette anni. Oppure otto? Morena non ricorda bene quando racconta la vicenda alla figlia Adalgisa. Fatto sta che si era trovata per strada in un battibaleno. E poi hop, sulla moto di papà, issata quasi a forza sul serbatoio della benzina e lì piantata a cavalcioni con una raccomandazione: «Tieniti forte!».

Così erano partiti, sotto un sole tiepido, verso l'ignoto. La moto era veloce, un fulmine, e lei sentiva il vento che le entrava in bocca, nel naso, scompigliandole i capelli. Contro la schiena avvertiva il petto robusto e palpitante del giovane padre.

Non sapeva dove stessero andando. Non aveva chiesto niente. Le piaceva quel correre verso il futuro a cavalcioni di un bolide fumante, incollata al corpo di un padre misterioso, dai pensieri segreti.

Avevano attraversato la città, si erano inoltrati in squallide strade di periferia, lasciandosi alle spalle case e negozi. Improvvisamente Morena aveva visto dell'acqua che scorreva accanto alla strada. Era l'Arno che in tutta la sua bellezza fluiva tranquillo e pulito in mezzo ai ciuffi di farfara e di pilosella, fra gli spini dei prugnoli e dei sambuchi, com'era prima dell'inquinamento e della cementificazione delle periferie.

La moto aveva rallentato entrando in una strada polverosa, qua e là cosparsa di buche piene d'acqua. Faceva lo slalom in mezzo alle pozze con gran divertimento di Morena che schivava gli schizzi di fango tirando su le gambe con un grido per poi tornare a farle ciondolare nel vuoto.

Infine la moto si era fermata. Il padre l'aveva fatta scendere prendendola per la vita con due braccia vigorose. «Eccoci qua, stai bene?» Certo che stava bene. Era tanto che sognava di fare una gita col padre. Non si aspettava che la mèta di oggi fosse il fiume.

«Andiamo!» aveva detto lui precedendola fra i ciuffi d'erba alta, evitando le ortiche con dei brevi saltelli infantili, calpestando le tenere foglie di menta che mandavano un profumo aspro e acuto. Avevano camminato e camminato fra le rocce dal dorso rugoso di elefante, avevano attraversato l'acqua in bilico su un'asse fradicia che si piegava sotto il loro peso. Si erano chinati a cogliere sassi piatti e oblunghi che avevano lanciato sul pelo del fiume facendoli saltellare fra gli spruzzi. Infine, quando il sole era salito a perpendicolo sulle loro teste e le rane avevano preso a gracidare, erano scesi fino al livello dell'acqua e lì si erano seduti a fare merenda. Morena aveva scoperto con sorpresa che il padre aveva portato nello zaino dei panini alla mortadella e delle mele mature. Eppure le era sembrato che avesse deciso lì per lì di uscire in gita con lei.

Raramente aveva assaporato una tale felicità: sola col padre amato, senza doveri, senza fretta. Di solito lui era a corto di tempo. La incalzava, la precedeva, spariva. Non aveva mai un'ora da dedicarle. «Domenica» diceva «domenica quando torno dalla caserma starò un po' con te.»

Invece la domenica c'era sempre qualcos'altro da fare e non si parlava di uscire insieme. Da quando avevano lasciato Palermo poi le cose sembravano peggiorate.

Ora, su quel fiume dalle acque limpide e trasparenti, su quel greto dal forte odore di mentuccia e fango arso dal sole, loro due, padre e figlia per una volta insieme, chiacchieravano, mangiavano pane e mortadella allungando le gambe al sole. Sembrava un miracolo. Vorrei morire così, si diceva, vorrei morire così, nella contentezza. Ma chi è contento si propone davvero di morire? C'era qualcosa di straziante e disperato in quell'amore di bambina nei riguardi di un padre distratto che sembrava prendere con un certo distacco ironico la appassionata dedizione della figlia.

Il giovane e bellissimo uomo seduto accanto alla figlia bambina aveva preso in mano un grillo color smeraldo e glielo aveva appoggiato su un ginocchio dicendo: «Guarda la perfezione di questo animaletto! Piccolo e compiuto! Guarda il disegno delle zampine e della testa!». In qualche grotta della memoria risuona ancora la voce del padre, così tenera, così tenera che le aveva squagliato il cuore.

Ma proprio mentre lei osservava la perfezione di quel grillo, aveva sentito dei passi. Gli occhi si erano levati controsole, corrucciati e avevano incontrato le gambe snelle di una donna che avanzava verso di loro. Piegando un poco la testa aveva visto una gonnella rossa che ciondolava contro i ginocchi e più su una cinturina bianca con dei dischetti rossi che si aprivano e si chiudevano ammiccanti ad ogni passo. Più su, più su, la bambina aveva issato lo sguardo come trascinando un secchio pieno d'acqua, e aveva incontrato un giovane torso dal seno prepotente chiuso dentro una camiciola bianca e più su ancora, un collo delicato e lungo in cima al quale si apriva un viso bianco e trepidante dai grandi occhi luminosi.

Il mondo le era cascato addosso con un fragore di ossa rotte. Quindi suo padre non era venuto sul fiume per stare con lei, per una volta soli e complici. Non aveva preparato il pane e la mortadella con il proposito di mangiare seduti in riva all'Arno chiacchierando del più e del meno in allegria, ma aveva apparecchiato questa sceneggiata con astuzia diabolica per ingannare sua madre. E lei era lo scudo che nascondeva questo inganno.

La ragazza intanto era arrivata fino a loro, aveva baciato l'uomo sulla bocca come se fosse una cosa del tutto naturale, si era seduta accanto a Morena e aveva addentato il panino con la mortadella che lui teneva conservato in fondo al rucksac per lei.

Dopo mangiato, con la scusa di mostrarle il fiume, si erano allontanati insieme lungo le rive verdi dell'Arno e lei era rimasta seduta, da sola, priva di parola e di pensiero, le lagrime che le premevano in gola.

Animata da una cattiveria di cui ancora sente l'amaro in bocca, aveva schiacciato con una pedata il povero grillo che non c'entrava niente.

Da poco l'avevano spostata al reparto rianimazione. E la mattina, quando puliva gli armadietti dei medici, non riusciva più a cantare. «Hai perso la voce?» aveva chiesto un timido medico assunto da poco che si chiamava Gino Treppiede. Ma lei era sgusciata via per disinfettarsi le scarpe prima di entrare in corsia.

Doveva raggiungere il vecchio moribondo di cui nessuno si curava più. Se ne stava intubato, legato al letto, la faccia terrea e tirata. E con gli occhi sgranati cercava di dire la sua disperazione. Non poteva parlare. Non poteva muoversi. Ogni tanto le rivolgeva uno sguardo supplice e muto. Le faceva dei cenni con un dito e poi roteava le pupille come a protestare di essere ancora vivo in mezzo a quella sofferenza intollerabile.

«Posso liberarlo?» aveva chiesto Morena al medico di turno. «No» era stata la risposta decisa «potrebbe avere problemi di respirazione. Non voglio rischiare.» «Ma sta così male, gliela do un po' di morfina?» «Se succede qualcosa guarda che ci vai di mezzo tu» aveva detto lui con aria dileggiante.

Alle otto di sera il malato era ancora lì che strabuzzava gli occhi e deglutiva terrorizzato. I capelli grigi gli si erano incollati alla fronte, delle lagrime seccate gli si erano incrostate sulle tempie e le pupille salivano e scendevano penosamente come in preda ad un parossismo di dolore.

Senza chiedere il permesso al medico di turno, Morena gli aveva tolto il tubo dalla gola. Ormai il suo occhio era diventato esperto e sapeva quasi meglio di un medico quando un malato avrebbe saputo respirare da solo. E infatti non si era sbagliata. L'uomo, dopo un momento di sgomento e di tosse convulsa, aveva preso a respirare liberamente e pienamente. Morena gli aveva appoggiato una mano sulla fronte fredda e umida e con dei lievi movimenti delle dita gli aveva carezzato le guance, il mento. L'uomo sembrava finalmente pacificato. Il respiro era regolare, il cuore batteva deciso. Quell'intubatura prolungata era stata una inutile tortura.

«Monti, puoi andare!» Una voce frettolosa le era suonata alle orecchie. «Sì, vado.» Aveva staccato le dita dalla faccia ancora tremante del malato. Si era alzata tirandosi il grembiule sulla schiena. Gli occhi dell'uomo si erano rivolti spauriti verso di lei: davvero l'avrebbe lasciato solo tutta la notte coi suoi dolori? E se avessero voluto intubarlo di nuovo? Il braccio magro, rugoso si era proteso verso di lei, implorando aiuto.

Aveva deciso di rimanere e per tutta la notte gli era stata accanto, seduta su una seggiola dallo schienale di ferro, cullandolo come avrebbe fatto con un bambino appena nato. Una notte dolorosa ma non infelice. L'idea di poterlo in qualche modo sollevare dalla pena l'aveva aiutata a restare sveglia.

Possibile che la generosità sia solo un bisogno profondo e irresistibile del bisogno altrui? Qualcosa la insospettiva, le parlava di una recita. Un sapore eccessivo di miele.

Un quadretto edificante in cui sprofondava di malavoglia. Cosa la teneva legata a quei letti, a quei poveri corpi che perdevano feci e urine? Un dubbio la trapassava: che quella non fosse generosità ma solo un estremo egoistico desiderio di rendersi necessaria a qualcuno per ottenere gratitudine, chissà forse anche dipendenza. Ma perché tanto desiderio di gratitudine e dipendenza altrui?

Un piccolo dio feroce abitava in qualche anfratto del suo cervello, la teneva d'occhio e il suo sguardo mai contento la seguiva ovunque andasse. Era uno sguardo che sapeva anche essere tenerissimo, ma di solito chiedeva sacrifici. Che fossero prove di lealtà, di dedizione, non lo sapeva. Forse lo stesso dio era incerto e bisognoso di conferme d'amore.

Sembrava non esserci un fondo alle pretese di questa divinità gioiosa e severissima. Quasi uno di quei fiori affamati di insetti che si aprono sulla sera tendendo i petali verso la luna; uno di quei fiori invisibili che mandano profumi struggenti, e chiedono nutrimento carnale.

Era un dio mai sazio di doni e lei si prodigava per acquietarlo. Ma per quanto facesse, non riusciva ad ottenerne l'amore. Era forse un dio incapace d'amore o il torto stava in lei che non sapeva guadagnarsi la sua fiducia e il suo affetto? Cosa avrebbe dovuto fare? Perché tanta paura di quegli occhi permalosi e ciechi?

Eppure il suo slancio nell'accudire gli ammalati era sincero, le procurava un calore in gola di cui era avida. Non era mai stata la sua una pratica razionale per guadagnarsi il paradiso. Non aveva nemmeno mai riflettuto sul paradiso. Il piacere di stare al mondo la abitava, la colmava di delizie segrete. E l'atto di curvarsi su un corpo ridotto in schiavitù dal dolore era sincero e istintivo. Come interpretare questo istinto? La generosità può essere un piacere?

Il nuovo assunto, il dottor Gino Treppiede la osservava di lontano, chiuso nel suo camice tempestato di macchioline di caffè, curiosamente incantato. Sembrava divertirsi a studiarla. Non la importunava, non la seguiva, non pretendeva che lei lo divertisse o gli ubbidisse ciecamente, come spesso facevano gli altri dottori che saggiavano sulle infermiere il loro potere. Lui si limitava a sorvegliarla, nemmeno tanto insistentemente, con timidezza e riguardo. E lei, dopo un poco, aveva preso un certo gusto a quello sguardo delicato e insistente, curioso e tenace. Controllava che fosse sempre lì, che non perdesse di intensità.

Poi una notte erano rimasti loro due soli in corsia. Lei con i suoi incurabili della rianimazione. Lui di guardia in tutta la corsia. Ma poiché non c'erano moribondi e tutti sembravano riposare tranquilli, si era concentrato sopra un libro di poesie illuminato malamente da una fioca lampadina, nella saletta dei dottori.

Morena era andata a chiamarlo quando aveva visto che uno dei ragazzi nel reparto rianimazione aveva preso a vomitare silenziosamente sul cuscino. Lui era arrivato di corsa, gli aveva tastato il polso, gli aveva cacciato un ago nel braccio. Lei si era accinta a pulire il cuscino e il lenzuolo sporchi di vomito, ma il dottore l'aveva fermata con un gesto deciso: «Faccio io» aveva detto e si era messo a stropicciare il lenzuolo con una pezza bagnata, mentre consolava il ragazzo con parole gentili. Una cosa inconcepibile, che nessun medico avrebbe mai fatto. Pulire il vomito dei malati spettava alle infermiere. Così come consolare il malato con parole dolci, materne, era un compito da donne. Le regole non erano mai state scritte, ma stavano piantate nella testa di chiunque si aggirasse per quelle sale, per quei corridoi.

Per un anno si erano guardati e basta. Poi lui era stato mandato in un altro reparto e lei l'aveva perso di vista. Finché una sera, uscendo tardi, stanca e coi capelli in disordine, se l'era trovato davanti al portone: «Mangiamo insieme?». «Volentieri.» «Conosci un posto qui vicino?» «No. Forse sì, il ristorante cinese, ti va?» «I cinesi mangiano tutto tagliuzzato, vero? E mettono il glutammato nella verdura.» Era la prima volta che ascoltava srotolarsi la sua voce un poco stridula. Le sembrava così strano trovarselo vicino che si era dimenticata di aprire l'ombrello ed era arrivata al ristorante con la giacca zuppa d'acqua. Anche lui si era bagnato e ora rideva come non l'aveva mai visto ridere.

Quella sera stessa erano andati a letto insieme. Ma dopo essersi spogliati in fretta senza guardarsi, lui era stato incapace di una erezione. Il suo membro giaceva inerte come quello del vecchio della sala di rianimazione, grigio e insensibile. Morena aveva pensato che fosse impotente. Gli aveva carezzato la schiena, il petto mentre lo riempiva di piccoli baci golosi. E lui, chiuso in se stesso come un riccio aveva preso a piangere piano. «Che c'è?» «Niente, sono stanco» aveva detto con l'accento bergamasco dalle *e* chiuse e ricciute. Non era riuscito a cavargli altro dalla bocca.

Solo verso mattina, quando già lei dormiva con la fronte appoggiata sulla spalla di lui, aveva messo su bandiera e a occhi chiusi, gonfio di sonno e di desiderio, era entrato dentro di lei con i modi furtivi di un ladro, impaurito, goffo e risoluto.

Ora lui la aspettava ogni sera sul cancello dell'ospedale e insieme tornavano a casa sul motorino di lui. Una notte dormivano da lei, un'altra notte da lui. C'era nella loro intimità qualcosa di concluso e grave, come se avessero sancito un patto ufficiale. Non veniva in mente a nessuno dei due di uscire con qualcun altro, anche quando non si vedevano per una sera o stavano lontani per lavoro. Dormivano abbracciati quando potevano. Andavano insieme a fare la spesa di mattina presto prima di presentarsi al lavoro. Si aspettavano fuori dall'ospedale quando avevano finito il turno. Lui cucinava per due se lei tardava a rientrare, lei preparava dei minestroni abbondanti che duravano anche tre giorni quando lui aveva troppo da fare. Mentre mangiavano si interrompevano per baciarsi, per stringersi le mani, per carezzarsi; spesso bevevano il vino passandoselo di bocca in bocca. La domenica partivano con la sgangherata automobile di lei per andare a fare un tuffo in mare. La sera si ficcavano in un cinema, ma poi si addormentavano sulle poltroncine, lei con il capo sulla spalla di lui e lui con la tempia appoggiata contro la testa di lei.

Chi li guardava diceva che non si era mai vista una simile totale intesa e intimità. «Si amano tanto.» «Si sono trovati.» «Dopo tanto stare soli, ci voleva.» Erano questi i commenti degli amici, dei colleghi di lavoro.

Poi, nel mese di giugno del loro secondo anno di amore era arrivato un invito per i giovani medici che lavoravano nell'ospedale: chi è disponibile a volare in Africa per curare i bambini malati di Aids? C'era un piccolo stipendio, vitto e alloggio assicurato.

«Credo che partirò» le aveva detto Gino carezzandole un seno. «Vieni anche tu, ti prego» aveva aggiunto gentile. Ma per lei non ci sarebbe stato stipendio né alloggio assicurato. Si sarebbe trattato di abbandonare il posto all'ospedale di Palermo per trasferirsi in Africa a spese proprie e fare del volontariato. Mentre lui avrebbe comunque disposto di uno stipendio statale.

«Non posso venire.» Una voce sussurrante nella notte. Ma era un dovere o un assillo? Non lo sapeva nemmeno lei. «Dopo la morte di papà la mamma è molto sola e conta sempre più su di me. Come faccio a lasciarla? Inoltre la scuola *La libellula* non rende quasi più niente e lei ha bisogno del mio stipendio per andare avanti. Non mi posso permettere di lavorare gratis.» Ancora una volta il bisogno del bisogno altrui l'aveva trattenuta dal pensare al suo benessere.

«Non rimarrò molto comunque, Morena. Intanto ci

scriveremo tutti i giorni. E poi c'è il telefono...» Lo diceva con la bocca sulla pancia di lei, mentre con la punta della lingua divideva il ventre in due metà, pronto a ingoiare il succo del suo corpo.

E in effetti le sue lettere erano arrivate puntuali, quasi ossessive, giorno dopo giorno, per mesi. Poi si erano interrotte per un ricovero in ospedale, da malato. Il dottor Gino Treppiede era stato preso da un attacco di amebiasi e non poteva neanche parlare al telefono.

Morena aveva continuato a scrivere. Ma dall'altra parte non arrivavano risposte. Era come se Gino fosse sparito nel nulla, inghiottito da un ignoto e irraggiungibile ospedale africano. Morena infine si era decisa a fare le valigie e per la prima volta in vita sua era approdata in un paese dell'Africa nera. Un alito bollente l'aveva assalita appena scesa all'aeroporto di Abidjan. Una notte profumata e quieta, anche troppo quieta. Eppure sotto quel profumo si avvertiva un odore forte di carogna che si asciuga al sole. Aveva camminato per ore cercando un ospedale che nessuno sembrava conoscere. Quando finalmente era arrivata al reparto amebici, aveva trovato un letto vuoto. Gino Treppiede. Chi? Gino Treppiedi? Gino come? Nessun Gino qui. E l'avevano mandata via.

Era tornata a Palermo col cuore fasciato stretto. Aveva trascorso notti e giorni a guardare fisso un punto del soffitto senza riuscire né a mangiare né a parlare. Poi, in capo a un mese si era ripresa. Si guarisce da tutto, anche dall'amore, le diceva una voce tranquilla nella tempesta del dolore. Ed era tornata a lavorare in ospedale.

Solo dopo un anno aveva ricevuto una lettera di Gino che le diceva di essere quasi morto per un attacco di amebiasi che l'aveva fatto vomitare sangue per giorni e giorni. Dopo un mese di degenza era stato trasferito in un altro ospedale della costa. Per questo non l'aveva trovato. Ora stava meglio ma intanto si era innamorato di una "sorella".

E la salutava con molto affetto.

Una sorella? Che voleva dire una sorella? Forse alludeva ad una monaca? Oppure era una sorellanza simbolica? E perché una sorella gli impediva di amare una donna con cui aveva fatto l'amore con tanta felicità per due anni? Non era chiaro. Ma a che serviva insistere? Era una lettera di addio e non aspettava una risposta.

Morena aveva provato a togliere le bende dal cuore, e in effetti le ferite si erano cicatrizzate, ma bastava sfiorarle con un dito per sentirle dolere e ad ogni cambio di temperatura la pelle prendeva a tirare provocando bruciori e tormenti. Sarebbe stato facile iniettarsi un potente anestetico mescolato con la stricnina. Sapeva dove trovarla in ospedale. E spesso sognava di scrivere una lunga lettera a sua madre per poi chiudersi in uno stanzino e lasciarsi morire. Ma rimandava il progetto rimuginando idee dilatorie. La sua esperienza di infermiera le suggeriva che si guarisce dalle malattie, anche le più devastanti. A meno che non si muoia. Ma si può morire d'amore? Aspetta, Morena, si diceva, aspetta e tornerai ad avere voglia di cantare.

Proprio per questo, per aspettare senza pensare troppo aveva preso ad aiutare sua madre alla scuola di ballo. Dopo l'ospedale, passava da lei e si metteva al pianoforte al posto della piccola Ester che era partita per il Canada, sposata a un canadese. La musica per le ballerine di solito proveniva da un disco. Ma il pianoforte era rimasto al suo posto e quando Morena andava a trovare sua madre, il coperchio di legno nero impolverato veniva aperto e i tasti di avorio ingiallito prendevano vita. Alcune note uscivano stonate e ogni volta Morena si proponeva di chiamare un accordatore. Ma poi se lo dimenticava e tutto rimaneva come prima.

Le piaceva dare i tempi a quelle bambine dal corpo gracile che si piegavano volenterose agli ordini della maestra

Adalgisa. Le piaceva l'atmosfera della scuola di ballo, anche se si rendeva conto di quanto fosse malandata la sala, con le tendine sporche e sfilacciate, il pavimento sollevato in più parti e mangiato agli angoli, i termosifoni ingorgati che non riuscivano a scaldarsi, gli specchi coperti di rosette rugginose.

Ma le piaceva intonare l'allegretto di Mozart, e sbirciare sopra il piano le bimbette che alzavano le braccia giudiziose, piegavano le gambe come dei trampolieri, si sollevavano sulle punte e ruotavano su se stesse facendo ondeggiare l'organza del tutù. Le sembrava di stare dentro un quadro di Degas. Ne aveva visti tanti una volta in viaggio con Gino a Parigi. Quasi al buio, nelle alte sale del Musée d'Orsay. E lui, di fronte ad un quadro semplice e luminoso in cui si vedeva una ballerina di spalle che si stropicciava i capelli con un asciugamano rosa, le aveva dato un bacio sulla nuca. Può un bacio lasciare una traccia sulla pelle come la cicatrice di una bruciatura? Come era potuto finire tutto così rapidamente? La risposta non c'era e probabilmente non ci sarebbe mai stata. Le ballerinette di Degas erano misteriose nella loro quotidiana stanchezza e misera civetteria. I loro corpicini dalle spalle magre, i colli già atteggiati all'ubbidienza, i corpetti un poco sudici stretti su pance gonfie di cibo povero e cattivo mettevano tenerezza.

China su un malato terminale. L'ingegner Sollima. Un uomo lungo lungo e coperto di peli grigi. Sapeva di dovere morire di cancro. Ma non si rassegnava ai dolori che ogni giorno si facevano più aspri.

I dottori tendevano a trascurarlo. Ormai era un morto vivente. A che pro perdere tempo? tanto non c'era più niente da fare, perché non se lo portavano a casa? Avevano scritto alla famiglia ma non si era fatto vedere nessuno. Sembrava che l'ingegnere fosse solo al mondo. A volte chiedevano al telefono di lui ma nessuno si era mai spinto fino all'ospedale. «Mio figlio abita a Chicago» spiegava lui, cercando di giustificare le loro assenze. «Mia moglie sta con lui, sa, ha bisogno, il ragazzo è solo.» «Mia sorella vive in Sud Africa col marito e due figli piccoli, come fa a lasciarli?»

«Occupatene tu» aveva detto a Morena la caposala e lei correva ai continui richiami dell'uomo che chiedeva la padella, chiedeva l'acqua, chiedeva la morfina per calmare i dolori. E lei lo accontentava, chinandosi a lungo su di lui come fosse un bambino in fasce.

«Mi promette di non lasciarmi solo quando morirò?» «Stia tranquillo, non l'abbandono.» «No, prometta.» «Prometto.» «Lo giuri!» «Le do un piccolo sonnifero e vedrà che dormirà in pace.» «Se non giura non la lascio serena nemmeno dopo morto.» «Giuro.» Ma lui le aveva afferrato una mano e l'aveva tenuta stretta al petto con un tale impeto da lasciarla stupefatta. «Non posso morire da solo» e c'era quasi una civetteria infantile in quel modo di ricattarla. Morena aveva telefonato a sua madre che sarebbe tornata tardi, che non l'aspettasse ed era rimasta con lui.

Nel mezzo della notte l'aveva udito singhiozzare. Si era chinata su di lui e aveva sentito l'odore della morte. «Le chiedo solo un piacere, Morena, l'ultimo: mi lavi ben bene, sento un odore che non mi piace che sale dal mio corpo. Anche da morto voglio profumare di pulito. Può farlo?»

Era notte. L'avevano lasciato solo in una camera a due. L'altro malato era andato a morire a casa dai suoi. Morena aveva steso un telo di gomma sotto il corpo piagato dell'ingegner Sollima. Aveva preso la spugna, la bacinella colma di acqua tiepida e aveva preso a lavarlo. Sapeva che aveva dolori dappertutto e con molta attenzione si era attardata a strofinargli i piedi, bagnando le dita una per una e poi asciugandole con un panno riscaldato sul termosifone. Gli aveva lavato le gambe, soffermandosi sulle ginocchia gonfie, sulle caviglie sottili dalle vene in rilievo, sulle cosce magre e rugose, sul petto ansante, sul collo sudato, sulle guance, sulla nuca incavata e fragile da bambino mentre lui si abbandonava a occhi chiusi. Il fiato intanto si era calmato, non pompava più come un mantice sollevando il petto.

Ad un certo momento, mentre gli strusciava le orecchie con la spugna, aveva visto il vecchio pene grigio gonfiarsi e irrigidirsi. Si era fermata a guardarlo, sorpresa. Ma come, un moribondo che viene lavato per l'ultima volta può ancora esprimere tanta voglia di vivere? Le era venuto da ridere. Lui intanto si era addormentato come un bambino rappacificato con se stesso. Alle nove era morto senza mai avere riaperto gli occhi.

Una mattina la madre l'aveva svegliata alle sei brandendo un telegramma: «Ti vogliono in questura, cosa hai fatto?». «Io?» Si era sentita subito in colpa. Chissà quanti errori, quante trascuratezze che erano passate inosservate. Magari qualcuno aveva annotato tutto e ora le autorità la chiamavano per rendere conto delle sue mancanze.

Era entrata negli uffici della questura con la gola chiusa per la paura. Un brigadiere l'aveva accolta con un sorriso, fumando un grosso sigaro maleodorante. «Lei è fortunata, l'ingegner Sollima le ha lasciato cinquanta milioni.» «A me?» Non aveva mai immaginato che potesse succedere una cosa simile. Aveva curato e lavato migliaia di malati ma nessuno le aveva mai dato niente. Al massimo una scatola di cioccolatini quando uscivano dall'ospedale. Invece, guarda qui, l'ingegner Sollima le lasciava cinquanta milioni. Incredibile! Cosa ne avrebbe fatto? Non ne aveva la minima idea.

Una settimana dopo erano partite, lei e la madre Adalgisa per un viaggio alle Maldive. Si erano crogiolate al sole per una settimana mangiando banane e pesce appena pescato, bevendo latte di cocco fresco e passeggiando in costume da bagno per spiagge pulitissime e costosissime.

Avevano ammirato, stando sdraiate su una barca dal fondo di vetro, pesci mirabolanti in forma di martello, in forma di palla, in forma di mezzaluna. Soprattutto i colori erano stupefacenti: rossi seminati di lenticchie nere, verdi tagliati da strisce azzurre e rosa, bianchi cosparsi di fragole dorate, violetti tempestati da punti gialli: un circo sottomarino che riempiva gli occhi di meraviglia. Morena inoltre aveva dormito dieci ore al giorno. Ed era tornata all'ospedale abbronzata, ingrassata, con la testa piena di immagini festose.

La maestra Adalgisa parlava spesso alla figlia Morena di un possibile marito. «Ancora non ti sei sposata... vuoi morire zitella?»

Morena alzava le spalle. E rideva in cuor suo quando tornando a casa dall'ospedale trovava delle visite inaspettate: un giorno era il figlio di una vicina di casa che sua madre aveva invitato a "bere un caffè e fare quattro chiacchiere", un altro giorno si trattava di un impiegato di banca con cui la maestra Adalgisa aveva fatto amicizia e *en passant* veniva a farle visita. Una domenica si era trovata faccia a faccia con il fratello di una ex allieva della madre, diventata ballerina di fila alla Scala, che veniva a prendere una busta per la sorella, ma guarda caso proprio nel momento in cui lei usciva per andare all'ospedale.

«L'accompagno io, vado proprio da quelle parti.» E lei gli aveva rivolto un sorriso sarcastico. Detestava le manovre di sua madre. Eppure, proprio per non deluderla, aveva accettato un invito a cena dal buffo studente di musica che piaceva tanto alla maestra Adalgisa. Veniva da Caltanissetta e si chiamava Memè, un nome risibile e aveva l'abitudine di tirare continuamente su col naso come tormentato da un perenne catarro. Morena gli aveva procurato delle medicine ma lui continuava a fare quei versi, come se fosse un cane da tartufo nelle vicinanze di un tubero particolarmente odoroso.

Avevano cenato al ristorante cinese dove era stata con Gino anni prima. Memè le aveva raccontato della sorella Ludmilla che aveva abortito due volte per non interrompere la sua difficile carriera di ballerina. Avevano confrontato i loro ricordi di infanzia e avevano riso insieme di quei tutù abbandonati per casa, di quelle scarpine che hanno la tendenza a spaiarsi e a nascondersi sotto i letti e nel fondo degli armadi, di quei capelli che non stanno mai al loro posto, di quegli scaldamuscoli che una volta erano di lana e ora sono di materie sintetiche e hanno colori sgargianti: rosso lacca, blu pavone, giallo uovo.

Lui le aveva confessato che era fidanzato da cinque anni con una ragazza di Catania che andava a trovare ogni domenica col treno. Lei gli aveva raccontato di Gino e della sua sparizione in Africa. Insomma si erano tenuti compagnia senza annoiarsi, ma senza neanche mai pensare ad un gesto di desiderio.

Si erano rivisti un mese dopo ed erano andati insieme ad un concerto. Lui era un appassionato di musica classica e dopo avere ascoltato la *Quarta Sinfonia* di Brahms le aveva raccontato di Robert Schumann della cui moglie Brahms era innamorato. E di come Schumann dormisse con un dito legato al soffitto da un lungo spago per castigarlo di non avere suonato a dovere. Di come la moglie Clara, pur innamorata di Brahms, si fosse proibita di parlargli per dedicarsi completamente al marito. Dei cinque figli avuti insieme, delle serate di musica trascorse in gruppo, Brahms e Schumann, con Clara Vieck al pianoforte. Di come Robert fosse diventato pazzo e fosse finito al manicomio dove era morto a trentadue anni.

Al ristorante cinese, un'altra volta. Mese di giugno. Morena indossava un vestito leggero bianco con delle libellule rosa e gialle che volano nella nebbia. Aveva qualcosa di fanciullesco anche nelle lunghe braccia nude e nello sguardo che sfugge sorridendo.

Di fronte a lei Giovanni Mendico, chiamato Memè, che si era laureato il giorno prima in Storia della musica. Insieme ridevano di una papera musicale ascoltata quella mattina alla radio, ridevano di un furto subìto da Morena sul tram da un ladro talmente esperto che le aveva tagliato la borsa senza che lei se ne accorgesse affatto. Ma il borsellino era vuoto e il ladro, contrariato aveva lasciato la lama dentro la borsa assieme con un fazzoletto di carta sporco di unto. Ridevano di una canzone cinese che ripeteva monotonamente una frase che suonava come "lalla compla palla".

Si accorgevano di stare bene insieme. Soprattutto perché non avevano doveri sentimentali l'uno verso l'altra, perché davano per scontato di essere impegnati altrove, perché ridevano volentieri di ogni piccola sciocchezza e perché si raccontavano ogni cosa vissuta con leggerezza e divertimento. Memè fra l'altro aveva quasi smesso di tirare su col naso. Miracolo dell'allegria o semplicemente rottura dell'abitudine a quel verso da maialino ingrugnato?

Al brindisi col liquore di prugna lui si era fatto serio e le aveva detto con voce appannata: «Sai, il mese prossimo mi sposo». «Bene, auguri!» aveva commentato lei alzando il bicchiere. Lui sorrideva ma era un sorriso storto.

«Non sembri tanto contento di sposarti.» «Sono contentissimo. Mi dispiace andare via da Palermo.» «E perché te ne vai?» «Lei ha una casa a Catania. E forse lì è più facile per me trovare lavoro.»

Ogni tanto le aveva telefonato. «Ciao Morena, come va?» «Ciao Memè, e tu?» «Sai, Gisella aspetta un bambino. E tu, con l'ospedale, come ti trovi?» «Avrei alcuni racconti da farti che ti farebbero morire dal ridere.» «Mi mancano, sai, le nostre risate.» «Mi mancano i tuoi grugniti da porcello. Quando vieni a Palermo?» «Forse il mese prossimo. Lavoro adesso per una rivista musicale. Mi pagano poco ma è sempre qualcosa.»

Era venuto in effetti a Palermo e si erano visti, al solito

ristorante cinese dove si erano abbuffati di riso bollito e verdura in salsa di gamberi e avevano ridacchiato di piccole storie che ciascuno aveva tenuto a mente per raccontarle all'altro.

«Lascialo stare quel Memè, è un uomo sposato» ammoniva la maestra Adalgisa, ormai senza più scuola e un poco labile di udito. Aveva conservato qualche lezione privata. Venivano delle bambine sdrucite, timidissime, col fagotto del tutù e delle scarpine in braccio e ballavano nella sala da pranzo al suono di un disco. Il pianoforte era stato venduto insieme a tutto il resto. Per queste lezioni la stanza da pranzo era stata adibita a sala da ballo: il tavolo addossato al muro, le sedie posate capovolte sul tavolo «tanto noi due possiamo mangiare in cucina, no?», la vetrina con i piatti del matrimonio trasferita in camera da letto e il tappeto comprato dal padre arrotolato nello sgabuzzino. «*C'est fait*» aveva dichiarato la maestra Adalgisa strofinandosi le mani. In un impeto di efficienza aveva pure fatto assicurare al muro, ad altezza di cintola, un corrimano di legno lucido a cui le bambine si attaccavano per i loro esercizi. «*Un, deux, un, deux, plissez, montez...*» la maestra Adalgisa batteva le mani e le bambine diligenti si sollevavano sulle punte dei piedi, si piegavano sulle ginocchia portando avanti prima una gamba e poi l'altra.

A Morena faceva piacere entrare in casa, quelle rare volte che si ritirava nel pomeriggio e sentire le note che provenivano dal registratore: un poco di Čaikowskij, un poco di Kreisler, un poco di Strauss. E la voce della madre che scandiva le parole come se avesse a che fare con delle bambine sorde: «Più ferme, più ferme quelle punte, più morbide quelle braccia... *double pas! pirouette*, hop hop... *légèreté, légèreté!*». Da come squillavano le note di quella voce poteva dire se la madre stesse bene o se fosse in preda a una delle sue giornate di malinconia.

Una notte Memè aveva telefonato con voce di pianto: «Gisella se n'è andata». «Ma dove?» «Non lo so. Se n'è andata con un ballerino tedesco. E lo sai il colmo dei colmi? Il ballerino l'ha conosciuto per mezzo tuo.» «Ma se io non l'ho nemmeno mai vista tua moglie!» «Ma lui sì, sembra che sia un allievo di tua madre. Forse l'unico allievo maschio che ha avuto in vita sua. Si sono conosciuti in treno e si sono innamorati. Mi ha lasciato con una bambina di pochi mesi.» «Posso darti una mano, Memè.» «Domani ci trasferiamo da mia madre.» «Allora torni a Palermo?» «Sì torno. Ma come sto male, Morena! Avevo capito che c'era qualcosa ma non avrei mai pensato che se ne andasse così da un momento all'altro con una piccola valigia dietro un imbecille dai capelli tinti lasciando la bambina.» «Ti aiuterò, se vuoi, con la bambina.»

Poi aveva chiesto a sua madre se avesse mai avuto un allievo maschio. E lei le aveva risposto in maniera sibillina: «Chi garantisce il sesso degli allievi?».

Memè era tornato in città ma senza la bambina perché un giudice scrupoloso l'aveva affidata alla madre. Aveva trovato lavoro all'ufficio delle poste. E così avevano ripreso a frequentare i concerti la sera. E avevano ricominciato a ridere e a raccontarsi le storie di tutti i giorni.

«Ci ho pensato molto, Morena, vuoi sposarmi?» Erano al ristorante cinese. Morena aveva ingollato un gambero che ora non voleva andare né su né giù. La gola si era serrata attorno a quel gamberetto che sembrava di gomma. Lui le aveva dato una botta sulla schiena con la mano aperta. Finalmente il boccone era andato giù ed erano scoppiati a ridere tutti e due. «Se ti fa un tale effetto questa richiesta di matrimonio, cosa faccio, rinuncio subito?» «Ma se non abbiamo mai fatto l'amore noi due!» «Be', lo faremo, no?» «Ma così, a freddo?» «Chi l'ha detto, a freddo? Io mi sono sempre trattenuto per via della mia fidanzata, ma ti ho desiderato molto.» «E perché non me l'hai mai detto?» «Non volevo rovinare la nostra amicizia.» «E ora?» «Ora tutto è cambiato. E io ti voglio sposare.» «Ma se sei innamorato pazzo di tua moglie!» «È la disperazione di un abbandonato più che altro. Chissà se si tratta di vero amore.» «Comunque, per il momento lasciamo le cose come stanno.» «Ma io ho bisogno di te. Sono solo e tutto mi casca addosso.» Eccola lì intrappolata. Come poteva dire di no ad un uomo abbandonato dalla moglie, privato della figlia, solo e senza affetti?

«Lo prevedo, sai, il nostro amore sarà grandissimo, lo sento. È qualcosa che ha dormito per anni e che ora salta fuori felice e dice: Eccomi qui, sono io mi riconosci?» Parlava e parlava, sembrava proprio felice di sposarsi con lei dopo avere divorziato dalla perfida Gisella.

Si erano sposati in effetti, il musicologo Giovanni Mendico, detto Memè impiegato alle Poste per necessità e l'infermiera Morena Monti da pochi mesi incinta di una bambina che avrebbe chiamato Adalgisa come la madre.

La maestra di ballo aveva preparato con le sue piccole allieve un balletto dal titolo roboante *Una nuova anima viene al mondo, alleluja!* per festeggiare il battesimo della bambina. Alla celebrazione erano intervenute le mamme delle cinque bambine che prendevano lezioni dalla maestra Adalgisa. Erano apparsi alcuni parenti che non vedevano quasi mai. Era capitata pure la moglie di Memè, Gisella con la figlia di due anni e col nuovo marito ballerino dai capelli color uovo e un orecchino di brillanti che scintillava ad ogni movimento della testa.

Insieme avevano brindato e cantato. Poi avevano assistito al balletto dalla coreografia elegante elaborata dalla maestra Adalgisa. Avevano pure tagliato una torta ricoperta di fragole e panna che era stata preparata da Morena e avevano riso alle battute del ballerino tedesco dai capelli d'oro che invece di "il velo della sposa" diceva "la vela della sposa" e invece di "infanzia" diceva "bambintù" e invece di "elegante" diceva "elefante".

E così vissero felici e contenti, verrebbe da dire. Ma purtroppo non è così. Perché Gisella, dopo solo un anno di matrimonio ha scoperto che il marito ogni tanto andava a caccia di ragazzi, e ha chiesto a Memè di tornare con lei e la bambina. La quale cosa è accaduta. E Morena è rimasta sola con la figlia Adalgisa. La madre, maestra Adalgisa, è stata colta da un infarto proprio mentre dava lezioni di danza a due sparute bambinelle che ormai non pagavano più niente. Le allieve con i loro genitori sono venute al funerale e hanno cantato per lei un pezzo del *Requiem* di Verdi.

In verità questa storia è stata raccontata da Adalgisa figlia di Morena Monti alla amica Dacia Maraini che si è limitata a cambiare i nomi delle persone e dei luoghi. Il racconto doveva chiamarsi *Mia madre l'infermiera* o *Anche i bambini si innamorano* ovvero *Sala da ballo* La libellula. Questi erano i titoli scelti dalla scrittrice. Ma ad Adalgisa non erano piaciuti e così insieme avevano scelto quello che poi è risultato essere il titolo di un film di Godard. Ma tant'è, a volte i titoli si ripetono e appartengono alla storia come una scarpa ad un piede. È difficile immaginarne un altro quando ci si è camminato dentro per un po'. Con un grazie ad Adalgisa e a Morena.

Il naso di Salvo

Mi telefona una amica da Palermo.

«Sai, è morto Salvo.»

«Come è possibile! Era più giovane di me!»

«Ha avuto un infarto.»

Butto giù le gambe dal letto e rimango silenziosa a guardare il tappetino finto persiano su cui giacciono le pantofole gialle.

Penso di telefonare a sua moglie, ma non ricordo come si chiama. L'ho vista solo una volta al loro matrimonio e poi mai più. Quando lo frequentavo io, Salvo era libero come il vento. Poi si è sposato e ha fatto due figli. Uno era comunista e l'altro fascista.

L'ultima volta che ci siamo visti in un piccolo bar di piazza Mazzini a Roma mi ha parlato a lungo di questi due figli. Che abitavano ancora con lui, sebbene avessero uno diciannove e l'altro ventun anni.

«Immagino che litighino fra di loro» ho commentato.

Ma lui ha scosso la testa.

«Non litigano affatto. Anzi vanno molto d'accordo.»

«Hai detto che uno è comunista e l'altro fascista.»

«Fra loro non parlano di politica.»

«E di che parlano?»

«Di calcio.»

«E con te?»

«Con me litigano. Uno mi accusa di essere capitalista, l'altro mi accusa di essere un pericoloso sovversivo.»

«Anche con la madre litigano?»

«Con la madre no. Parlano di donne.»

«Con la madre?»

«Sì, le raccontano le loro avventure, i loro amori. Lei li capisce, li consola.»

Salvo è sempre stato elegante. Alto, asciutto, snello, le spalle scivolate, il collo lungo, le gambe slanciate, i denti regolari e bianchissimi, il naso pronunciato a uncino, i capelli folti sulla testa. «Mi sveglio la notte con la sensazione di avere perso tutti i capelli.» «Ma se ne hai tanti!» «Tutti i miei amici hanno la pelata. E io mi aspetto da un momento all'altro di perderli.»

E invece non li ha mai persi. E di questo andava fiero. Spesso li carezzava buttando indietro la testa. Cacciava le dita aperte a rastrello fra le onde brune mentre strizzava gli occhi come per guardare lontano.

Era un uomo spiritoso. Sempre ultimo a ridere delle proprie battute, come fa un vero umorista. Gli amici lo cercavano perché con lui non ci si annoiava mai, anche se un poco lo temevano. Una volta un compagno di università che si piccava di leggere molto, gli ha rivelato che le freddure sono un segno di nevrosi sessuale: «Hai letto la *Psicopatologia della vita quotidiana* di Freud, o meglio il piccolo saggio intitolato *Il motto di spirito*?».

Salvo ha subito trovato una risposta salace per prendere in giro l'amico. Ma l'altro ha continuato: «La tecnica della battuta, come dice Freud, serve a liberare lo scarico di tendenze inconsce, che altrimenti non avrebbero il permesso di esprimersi. Quali tendenze nascondi, Salvo?».

«Tendenze omicide» ha risposto lui pronto, «soprattutto la voglia di uccidere i migliori amici.»

L'altro ha riso e la cosa è finita lì.

Tante volte mi sono chiesta cosa si nascondesse dietro

le sue battute di spirito. Che erano sempre rapide e felici, mai volgari, anche se spesso crudeli. Come quando gli chiedevo «Mi ami?» e lui rispondeva con sarcasmo: «Amare, un verbo assai ridicolo non trovi?» Oppure sentenziava leggero: «L'amore è una cosa che non si beve, quindi non mi interessa».

E se avessi dato retta a Freud? cosa avrei scoperto dentro un cuore tanto avaro di sé da risultare chiuso come un'ostrica? Le battute di spirito gli permettevano di nascondere ciò che pensava? Forse. Mostrare qualcosa di intimo, anche solo una piccola verità lasciata trapelare fra le pieghe del discorso, era un peccato senza perdono. Per uscire da ogni tentazione, capovolgeva con un piccolo e strabiliante gioco di parole il discorso, in modo da renderlo istantaneamente leggero, futile. Ma anche tagliente, anche gioioso, e intelligente.

Avevo tante ragioni per credere che mi amasse, ma non ne ero del tutto sicura. «L'amore si dimostra non si enuncia» diceva sua sorella che era una ragazza piccola, bruna con gli occhi chiari e una saggezza da vecchia medichessa.

Era dimostrazione d'amore il fatto che Salvo venisse tutte le mattine a prendermi all'uscita dalla scuola? Era dimostrazione d'amore il fatto che mi invitasse spesso a pranzare a casa sua, con sua madre e sua sorella Annina, sua zia Gabriella e sua nonna Titti? Viveva in un mondo femminile da cui si faceva coccolare e saziare.

Era bello, Salvo e lo sapeva. Ma non approfittava della sua bellezza per suscitare simpatia o amore. Preferiva usare l'arma del riso. Era contento solo quando riusciva a fare ridere. Bravissimo nell'arte davvero difficile del tenere desta l'attenzione dei presenti con acrobazie verbali. Era ricercato per le feste, per le cene di gruppo. Non deludeva mai. Anche quando sembrava quieto silenzioso e raccolto in se stesso. Ascoltava quello che dicevano gli altri? Pareva di no. Ma bastava una parola sciocca o pretenziosa perché calasse nella conversazione come un falco e colpisse deciso il malcapitato mettendolo in ridicolo.

Ma cosa nascondeva dietro quelle facezie, quelle canzonature, quelle burle? cosa difendeva come fosse un pulcino implume dietro quel rigore satirico da severo giacobino? Gli amici qualche volta si offendevano, ma non portavano rancore. O comunque non lo davano a vedere. Perché lui "scherzava". Così diceva sorridendo. Anche se a volte feriva nel profondo.

A quei tempi leggevo la biografia di Charlie Chaplin e mi aveva colpito il fatto che il grande regista e attore comico, più si impegnava a scrivere e girare film dove l'umorismo si intrecciava con un sentimentalismo strappalacrime, più nella vita diventava brutale, violento. È stato accusato di avere violentato una minorenne, di avere sedotto e abbandonato non so quante belle ragazze, di avere lasciato morire di fame i figli illegittimi, di essere in famiglia autoritario e intollerante.

La comicità è un atto di crudeltà? Me lo chiedevo quando vedevo il mio amore aggirarsi come un principe, la lunga sciarpa rossa ciondolante sul petto, fra i compagni di università. Prendeva in giro uno perché portava le scarpe risuolate, un altro perché era goffo con le donne, un altro ancora perché non sapeva parlare in pubblico.

Sembrava un gran signore un poco snob. Ma non era ricco. Veniva da una famiglia modesta. Il padre, usciere di una banca, era riuscito prima di morire a fare entrare il figlio nell'Istituto di credito e poi se n'era andato contento. Salvo era rimasto con la madre, la sorella, la zia e la nonna. La sorella Annina era fidanzata da quando aveva dieci anni con l'uomo che poi ha sposato e con cui ha fatto cinque figli.

Una volta – erano già trent'anni che ci eravamo persi di vista e parecchi anni che non ci incontravamo dopo il racconto dei figli – mi ha telefonato dicendo che era a

Roma per lavoro e voleva parlarmi. L'ho visto arrivare, con l'impermeabile bianco svolazzante sul corpo magro, il naso adunco, il solito bellissimo sorriso. Si è seduto in punta di sedia e mi ha baciato la mano, come farebbe un signore di altri tempi. Ma aveva un luccichio perverso negli occhi.

«Mi fa piacere vederti, Salvo, sei sempre un bellissimo uomo.»

«Sai, sono notti che non dormo pensando di averti rovinato la vita.»

«E perché?»

«Volevi un figlio da me, me l'hai detto più volte. Io non ho voluto, ti ricordi? E visto che non hai fatto figli in seguito, ho pensato che la colpa è mia.»

«Non prenderti colpe che non hai, Salvo. Io l'ho fatto un figlio. Purtroppo è morto prima di compiere un anno. Tu non c'entri.»

«Il tuo cattivo rapporto con la maternità viene da me, ne sono sicuro, dal mio egoismo di giovanotto perdigiorno. Non mi posso perdonare.»

Era veramente strano quel discorso. Dove erano andati a finire il suo sarcasmo, la sua tendenza a sbeffeggiare e ridicolizzare se stesso e gli altri?

«Stai scherzando, vero?»

«No, dico sul serio. Mi sono scocciato di scherzare sempre.»

Ho pensato che stesse male. E in effetti poi ho saputo che aveva già avuto un piccolo infarto.

Non sono andata al suo funerale. Non solo perché abito a Roma e lui è morto a casa sua, a Palermo. Ma anche perché non amo i funerali. Cerco di evitarli. Vedere la bara coperta di fiori mi suscita immagini di eternità congelate. Fantasticare su quel corpo morto, inerte dentro la orribile cassa inchiodata mi inibisce per sempre la gioia di vederlo muoversi dentro gli occhi della mente, come quando amoreggiavamo, in quei lontani anni di una Palermo incantata e infelice.

Salvo, nella memoria, volevo continuare a vederlo camminare con l'impermeabile svolazzante, il ciuffo sulla fronte, il naso curvo – gli amici dicevano che assomigliava al duca di Montefeltro, un uomo dai ricci folti e il naso prominente, ritratto da Piero della Francesca – le lunghe gambe sempre in moto.

Una volta una amica comune gli ha detto: «Ma perché non ti fai operare il naso? sei così bello, hai solo quel difetto lì». E lui, subito, piccato, le ha risposto citando una frase del *Cyrano de Bergerac*: «Sì lo so... enorme è ciò che tengo al centro del viso, mobile, camuso, rotondo, a punta, liscio, vaso e martello. Ma sono molto orgoglioso di questa mia appendice». E si è inchinato togliendosi un immaginario cappello coperto di piume.

Non sarebbe stato strano vederlo avanzare vestito da moschettiere, in calze rosse, pantaloni al ginocchio color vinaccia, la giubba tempestata di nastri e bottoni, una lunga spada al fianco, pronta a colpire. Non per uccidere: il sangue lo disgustava, le ferite lo annoiavano. Ma per mettere l'altro contro il muro. E con questo, io tocco! *Allez!* Siete morto!

Non gli piaceva uccidere, neanche con una frase. Era uno spadaccino della parola, un giocoliere spericolato e solo attento alle complicate leggi della gravità linguistica.

Una volta ha recitato tutto il *Cyrano* alla radio. Una radio privata in cui lavoravo anch'io, una radio studentesca in cui si discuteva per ore e ore fino a notte fonda, sul libero arbitrio, sulla mafia, sulla guerra, sul diritto di pisciare contro i muri, sull'amore libero, eccetera.

Ero diventata brava a sbrigliare le dita sulla tastiera della consolle. Avevo imparato a introdurre rapida un disco dietro l'altro, ad alzare e abbassare i livelli del suono, sapevo come sfumare una musica per sostituirla con un'altra, sapevo come collegarmi con una voce al telefono, come metterla a tacere quando si prolungava in una infinita diatriba contro il mondo intero, sapevo rintracciare all'occorrenza i rumori di una manifestazione, di un vento impetuoso, di un cavallo al galoppo, di una mattina al mare, sapevo come dirigere una conversazione facendo in modo che tutti potessero parlare senza coprirsi con le voci.

Ero diventata una maga della consolle e tutti mi chiamavano per i loro programmi. Ce n'erano tanti, divisi fra le varie facoltà dell'università. Sapevo che mi sarei stancata a morte, che avrei passato la notte in quel minuscolo stanzino dalle finestre tappate, ma non volevo dire di no. Un po' per timidezza, un po' per orgoglio, un po' perché speravo sempre che capitasse il mio amato Salvo a raccontare, nel suo modo sgangherato e spiritoso, qualche fatto di cronaca. Aveva una voce piena e rotonda che era un piacere ascoltare. Una voce che sapeva fluire, ondeggiare con dolcezza ma poteva anche rattrappirsi improvvisamente facendosi roca e dileggiante.

«Il mio naso caro signore è una roccia, un picco, un belvedere, una penisola, un promontorio... Mi dicono: a cosa serve quell'oblungo canapè? nasconde forse uno scrittoio? oppure un portaombrelli? Grazioso! Amate a tal punto gli uccelli che padre, sposo e amante offrite una torretta perché vi si ristorino dal becco alla zampetta?»

Erano i suoi pezzi preferiti, le sue citazioni dal testo amato. Nessuno in realtà lo prendeva in giro per il naso prepotente. Era lui stesso a mettere le mani avanti, a farsi gioco di sé, a tormentarsi e giustificarsi. Le ragazze lo cercavano e spesso lo corteggiavano. Ma lui si dichiarava fedele. «Sono monogamo» diceva sorridendo, «la poligamia mi annoia: pensa, invece di un piede freddo contro le cosce, ne dovresti sopportare dieci, uno per notte. Nun sugnu pazzu.»

Nel fare l'amore era timido. Brusco e apprensivo. Non avevamo una stanza per noi e quando volevamo appartarci andavamo cercando un luogo all'aperto dove non essere disturbati. Non disponevamo nemmeno di una macchina. Palermo era povera. Si girava in carrozzella. Avevamo due biciclette sgangherate e con quelle, pedalando a perdifiato, raggiungevamo certi prati alla periferia della città, dopo i colli della piana di San Lorenzo. E fra un cespuglio e l'altro, stendevamo per terra il suo impermeabile. Ricordo ancora la cura con cui apriva il suo prezioso capo niveo che appoggiava delicatamente sul terreno spinoso, facendo in modo che il bianco rimanesse all'interno perché non si sporcasse.

Ricordo una volta che ci siamo stesi e siamo stati investiti da un puzzo intollerabile. «Per me è cacca» ha detto spostando l'impermeabile di qualche metro. Ma il puzzo continuava. Finché, sollevandolo, ci siamo accorti che col peso del corpo avevamo schiacciato e incollato alla stoffa una enorme merda puzzolente. Siamo scoppiati a ridere, senza riuscire a fermarci. Nonostante lo schifo e la disperazione di lui che vedeva rovinato il suo unico capo invernale a cui era molto affezionato.

Che acrobazie per fare l'amore senza togliersi i vestiti, con i grilli che saltavano fra i capelli, le formiche che si arrampicavano sulle cosce nude, avide delle gocce di seme maschile. «Avanti, il pranzo è servito!» diceva Salvo osservando il tramestio di quelle bestiole sul mio ventre nudo. «Ora faccio una strage. E tu, con il tuo animo di naturalista, me lo rimprovererai.»

Non si abbandonava mai del tutto. Anche nel momento più intenso dell'amore era capace di rompere l'incanto con una osservazione tagliente. «Che dici, ci sarà qualcuno che spia fra le frasche? Da bambino lo facevo anch'io.»

A me spaventava l'idea che degli occhi curiosi potessero spiarci senza essere visti. Ma lui rideva. E rivolgendosi ai cespugli gridava «Veni cà, cugghiune! Se ti vedo ti infilzo col mio naso, giuro sul mio futuro!». E poi piano, a me: «Credi che avrò un futuro che non sia di merda e di schifo?» e rideva piano soffiandomi nell'orecchio.

Siamo stati "'nnamurati e filici" per tre anni. Poi io sono partita per Roma e lui si è sposato con una sua collega di ufficio. Credo che si siano trovati bene insieme. Li ho visti al matrimonio. Lui mi aveva fatto una lunga telefonata per insistere che andassi alle nozze. «Faremo una grande festa. Ci tengo che tu venga. E voglio il regalo, mi raccomando. Minimo minimo un elefante.»

Mi sono trovata sola e spaesata fra tanti ex compagni di scuola che non vedevo da anni, e che si erano trasformati: chi aveva perso i capelli, chi era diventato obeso, chi era uscito da una terribile malattia, chi si era incattivito e ingrassato, chi da ribelle anarchico era diventato conservatore e moralista. Non li riconoscevo. E mi metteva di malumore pensare alla trasformazione che io stessa avevo subito e che doveva apparire ai loro occhi altrettanto sconvolgente, per non dire avvilente.

Salvo era elegantissimo, come al suo solito, chiuso in un vestito di lino celeste. La sposa indossava un abito bianco, ma corto e niente velo in testa. Si sono sposati nell'oratorio di Santa Cita con i putti del Serpotta che ci guardavano irridenti dalle pareti. Un loro amico musicista stava all'organo e suonava pezzi di jazz.

Il ricevimento era a Villa Igea, come vuole la tradizione. Gli invitati si aggiravano fra le terrazze infiorate, su un mare in tempesta. C'era vento e i tovaglioli di carta volavano fra gli alberi. «Noi fummo i Gattopardi, i Leoni: chi ci sostituirà saranno gli sciacalletti, le iene» mi ha sussurrato all'orecchio Salvo citando Lampedusa. Aveva addosso un profumo nuovo, di tabacco e di rose.

«Ti sei messo a fumare?»

«Perché, si sente?»

«Ti ho conosciuto che non fumavi.»

«La monogamia mi ha prosciugato i polmoni. Il fumo mi aiuta ad arieggiarli.»

«Veramente sarebbe il contrario.»

«Essendo il matrimonio di tutte le cose serie la più buffonesca, come dice Beaumarchais, ti chiedo ora di brindare con me!»

Quando ci siamo visti a Roma anni dopo, al piano superiore del caffè Esperia, mi ha confermato che il suo matrimonio era felice. Che sua moglie era saggia e gentile. Che i suoi figli erano straordinari, nonostante la diversità di idee. «Hanno una stanza in comune. Divisa con metodo: da una parte ci sono i libri di Marx, di Lenin, di Mao; dall'altra i testi di Evola, Guénon, Spengler. Di giorno si evitano. Di sera vanno fuori insieme sulla sola motocicletta che c'è in casa.»

«E dove vanno?»

«A ballare! Credevi che avessi due figli secchioni?»

«Non mi hai detto che passavano il tempo a studiare e leggere?»

«Infatti, studiano e leggono. Ma anche ballano. Sono figli di Cyrano dal naso che trilla, boccheggia, oscilla, balza, si scuote, piroetta, danza. Sono figli di questo naso.»

Era il Salvo di sempre, pronto a scherzare e sbeffeggiare, prima di tutto se stesso. In Sicilia quel genere di spirito lo chiamano "il sivo". E intendono più che ironia, un leggero perdersi della mente nel caos dell'idiozia quotidiana.

Abbiamo preso un tè nero e delle paste con la panna. Abbiamo ricordato i nostri tramonti palermitani, ai margini della città, dalle parti di San Lorenzo, quando Palermo non era stata ancora invasa dal cemento, quando stendevamo l'impermeabile bianco sul terreno sporco, in mezzo a migliaia di formiche affamate. Abbiamo riso ricordando l'episodio della cacca e del puzzo che ha continuato ad accompagnare il suo impermeabile nonostante l'avesse lavato cento volte col sapone di Marsiglia.

«Vuoi un'altra pasta?»

«No, basta così.»

«Hai visto che sono ingrassato! tutti i matrimoni felici fanno ingrassare.»

«Anche quelli infelici, a dire la verità.»

«Credo di avere sbagliato tutto. Dalle mutande ai calzini. Ma sono contento lo stesso. Ho fatto dei miei errori una casa blindata, dove mi sento al sicuro. Si vede che sono un vigliacco?»

«A me sembri sempre lo stesso: allegro e generoso.

«Sei una adulatrice consumata o una ottima attrice. L'ho visto da come mi hai guardato sai, hai pensato: ecco l'uomo che ha fallito! Tutto, dalle scarpe al cappello rivela il mio fallimento e tu non sai mentire, per lo meno con lo sguardo.»

«Uno fallisce rispetto a un progetto, una aspirazione. Da cosa ti senti tradito?»

«Dal mio naso.»

La sposa Serena

Una mano bianca dalle dita lisce e rotondette è sospesa, incerta, sopra un vassoio di cartone stipato di cioccolatini. Quale scegliere? La conchiglia candida che sembra approdata dai mari del Sud, o la rosa in boccio scolpita nel cacao o la stella scurissima dalle punte gonfie di crema, oppure il bauletto bronzeo su cui spicca un chicco di caffè? Infine la mano plana lentamente sul vassoio come fosse una colomba e afferra delicatamente, nel becco delle due dita strette ad artiglio, la stella corvina. Se la porta lentamente sulla lingua che è tutta tesa e sporgente come quella di una bimba pronta a ricevere l'ostia. La bocca si richiude lenta, schiacciando la pasta profumata contro il palato.

In quel momento si sente una voce che chiama: «Serena! sei ancora qui? Lo sposo ti aspetta davanti alla chiesa, tuo padre è giù che ti attende con la portiera della macchina aperta».

Serena ascolta le parole che sembrano provenire dalla sua bocca piena di cioccolato: «Vengo subito, arrivo!». Ma non è la sua voce, si dice, c'è qualcosa in essa che non le appartiene.

Le dita, furtive, si abbassano ancora una volta su quei cioccolatini che splendono di una luce scura e promettente. Afferrano la conchiglia bianca e lustra e la posano con calma sulla lingua. Poi è la volta del bauletto scuro sormontato dal chicco bruno che scivola fra i denti e si squaglia liberando un delizioso aroma di caffè tostato.

«Serena!» gridano da fuori.

«Vengo!»

Le dita sporche di cioccolato si strofinano sull'ampia gonna di organza bianca lasciandovi due tracce scure. La giovane sposa fa un passo verso la porta. Ma poi si ferma, torna indietro e con fare tranquillo continua a pescare nel vassoio, portando alla bocca ora una foglia di quercia color bronzo, ora una spiga di grano dal profumo squisito, ora un pesciolino dal colore tenebroso di una notte senza luna.

«Lo sposo aspetta, la chiesa dell'Addolorata è già piena di gente!» sente gridare dal fondo delle scale.

Un cioccolatino dalla carta color malva sembra invitarla gioiosamente.

«Se tardiamo la cerimonia poi come facciamo a essere a Villa Igea per le dodici?» È la voce di sua sorella. Serena sorride ma non si preoccupa più di rispondere.

Ora con mano impaziente e allegra si slaccia le scarpe dal tacco alto e le getta una di qua e una di là.

Un cioccolatino l'aspetta, un'altra delizia che si propone ai suoi occhi avidi. Questa volta si tratta di un soldatino dalla divisa rossa e blu che tiene stretto fra le braccia un fuciletto color argento. Con l'unghia la giovane sposa strappa la carta argentata e si infila in bocca l'intero soldatino nudo e chiude gli occhi felice appena sente il liquore che schizza all'interno delle guance.

«Serena!» grida una voce maschile da fuori. È una voce disperata. Ma è come se arrivasse da spazi lontanissimi, la voce di una stella nel cielo non farebbe più rumore. Soprattutto non la convincerebbe di più. Quale stella potrebbe chiamarla con tono più pigolante?

Mi mangerò un altro cioccolatino e poi vedrò, si dice prendendo in mano una farfallina dal colore della terra bruciata. Sulle due ali spiegate spicca un occhio rosso, cieco e fulmineo.

«Serena, Serena!» la voce si perde fra gli stracci di un cielo muto.

Serena si dirige a piedi scalzi verso la porta. La chiude a chiave. Poi trascina faticosamente una pesante scrivania e l'appoggia contro l'uscio. Si toglie le forcine che tengono insieme la massa dei capelli castani intrecciati con i fiori del buon augurio.

Getta le forcine contro le pareti. E, così, a piedi nudi, con le labbra sporche di cioccolato, i capelli scomposti, la gonna lunga di organza fra le mani, si mette a danzare per la stanza cantando una canzone imparata da bambina.

La formicuzza in un campo di grano
vide un grillo e si prese d'amore
laralillero lillallero
laralillero lillallà.
Si fissò il giorno delle nozze
quattro ciliegie e due castagne cotte
laralillero lillallero
laralillero lillallà.
Mentre i due andavano all'altare
il grillo cadde e si ruppe il cervello
laralillero lillallero
laralillero lillallà.
La formicuzza
affranta dal dolore
prese una zampa e si trafisse il cuore
laralillero lillallero
laralillero lillallà.

Vulcano

Erano anni precedenti la grande rapina del territorio, anni di integrità e di povertà di una Sicilia povera e frastornata, bellissima nelle sue acque pulite e nei suoi campi pignolamente coltivati.

Erano gli anni in cui mio padre mi portava in giro per il mondo come un giovane compagno di cui si poteva fidare. Ero al suo seguito con la trepidazione di una alunna un poco goffa e molto timida, ma pronta a tutto pur di accontentarlo.

Quell'anno, che non ricordo bene quale fosse, ma era fra il Cinquanta e il Cinquantacinque, lui decise di passare una estate a Vulcano. Credo che dovesse fare un servizio fotografico per guadagnare quei soldi che con gli studi antropologici non riusciva a racimolare. Fatto sta che mi portò con sé viaggiando prima in treno e poi in nave. Due giorni dopo fummo raggiunti da un amico fiorentino, un giovane professore dalla faccia di saraceno, gli occhi scuri scintillanti, il sorriso enigmatico.

Insieme affittammo una casa molto semplice, molto spartana e rustica, come era nei gusti di mio padre. Era una casupola sgangherata e spoglia, in cui si dormiva su delle brandine addossate ai muri e la cucina era fornita di un solo fornello che andava a carbone, il bagno si trovava in un casotto nel giardino, con un buco per terra e un lavandino minuscolo dal cui rubinetto usciva acqua solo fredda. In compenso l'alloggio era dotato di una terrazza coperta che dava sui banani e sui limoni, di un giardino di grande bellezza. In realtà su quella terrazza ci si mangiava, ci si riposava, di giorno e di sera.

Dal ballatoio, fra le frange dei banani si poteva scorgere in ogni momento la cima del vulcano, inquietante bocca di terra che si diceva spento ma, come tutti i vulcani, teneva in serbo per chissà quale futuro un ventre di lava bollente. Nell'isola circolavano racconti terrificanti di corpi inghiottiti da quella bocca muta, di animali spariti, di serpenti di fuoco che di notte scivolavano a valle a distruggere le viti.

Che fosse ancora vivo il vulcano lo capivamo quando facevamo il bagno in una certa ansa pietrosa dove correnti di liquido caldo salivano dalle sabbie grigie, mescolandosi piacevolmente con l'acqua salata. Era come immergersi in un lago tiepido che emanava un forte odore di zolfo.

I villeggianti allora si potevano contare sul palmo di una mano. L'isola era abitata soprattutto dai vulcanesi, pastori e pescatori dalle facce severe, bruciate dal sole, i vestiti rattoppati, sempre intenti a qualche lavoro: il rammendo delle reti, la tintura delle barche, o la cura delle poche viti che attecchivano in quelle arsure, o la preparazione delle agavi da cui ricavare la corda per impagliare le sedie.

La spesa si faceva nell'unica piccola bottega in cui si vendeva il sapone, il vino, lo zucchero, i fagioli, le scarpe e gli ami per la pesca. La pasta la facevano le donne con la farina e la stendevano in fogli su dei legni come tovaglie, prima di tagliarla in sottili fettucce. Il pane pure veniva lavorato dalle madri di casa e messo a cuocere nel forno comune. Era un pane profumato e robusto che doveva durare una intera settimana.

La nostra padrona di casa si chiamava Filomena e ci

portava il latte fresco della sua vaccarella che qualche volta veniva a pascolare nel nostro giardino. Ma era discreta e gentile, non si mangiava né l'alloro né il basilico con cui condivamo i pomodori appena colti nell'orto. A volte, come fosse un cane, veniva a curiosare in cucina e se uno allungava una mano, tirava fuori una lunga lingua rasposa e la leccava.

Filomena ci raccontava le storie più macabre dell'isola: com'era morto quel tale buttandosi nella bocca del vulcano, come era stato fatto a pezzi un bambino dai denti di un pescecane, come aveva perso le mani quella donna che lavava i panni in mare ed era stata agguantata da un mostro marino. La sua immaginazione non si stancava mai, era fertile di storie raccapriccianti di cui godeva soprattutto quando vedeva i miei occhi farsi sempre più attenti e spaventati.

Una sera mio padre ci disse: «Stanotte andiamo a letto presto perché domattina all'alba ci arrampichiamo sulla cima del vulcano». E difatti, alle cinque eravamo già in viaggio, lui, il suo amico Bernardo ed io, con un sacco sulle spalle, le gambe subito graffiate da centinaia di sterpi e di rovi che infestavano la fiancata del monte.

Ci siamo arrampicati per ore. Ricordo il caldo che mano a mano si faceva più cocente, le zanzare e le mosche contro cui bisognava lottare, accompagnati dal continuo ragliare degli asini che erano lasciati liberi a pascolare su quelle aride salite, l'odore fortissimo di mentuccia e di mortella che saliva dai viottoli in mezzo alle ortiche.

Ogni tanto ci fermavamo per contemplare il mare che si faceva sempre più intenso, più aperto e più spettacolare. Era un mare che ricordava le grandi cosmogonie antiche: il mare di Tritone, trombettiere di Nettuno, figlio possente di Oceano e di Teti, l'essere mezzo uomo e mezzo pesce che annunciava l'arrivo del dio suonando dentro una conchiglia ritorta. Era il mare di Cola Pesce che, a sentire le leggende, ancora stava là a reggere la sua amata isola che aveva la tendenza a zoppicare miseramente.

In cima ci aveva accolto un vento caldo, quasi un fiato infernale che ci aveva costretto a chiudere gli occhi. Da certi piccoli fori nella roccia terrosa sortiva un fumo rossiccio che lasciava cristalli brillanti color tuorlo d'uovo intorno a sé. Il mare in lontananza era scuro e magnifico, quasi una unica lastra di marmo cipollino, verde, con liste bianche pietrificate sotto il sole.

Lì seduti, attorno alla grande bocca spenta ci siamo raccontati delle storie, mentre mangiavamo i nostri panini con l'olio e il pomodoro fresco. Storie di fantasmi diurni, di precipizi, di abitatori misteriosi che si rintanano in mondi sotterranei e ne escono solo per carpire giovinette innocenti o piccole capre brucanti e portarle con loro nell'inferno dei lapilli. Oggi penso che il mio giovane padre e il suo bellissimo amico volessero semplicemente spaventarmi. Fatto sta che il panino mi è rimasto in gola e che sono stata presa da una specie di vertigine. Come se una forza magnetica mi attirasse verso il fondo di quella voragine tumultuosa.

Poi, più tardi, siamo ridiscesi a valle scivolando in mezzo al ghiaione di pietra pomice, le scarpe piene di polvere e di sassi, le gambe coperte di graffi, l'odore forte di zolfo nel naso.

Quella sera mi sono addormentata di schianto e ho fatto sogni terribili e grandiosi. Venivo inghiottita da forze oscure e poi espulsa verso le nuvole in un tripudio di scintille cocenti. Mi ritrovavo pericolosamente sospesa nel vuoto e scendevo lentamente verso terra attaccata a un ombrello come Mary Poppins. Era un sogno che mi asciugava la gola, ma non era un sogno sgradevole. C'erano degli odori buoni nell'aria: di primule e di zolfo, appena stemperati dalla salsedine.

Pochi giorni dopo siamo ripartiti per Palermo, portandoci dietro un ricordo fastoso che non mi ha più abbandonata.

Ho conosciuto altre isole: Salina, Stromboli, Ustica. Ho

dei ricordi molto intensi di lunghe visite sottomarine, di stordite letture su barche ormeggiate vicino alla costa. Ero una ragazzina avida di letture e non smettevo mai di cacciare il naso dentro le pagine, neppure in situazioni difficili, sotto il sole a picco, con il sale incrostato sulle ciglia.

Ma nessuna isola mi ha mai colpita come la Vulcano degli anni Cinquanta. Non ho voluto più tornarci perché dai racconti degli amici ne ho ricavato un ritratto disastroso: alberghi immensi, recinzioni, strade, cabine di cemento, villette, insomma una rovina che non stento a immaginare conoscendo altre zone del nostro Paese come erano state prima e come sono state trasformate dopo, nella furia di una rapina del territorio che non ha avuto pause fino ai nostri giorni.

La bambina e il soldato

La bambina si tirò da parte per vedere passare i soldati. Marciavano stancamente, trascinando i piedi, sebbene il caposquadra li esortasse con dei sonori avanti march, avanti march! march! march!

La bambina cercò con gli occhi il padre: doveva essere fra quegli alpini che tornavano dal fronte. Ma non lo vide. Ricordò la sua faccia allegra intravista dentro una pasticceria, una decina di giorni prima: si portava alla bocca dei pezzi di strudel coperti di panna. Ricordò anche una cameriera dalla maglietta troppo stretta che le lasciava il petto in parte scoperto. Il giovane padre sorrideva, i baffi sporchi di panna, rivolgendo gli occhi curiosi e teneri verso la giovanissima cameriera.

Da lontano le era sembrato che lei gli chiedesse l'ordinazione e lui le avesse risposto con un'altra domanda: quanti anni hai? Così le era parso, stando in piedi sulla soglia della pasticceria. La ragazza doveva avere poco più della sua età. Era piccola e portava dei tacchi molto alti, un rossetto violetto che le induriva il sorriso, i capelli biondo pannocchia raccolti disordinatamente dietro la nuca e stretti da un elastico rosso.

Papà! aveva detto, ma evidentemente la sua voce non era uscita dalla bocca perché né lui né la ragazza avevano mostrato di averla sentita. Si era tirata indietro mortificata. Il suo bellissimo padre era lì davanti a lei, vicino ma ir-raggiungibile. Il suo amore per la vita e le donne non lo abbandonava mai, nemmeno di fronte ai pericoli di una guerra. Sua madre si era rassegnata: lo guardava andare via con un sorriso di mestizia. Non si aspettava più niente da lui. Lei invece si aspettava qualcosa dal padre: per lo meno quell'amicizia solidale e profonda che li aveva uniti nel tempo e a cui teneva moltissimo. Non le aveva detto tante volte: «Bambina, tu ed io siamo i più grandi amici del mondo, ricordatelo, non ci tradiremo mai e staremo sempre insieme»?

Fra i soldati che passavano in file ordinate, vide un ragazzino dalla testa bionda che la guardava senza girare la testa, muovendo solo gli occhi scintillanti. «Mio padre bambino» si era detta a fior di labbra. Il giovanissimo soldato aveva gli stessi occhi, gli stessi capelli corti e riccioluti, le stesse orecchie a punta, la stessa bocca stretta, la stessa fossetta sul mento, gli stessi piedi un poco rivoltati verso l'interno del padre. Piedi a papera, come diceva sua madre, guardandolo camminare. Solo che questo era un ragazzino imberbe, mentre suo padre aveva già compiuto i quarant'anni. Lo guardò fissamente anche lei. Cercando di capire il segreto di quella somiglianza straordinaria. Come era possibile una simile affinità? Ripensò alle fotografie della casa di Palermo, in cui suo padre, bambino, si dondolava su una altalena appesa a un grosso ramo di quercia nel giardino pieno di fiori. E se fosse suo figlio, si domandò la bambina? Un figlio segreto che ha tenuto nascosto a tutta la famiglia e che oggi cresce rigoglioso, identico al padre?

La bambina si sposta per vederlo meglio, ma ormai il ragazzino è andato avanti, ed è nascosto dai tanti corpi di alpini le cui teste munite di cappelli dalle piume ritte fanno pensare, nel loro movimento ritmico, a tanti uccelli dalle code tese che si accingono a prendere il volo.

Tornando a casa la bambina trova la mamma in lagrime. Che è successo? Ma la donna non riesce a parlare. Le mette in mano un telegramma. "Il suddetto Ministero, nella persona del Generale di brigata Terenzio Armaroli, annuncia alla famiglia De Felice che il valoroso soldato Celeste De Felice, nel compiere il suo dovere di soldato, è caduto sul fronte, il dì 30 settembre, alle ore 5 della mattina. Porgiamo le nostre condoglianze più sentite."

La bambina si siede per terra stringendo il telegramma al petto. Si sorprende per l'assoluta mancanza di emozioni. Suo padre è morto. Ma naturalmente si tratta di uno scherzo. Il destino fa scherzi stupidi, come dice sua madre e non bisogna farsene soggiogare. E poi chi è il generale Armaroli? E cosa può sapere di suo padre? «Gli dei mi proteggono» le aveva detto quella volta che un camion lo aveva schiacciato contro una parete mentre correva con la sua potente motocicletta. Si era salvato nonostante lo schianto. Era volato al di là del muro, al di là dei fili spinati, al di là di una trebbiatrice, nel mezzo di un laghetto melmoso. La motocicletta era ridotta a un cumulo di lamiere contorte. Ma lui non aveva un graffio. «Ho volato come un cherubino» aveva detto contento aprendo le braccia come fossero ali, «ho volato al di sopra della morte per tornare dalla mia amata bambina.»

Gli dei avevano steso le mani sulla sua testa bionda, lo avevano protetto dal pericolo. «Faranno sempre così con me, tesoro, perché amo troppo la vita e loro lo sanno» aveva insistito raggiante, nonostante il sangue che gli colava da un orecchio. «Fino a quando un angelo scenderà dal cielo a prendermi per mano e mi porterà via senza fare rumore. Ma allora sarò così vecchio che mi sarò stufato di vivere.» La bambina lo aveva stretto a sé, annusando disperata quel commovente odore di grasso di motocicletta, panni asciugati al sole, capelli pieni di vento e panna montata.

La madre continuava a piangere. La bambina provò un senso di pena così lancinante che le sembrò di non poterlo sopportare. Disse alla madre che sarebbe uscita. Non poteva stare ferma in casa ad aspettare un cadavere.

La madre non le rispose nemmeno. E lei uscì infilandosi le scarpette rosse di pezza. Una volta in strada, non sapeva dove andare. Non conosceva la cittadina in cui vivevano da due mesi al seguito del padre tenente. Era un avamposto del fronte. Alzando gli occhi si potevano scorgere le montagne rosate ancora spruzzate di neve, i picchi scoscesi del monte Canino, l'erba scintillante delle praterie alpine, le malghe dai tetti di legno arrampicate sui balzi. Il silenzio era rotto solo dai campanacci delle vacche che passeggiavano lungo i pendii e ogni tanto suonavano stonati. Le vennero in mente le strade affollate di una Palermo estiva in cui erano stati felici. L'odore di polpo bollito e di fichi secchi di una mattina in cui lui la teneva per mano e la conduceva per via della Libertà raccontandole di quando era bambino e il padre lo prendeva a cinghiate. «Allora mi sono detto che mai alzerò le mani sui miei figli. Hai visto che ho mantenuto la parola? Anche se a volte ti tirerei volentieri uno schiaffo» aveva aggiunto ridendo. Come poteva prenderla a schiaffi un uomo che voleva soprattutto giocare e ridere e fare innamorare?

Si avviò lungo la strada per il forno. Pensava di annusare l'odore del pane appena fatto che le piaceva tanto. Si ripassò in mente la storia di Democrito che, moribondo, pur di non disturbare i festeggiamenti per il matrimonio della sorella, si era tenuto in vita annusando pane fresco. L'odore più buono del mondo.

Ma proprio mentre si fermava davanti alla bottega del panettiere, vide attraverso la vetrina la testa bionda del piccolo soldato che l'aveva colpita la mattina durante la marcia. Guardò meglio tenendosi un poco in disparte, in modo che lui non la vedesse. Ma il ragazzino, come se si sentisse chiamato, alzò la testa verso di lei e sorrise come di una sorpresa che lo rallegrava e che non si aspettava.

Lei fece per andarsene. Lui si precipitò alla porta. Uscì

facendo tintinnare il campanellino di rame. «Aspetta!» le disse. Trascinò fuori un sacco di pane. Lo legò alla bicicletta. «È il pane per la compagnia» dichiarò. E quindi la raggiunse.

Non c'era bisogno di tante parole. Si guardarono un attimo e si diressero insieme, ciondolando, verso il fiume. La bambina si stupì che le loro scarpe non facessero rumore. Come se stessero volando. Non sentiva i sassi sotto le suole leggere, né l'odore della fogna che usciva da uno scolo vicino all'albergo, né quello dell'erba appena tagliata su cui camminavano rapidi. Era come se avesse rovesciato il tempo. L'aria si era allungata, allungata e trac, era avvenuto il miracolo. Accanto a lei stava suo padre bambino, in una divisa verde dai bottoni lustri, i piedi appesantiti da due scarponcini grossi, dalla pelle logora e unta.

Quando furono al fiume, si sedettero su un ramo morto che sembrava un sedile affondato nelle sabbie fini del greto. Lui si accese una sigaretta con fare da adulto. Lei si tolse le scarpe di pezza e provò a infilare i piedi nell'acqua gelida. Lui le chiese quanti anni avesse.

«Dieci. E tu?»

«Quindici.» Si fece serio, dimenticandosi di tirare le boccate di fumo dalla sigaretta che bruciava da sola fra le due dita innaturalmente tese.

«Gettala!»

Lui contemplò la sigaretta accesa come se non la riconoscesse. Osservò le scarpette rosse di lei, e quindi gettò la sigaretta nell'acqua. La cicca si spense con un leggero sfrigolio.

«Mio padre è morto ieri.»

«E sei triste?»

«Tu gli assomigli molto.»

«Io sono io.»

«Non potresti essere figlio di mio padre?»

«Come si chiamava tuo padre?»

«Celeste.»

«Mio padre si chiama Giovanni. Abitiamo in una malga sotto il monte Punta Secca. Vuoi che te lo faccio conoscere?»

«Hai la stessa bocca, la stessa fossetta sul mento.»

«Di che è morto?»

«Al fronte. Una pallottola.»

«Mio padre fa il macellaio. Qualche volta lo aiuto. La prossima volta ti porto una bistecca di maiale.»

«Com'è che a quindici anni ti hanno preso militare?»

«Sono volontario. Gli adulti sono quasi tutti morti. Adesso tocca a noi.»

«Tuo padre però non è morto.»

«Mio padre ha una mano di meno. Si è storpiato con un coltello. Gli è andata in cancrena. Gliel'hanno dovuta tagliare.»

«Mi dai un bacio?»

«Veramente dovrei essere io a chiedertelo, non tu.»

«E perché?»

«Non c'è perché. Si fa così.»

La bambina alzò le spalle e rise, ma senza vero divertimento. Rise per cambiare argomento. Il ragazzo la guardò severo, forse un poco disgustato da tanta baldanza.

«Sei mica una prostituta?»

«Ti ho chiesto soldi?»

Il piccolo soldato si avvicinò timidamente alla bambina. Sporse la bocca e la baciò sulla guancia. Il suo viso si era arrossato.

«No, sulla bocca» disse la bambina con decisione.

Il soldato la prese fra le braccia e la baciò forte sulle labbra che rimasero chiuse. La bambina si staccò e lo considerò con sorpresa.

«Hai le labbra fredde.»

«E tu perché le tieni chiuse?»

«Non ho mai baciato un ragazzo.»

«Nemmeno io.»

Si guardarono e risero. Lui aveva la faccia chiazzata di

rosso, gli occhi fra il verde e il viola, come le prugne acerbe. Le ciglia morbide, bionde gli ombreggiavano le guance appena velate di una peluria trasparente. Lei era pallida. Le labbra erano tirate per una gran voglia di piangere. Ma in quel momento il suo pensiero più forte era che doveva baciare quel soldato, come se baciasse suo padre bambino.

«Dammene un altro.»

Lui ubbidì titubante. Questa volta lei dischiuse le labbra: le due lingue si toccarono delicatamente. Dei brividi percorsero il corpo di lei dentro il leggero vestito a fiori. Lui avvertì che dentro i pantaloni il passerotto implume rizzava la testa, come se avesse voglia di cibo e di aria.

«Hai mai fatto l'amore?»

«No. E tu?»

«Mai.»

«Ti andrebbe di farlo con me?»

«Sono ancora troppo piccola.»

«A me piacerebbe. Anche se sei piccola.»

«Anche tu sei piccolo. E poi non l'hai mai fatto.»

«Tuo padre è morto proprio ieri?»

«Sì.»

«Non ti sembra strano?»

«Strano che?»

«Così, baciarmi mentre ancora se ne sta esposto...»

«Lui avrebbe fatto come me.»

«Se tu fossi morta, lui avrebbe baciato una donna nello stesso giorno?»

«Anche un'ora dopo.»

«Una bestia...»

«Uno che gli piaceva l'amore.»

«A me piaci tu.»

«È troppo presto per farmi una dichiarazione d'amore.»

«E tua madre?»

«Mia madre aspetta. Ha sempre aspettato.»

«La mia mamma sta in macelleria con mio padre. Fa le

salsicce, è bravissima a fare le salsicce. Ti piacciono le salsicce?»

«Credo che ti darò un altro bacio.»

«Sono io che ti darò un altro bacio.»

«Devo chiedere un permesso?»

«Devi essere più pudica. Una ragazza deve essere pudica.»

«E tu non sei pudico?»

«Io sono prudente. Ho paura delle malattie. Mia madre dice che sono un poco maniaco. Anche di te ho avuto paura. Se poi mi attacca una malattia?»

«E ora?»

«Ora non ho più paura. Ti conosco.»

«Potrei avere cento malattie. Non lo vedi come sono pallida?»

«Ho capito che tipo sei.»

«Che tipo?»

«Una ingenua che fa l'esperta.»

La bambina rise. Il soldato diceva la verità. La bambina si prese le ginocchia fra le braccia e lo guardò a lungo. Ecco davanti a lei il giovanissimo padre, esattamente com'è ritratto nelle fotografie che tiene nel cassetto sua madre: snello, biondo, accigliato e pronto alle più spericolate acrobazie per amore dell'amore. Però suo padre da ragazzo probabilmente si sarebbe comportato con più baldanza. Eppure le piaceva che questo giovanissimo soldato fosse timido. Come si chiamava? L'aveva dimenticato. O forse non glielo aveva proprio chiesto.

Come se le avesse letto nella testa, il soldato disse: «Mi chiamo Manlio».

«E io Natalia.»

Miserie del cuore

"*La descrizione dei passaggi di denaro da una mano all'altra è sempre eccitante, quasi più eccitante dell'esperienza sessuale.*"

L'ha letto in un libro di aforismi, ma non saprebbe dire chi sia l'autore. È mai stato eccitante per lei il passaggio di denaro? Isotta se lo chiede nel momento in cui la cassiera della libreria di via Ruggero Settimo le porge il resto.

Ha scelto un libro, si è diretta verso la cassa, ha chiesto il prezzo: trenta euro. Ha estratto dal portafogli un biglietto da cento, l'ultimo che è rimasto della paga mensile. Sa che bisogna stare attenti in momenti come questo. Sa che un falco dovrebbe annidarsi tra le sue ciglia e tenere sotto tiro le mani della cassiera. Sente la presenza del falco, il fruscio delle sue ali. Lo sguardo concentrato si dirige cauto e preciso verso le mani della donna, ma viene rapito da una veduta di Napoli stampata sul piattino di plastica. C'è un pino che sporge, pencolante, verso destra, il mare di un azzurro improbabile riempie lo sfondo e il Vesuvio fuma. Il pennacchio esce dal piattino con l'allegria di una nuvola di Chagall. Ma dove vai con la testa, Isotta! Stai attenta, fissa le mani della cassiera!

Su quel piattino dieci dita paffute dalle unghie laccate di rosso stanno maneggiando dei biglietti dal fondo rosa e i numeri iridati. Il falco sposta appena le pupille che ora si fermano incantate sul biancore irreale di quelle dita. Un biancore polveroso, assoluto. Le vengono in mente le unghie di Emma Bovary che spendeva quel poco che c'era in casa per comprarsi chili di limoni. Figurarsi, dei limoni nel paesino abbandonato di Yonville! Intanto sono passati dei secondi preziosi e il suo sguardo si è perso chissà dove. Inutile che cerchi di trasformarlo nel piglio di un uccello cacciatore, rimane un volatile distratto.

Ma proprio mentre si sforza di tenere gli occhi fissi sulle dita gonfie dalle unghie laccate di rosso, la sua mente sguscia via un'altra volta con fare furtivo. Insegue un pensiero ombra. Qualcuno che è uscito dalla sua vita senza sbattere porte, ma con passo sicuro. Una avvisaglia di perdita, una assenza. Sa cosa significa quell'assenza: il precipizio che un uomo dagli occhi dolci ha lasciato nel tepore di una testa innamorata. Le impronte dei suoi piedi umidi sulle mattonelle del bagno. Un odore di fichi secchi sul divano. Come ha potuto consegnare il suo futuro a un uomo così poco innamorato, così complicato e freddo!

Ancora una volta si è distratta mentre la cassiera ammucchia i biglietti da dieci sul piattino col Vesuvio che fuma, movendo lesta i polpastrelli. Sente che le palpebre si fanno pesanti. Un sonno improvviso. Un piccolo movimento delle pupille che precede la caduta. È questa la sensualità dello scambio di denaro? I suoi sensi devono avere preso cavoli per fiori.

La cassiera intanto ha capito ogni cosa. Una lunga pratica le ha insegnato a distinguere il grado di attenzione di chi le sta davanti. Senza neanche fissare gli occhi negli occhi del cliente. Le unghie laccate raccolgono una impercettibile vibrazione sulla carta scricchiolante dei biglietti. Come la traccia sensibile di uno smarrimento momentaneo e irrimediabile.

Due dita farfalline gonfie e bianchissime sfiorano la carta moneta. La cassiera conta a voce alta: «Dieci, venti, trenta, quaranta» e sembra che si appaghi dei movimenti dei polsi agili e addestrati: come eseguendo un complicato gioco di prestigio, hop là signori, il diversivo è concluso, guardate il prodigio, ammirate! E dal cappello da cui abbiamo visto sparire il coniglio, vediamo uscire un uovo, e ciò provoca negli spettatori un leggero malessere, un principio di nausea, come quando ci si infila un paio di occhiali spessi da miope non essendo miopi.

Il cuore della cassiera bussa contro la camicetta bianca e trasparente. Lo si può indovinare al di là del reggipetto nero che si intravede sotto la stoffa leggera. Osare o no? Alle volte i clienti distratti si svegliano all'improvviso per acchiappare al volo la mano agile, astuta della truffatrice. Ma non c'è traccia di concentrazione in questa cliente dalla fronte alta, gli occhi chiari in cui navigano pacifiche nuvole bianche come vele contro un cielo turchino. L'attenzione di questa cliente è una recita, lo si vede bene, una finzione involontaria, tanto più finta quanto meno consapevole, presa al laccio da una ripetizione meccanica della memoria.

Isotta incontra per un momento lo sguardo gelato della cassiera che le sorride meccanicamente. È una gioia vedere come questa donna dai capelli arricciati muova le dita che sembrano quasi essere sei per mano. I biglietti vengono sparsi e poi ammonticchiati con sapienza da artista e Isotta ancora una volta si perde mentre allunga la mano inerte, sgraziata, verso quel piccolo monticello di carta moneta. Che decide di non ricontare nonostante i dubbi, per non mortificare quell'elegante manipolatrice.

Con un palese gesto di fiducia Isotta caccia il mucchietto di soldi nella borsa a tracolla e si avvia verso l'uscita, quasi rincorrendo dei pensieri vaganti, frettolosi. Ma dove va? Ha un piccolo singhiozzo al pensiero dell'innamorato dagli occhi dolci che non vedrà più. Darebbe qualsiasi cosa per risentire il suo profumo di bergamotto. Perché vuole che lo insegua? Le sembra che ammicchi da lontano. Cammina davanti a lei col solito passo slanciato, leggero. Ha la nuca fragile, nuda di capelli. O sono le sue impronte sulle mattonelle del bagno a fare da battistrada? Verso dove? E lei, facendosi segugio di un'attenzione che aspira al possesso, si avvia a seguirlo. Ma fin dove potrà scortarlo senza logorarsi le suole? "Sette paia di scarpe ho consumato/ sette fiaschi di lacrime ho riempito/"...ma come continua la canzone?

Isotta cammina lungo un marciapiede affollato, si avvicina al giardino di Villa Giulia i cui cancelli sono stati appena aperti. Sceglie l'ombra di una magnolia dal profumo insistente. Una panchina dipinta da poco. Delle piccole bolle d'aria sotto la vernice esplodono, si disfanno. Si siede. Scarta il pacchetto. Apre il libro. Prende a leggerlo. Solo allora si ricorda della distrazione, del conto fatto in fretta, del resto manipolato da mani di prestigiatrice. Uno sguardo al mucchietto di bigietti ancora piegati in fondo alla borsa e capisce l'inganno: ne mancano infatti due da dieci.

"La distruzione del denaro è l'unico autentico sacrilegio di cui ci sia stato tramandato l'orrore." Rex Stout.

Un paio di pantaloni rosa, finiti nella lavatrice. E dentro una delle tasche c'erano duecentomila lire, consegnatele da suo padre perché gli comprasse un obiettivo. Era l'anno 1973, a Palermo; e Isotta aveva dodici anni. Ma non sapeva che i soldi erano rimasti in quella tasca, anzi non sapeva per niente dove fossero finiti quei denari. E l'acquisto dell'obiettivo veniva rimandato con una scusa o un'altra di giorno in giorno.

Un uomo gentile suo padre. Non l'avrebbe accusata. Non voleva neanche sospettare che la figlia avesse "rubato" quei soldi. Ma il dubbio c'era. Non sapeva dare una ragione alla sparizione. Né lei trovava una credibile giustificazione.

E se li avesse spesi? Se ne sarebbe accorta, no? L'incertezza covava nello sguardo affettuoso di suo padre. Da un dubbio nascono altri dubbi: e se non ci fosse da "fidarsi" di questa bambina di solito così giudiziosa e sincera? E se qualcosa si fosse incrinato nell'antica naturalezza dei loro gesti di dare e avere?

Non veniva in mente né a lei né a lui che il denaro fosse stato involontariamente "distrutto". Il sacrilegio avrebbe inquinato i loro pensieri, li avrebbe resi insicuri come gusci di noce sull'acqua in tempesta.

In capo a una settimana la bambina dovette arrendersi all'evidenza: era una ladra. Aveva rubato i soldi che suo padre le aveva consegnato per comprare l'obiettivo e poi dimenticato ad arte per non sentirsi in colpa. Il suo non ricordare era parte della colpa e forse neanche la minore.

Per questo veniva esiliata dallo sguardo del padre in una zona oscura della loro amicizia dove si accumulavano rancori, incomprensioni, rimproveri non dati e piccole tenaci resistenze.

Poi una mattina, quando la bambina aveva quasi dimenticato il fatto, ecco che salta fuori il denaro. Piegato, bagnato, quasi dissolto nella tasca dei pantaloni rosa, appena usciti dalla lavatrice. Carta pestata e maciullata. Denaro distrutto. Cosa le sarebbe toccato? Il taglio della testa?

Suo padre non avrebbe fatto mai un gesto di violenza. Uomo mite e comprensivo, si nascondeva dietro un sorriso triste, forse desideroso di complicità. Ma lo stesso la testa della bambina sarebbe volata via come una rondine sotto la scure del dubbio. Ogni distruzione è un sacrilegio e ogni sacrilegio un'offesa irrimediabile all'autorità paterna.

"Il denaro del quale si dice tanto male, svolge almeno una funzione benefica, quella di distrarre dalle miserie del cuore." Henri Duvernois.

Allungando per caso un occhio Isotta aveva letto delle parole d'amore. Non doveva essere la lettera a un amico? Con che impudenza suo marito si metteva a scrivere una lettera d'amore a un'altra donna proprio accanto a lei? Contava sulla sua distrazione, come la cassiera, come suo padre quando era bambina, consapevoli che bastasse indicarle la finestra e dire: guarda, un asino che vola, perché lei distogliesse gli occhi, scrutasse il cielo cercando incantata l'animale volante? Un mulo che punta i piedi, drizza il muso, allarga le ali (ma dove gli spunteranno, dalle costole o dalle zampe, quattro alette nerborute o due grandi ali da pellicano?) e prende a caracollare fra una nuvola e l'altra.

Lui non aveva voglia di giocare, il suo amato marito. Davanti a lei si era seduto il giovane cognato con le carte in mano. L'aria di un pomeriggio di agosto, davanti al torbido mare di Mondello, invasa da grida di bagnanti. Che fai? Scrivo una lettera a un amico. E lei, con i ricci neri ancora induriti dal sale, si era chinata sulle carte: un re di bastoni, un altro re di denari, una regina e un settebello. La mente stanca dopo una giornata di tuffi e corse sulla rena, si crogiolava sui numeri. Che sono sempre uguali a se stessi, non truccano, non ingannano, non dicono una cosa per un'altra. Così si rassicurava. Stava vincendo, contro il giovane cognato. Le carte sorridevano ai suoi pensieri lontani. La fortuna era lì, gioiosa e benefica, una ballerina bendata? un neonato dagli occhi vuoti? C'era un fiato tiepido che soffiava sul suo collo e benediceva le sue scelte.

Per caso l'occhio le scivola su quelle parole. Troppo vicine, troppo nere, troppo evidenti sul foglio bianco. Il bellissimo marito non aveva neanche cercato di coprire con un braccio il foglio. Era spudoratezza o voglia di farle sapere qualcosa senza dirlo? O era solo indifferenza? L'indifferenza di chi, con disinvoltura, si appresta a farti del male senza neanche pensarci?

Le parole scritte, ancora una volta, venivano a guastare la simmetria aerea e perfetta dei numeri, per rivelare i loro complicati e ambigui significati. Re di coppe, asso di bastoni, sette di denari. Eppure quelle piccole sfacciate vittorie la distraevano, e con che vigore, dalle "miserie del cuore". Il cognato le aveva messo in mano la sua vincita: due biglietti da dieci. E lei li aveva infilati in tasca cercando di inghiottire un pungente senso di colpa.

Una suora siciliana

Comune di C. Ore 10.

Un liceo. In un piccolo paese fra le montagne siciliane. Tanti studenti. Che chiedono alla scrittrice impegna-
ta di impegnarsi di più. Ma come? Un ragazzo dai capelli ricci color carota la guarda con severità. «Voi scrittori
avete una voce che viene ascoltata ma non la usate come
dovreste.»

Giorgia osserva il ragazzo dai ricci rossi e vede con ap-
prensione che dalle sue spalle gracili spuntano due lunghe
ali bianche che si alzano minacciose verso l'alto.

«Noi lavoriamo coi tempi lunghi» risponde timidamente.

Ora accanto all'angelo sbuca, non si sa da dove, una ragazzina dalla pancia scoperta. Ha un anello d'argento che
occhieggia sull'ombelico nudo e la fissa con sorridente ar-
dimento. «Avete un'arma e non la sapete usare» dice con
voce indignata «ci lasciate marcire in questa Sicilia corrot-
ta e violenta, senza una parola.»

Ore 12.

Una studentessa dai calzettoni rossi accompagna la scrittrice a visitare il convento arrampicato sulle rocce di C.

«Qui la monaca Filomena si fermava a pregare davanti alla Madonna dell'angelo.» Ancora un angelo? Avrà la testa dai ricci color carota? si chiede Giorgia seguendo la studentessa dai calzettoni rossi su per una scala ripida.

«Queste sono le celle» spiega lei aprendo una porta di legno tutta incisa e intagliata. Dentro la stanzuccia bianca di calce si vedono: un cantaro, un lettuccio, una catinella di metallo scrostato, una brocca bianca, una croce appesa sopra la lettiera, e un minuscolo inginocchiatoio di legno grezzo. Accanto alla porta, sul pavimento giace una cassapanca su cui spiccano, dipinti elegantemente, mazzetti di fiori gialli e lilla, e due pappagalli dal becco ricurvo e le ali rosse e verdi.

«E questa cassapanca?»

«Ogni monaca aveva la sua. Ci tenevano il corredo. La stessa cassapanca, quando morivano, serviva da bara.»

«Da bara?»

«Questa cassapanca è stata dissepolta durante i lavori del convento. Il corpo della suora è stato messo in una teca. Dicono che fosse integro. È in lista per la beatificazione.»

La studentessa dai calzettoni rossi ora la precede lungo corridoi labirintici che portano verso un cortile esagonale. Colonnine ritorte di marmo bianco reggono le volte di un loggiato ombroso. In mezzo al cortile un giardinetto striminzito pieno di rose e di ciuffi di lavanda. Al centro un pozzo di pietre grigie, sormontato da un arco di ferro battuto.

Ore 13. Hotel Belvedere.

Giorgia rientra in albergo. Si siede sul letto e continua a pensare a quella cassapanca dipinta a colori vivaci. Prima vi si conservavano le lenzuola, gli asciugamani, la biancheria e poi vi si adagiava il corpo della monaca morta. Ma da quando in qua le bare si dipingono con fiori e pappagalli?

Cerca di immaginare la giovanissima suor Filomena giunta da qualche mese al convento di C. con la sua cassapanca piena di stoffe. Porta un velo nero appuntato sul capo. La gola è coperta dal soggolo candido che le scende sul petto come un grembiulino sempre pulito e stirato. Ogni due giorni il soggolo va lavato e steso ad asciugare. Ogni due giorni va inamidato e stirato. Come vanno lavate e stirate le camicie di cotone grezzo che le giovani suore indossano a pelle. Le piccole e fattive mani di Filomena sono sempre in moto come vuole la regola del convento: una donna con le mani in mano si fa preda del demonio, perciò bisogna tenerle attive: la mattina alle cinque c'è da mungere le pecore e poi scaldare il latte nei grandi pentoloni di rame. Subito dopo ci sono le lenzuola da lavare e stendere in giardino. Più tardi bisogna badare all'orto: pulire, sarchiare, togliere le foglie morte, innaffiare i pomodori e le verze. Quindi di corsa in cucina per setacciare la farina, tagliare le verdure, friggere le uova, sgusciare i fagioli. Nei momenti di pausa le dita dovranno cercare il rosario appeso al fianco e fare scorrere i grani mormorando una preghiera. Poi ci sarà da applicarsi al ricamo, e verso sera, ai libri sacri e poi ancora attorno ai piatti sporchi dopo la cena, e la notte, quando gli occhi saranno gonfi per il sonno e la stanchezza, le piccole mani robuste dovranno reggere il pesante libro delle preghiere, mentre le ginocchia si punteranno sul legno ruvido dell'inginocchiatoio per l'ultimo saluto al Signore prima di coricarsi. Suor Filomena conosce il suo dovere. Da quando si è votata al convento ed era poco più di una bambina, ha rinunciato agli specchi, ai vestiti, ai sogni d'amore. La sua immaginazione infantile non riesce neanche a concepire la qualità del sacrificio che sta affrontando. La vita indaffarata e la compagnia continua di altre ragazzine come lei la distraggono dal pensiero della segregazione. Le sue mani giudiziose intrecciano fili di seta, la sua gola, quasi in silenzio, rimugina una canzone che usava cantare assieme alle sorelle da bambina quando giocavano a scovare ranocchie nello stagno dietro casa.

Ore 13,30.
Casa dell'angelo dai ricci color carota.

La madre del ragazzo aiuta premurosa Giorgia a sfilare il giaccone. La invita a prendere posto nel salotto profumato di lavanda. Ci sono libri alle pareti e un televisore che colpisce per la sua piccolezza. Si capisce che è una famiglia di lettori.

Vuole un caffè? con quanto zucchero? La donna è gentile. Ha le corde del collo tese, come per trattenere una emozione. È magra, ha gli occhi grandi, un poco troppo sporgenti dalle orbite, come se volesse vedere al di là delle cose, in un perenne sforzo della mente e dei muscoli.

Mentre beve il caffè pensando alla monaca Filomena, Giorgia sente la padrona di casa che le parla del figlio liceale. Le racconta che studia tanto, forse troppo. Che è molto religioso. Che si è iscritto di recente a un'associazione cattolica. È severo con sé e con gli altri. Rimprovera sempre il padre perché non lo trova sincero. «In effetti ha un'amante, ormai da più di dieci anni. Ma io lascio perdere. Lui invece no. Vorrebbe che il padre fosse virtuoso. Ma come si fa, è un uomo ancora giovane. Ha tante voglie in corpo.»

Giorgia osserva con curiosità questa donna bella e umile che le parla con crudeltà e senza pudore. Cosa ha fatto per meritare la sua fiducia? Sembra che provi piacere a denudarsi davanti a lei. Ma che piacere è? una esibizione dimostrativa? una richiesta di complicità? l'ironia lucida di chi sa di non potere chiedere altro alla vita e se ne compiace? Vorrebbe dirle qualcosa di gentile ma la bocca rimane muta.

Mentre sgranocchia un biscotto al cumino, vede aprirsi la porta. Sull'uscio appare l'angelo dai capelli rossi. Con fare gentile e faccia placida le chiede scusa per l'impertinenza del mattino a scuola. Si è forse offesa?

«No, perché offesa?»

«Non avrai molestato la nostra scrittrice?» interviene la madre appoggiando una mano nervosa sul ginocchio del figlio.

«Credo di averla importunata. Sai come sono i giovani» dice lui sfoderando una voce ironica, paterna.

Mattina dopo. Comune di C. Ore 9.

Il preside della scuola propone alla scrittrice di fare un giro verso il mare. Ma lei chiede di tornare al convento delle suore di clausura. L'uomo gentile l'accompagna con la piccola macchina nera su per i vicoli stretti del paese, fin sotto la rocca da cui sporge il monastero.

«Cosa le interessa tanto di questo convento?»

«Non lo so, la vita delle suore forse, o quelle cassapanche che erano corredo e bara nello stesso tempo.»

«Vuole vedere la mensa con gli affreschi alle pareti o le cucine nei sotterranei?»

«Tutte e due» risponde un poco intimidita. Non sa nemmeno lei perché sia voluta tornare al convento.

Vanno ai piani di sotto dove si aprono le grandi cucine. Le finestre ci sono ma disegnate in alto, irraggiungibili. Dai vetri scende una luce violacea, un poco sinistra.

Bacinelle di ceramica, otri, ghirbe, catini, conche, doline, fiaschi, barattoli di vetro sono allineati lungo gli scaffali riordinati da poco. Sulle pareti splendono tegami e pentole di ottone, forme e formelle per i dolci appese in ordine armonioso.

«Erano molto brave a preparare i dolci. Venivano da tutto il circondario a comprarli. Mettevano i soldi sulla ruota, la giravano e si trovavano davanti una guantiera con paste meravigliose.»

«L'ha fatto anche lei?»

«No, quando sono nato io il convento era già vuoto e semidistrutto. Ora il Comune l'ha rimesso a posto. Me ne parlava mia nonna. Mi diceva che veniva qui da bambina la domenica a prendere i dolci per il gran pranzo famigliare di mezzogiorno. Le suore non si facevano vedere ma erano lì, nascoste dietro la ruota. Era proibito mostrare la faccia agli estranei. Ma quanto erano buoni quei dolci! La scorzonera, la conosce?, una palla fatta con striscioline di bucce di arance candite, e le friselle di riso fritto nel miele... e le gremolate intrise di sciroppo al mirtillo, e la cuccìa che mescolava il grano bollito con la ricotta fresca e lo zucchero.»

I passi echeggiano nella enorme sala vuota. Giorgia allunga un dito verso un grande paiolo di rame che sembra fumare sopra i fornelli. Lo ritira sporco di polvere. Appoggiata allo stipite della porta le pare di intravedere la giovane suora Filomena. La riconosce dal ritrattino che sta appeso, assieme a tanti altri, nell'ingresso del convento. È una ragazza piccola, asciutta, con due mani grandi. Ha gli occhi luminosi e candidi. Un sorriso cupo. Può essere cupo un sorriso senza trasformarsi in ghigno? Ma non c'è niente di ghignante in quel piccolo corpo compatto. Piuttosto la colpisce lo sguardo risoluto e guerresco della giovane suora.

Comune di M. Ore 11.

Un altro incontro. Nel piccolo paese abbarbicato sulle rocce che volta le spalle a un mare che è sempre stato ostile e avaro. Ci sono quattro classi di liceo che vengono da T. e due medie di C. Il preside presenta la professoressa che ha il compito di presentare la scrittrice. I ragazzi sembrano distratti e presi dai loro telefonini che si illuminano uno dopo l'altro. Ma poi, quando lei comincia a parlare di cose che li riguardano da vicino, i cellulari smettono di pulsare e l'attenzione si fa palpabile.

Difficile tenere desta l'attenzione adolescenziale. Le menti tendono a scappare lontano, i pensieri abituati a saltare da un soggetto all'altro con rapidità televisiva fuggono come piccioni sorpresi dal battere di due mani. Solo la passione li sorprende e poi li coinvolge. Mai sottovalutare la fame di idee di una giovane testa disabituata al pensiero sistematico. Curiosità per la speculazione filosofica? passione civile? Forse.

L'angelo dai capelli rossi non si vede questa mattina. Sono classi di altre scuole. La professoressa dagli occhi bistrati la osserva incuriosita. Giorgia si sforza di farsi intendere da tutti in quell'aula dalla pessima acustica: la voce tende a tornare indietro rimbalzando contro le pareti insonorizzate.

Davanti a lei ci sono ora due gemelle dalla faccia identica, infantile, cocciuta, gli occhiali calati sul naso. Si avvicinano alla cattedra per chiederle qualcosa sulla violenza contro le donne. Il numero degli stupri, questi "atti bestiali", dice una delle due, è davvero in crescita? e perché?

Giorgia cerca di spiegare con voce gentile che lo stupro non ha niente a che vedere con la natura e la bestialità. «In natura lo stupro non esiste, gli animali non stuprano» dice «piuttosto potremmo considerarlo un'arma di guerra. Chi violenta non lo fa per desiderio di un corpo ma al contrario per umiliare quel corpo, per offenderlo e dominarlo.»

Le due gemelle la ascoltano con un misto di incredulità e distacco mentre le loro mani giocano con gli anelli che appesantiscono le loro dita piccole e grassocce. Sono buffe vestite allo stesso modo, con un paio di pantaloni lunghi, rossi e una casacchina corta di lana a quadretti. Portano cerchietti per fermare i capelli come le bambine piccole e la macchinetta sui denti che appena sorridono brilla fra le labbra carnose.

«Abbiamo prenotato in un ristorante sul mare. Vuole mangiare del pesce?»

«Preferirei tornare a visitare il convento.»

«Non vuole pranzare?»

«Mangerò stasera.»

La professoressa dai capelli neri lunghi, sebbene contrariata, l'accompagna al monastero che si trova in cima al paese proprio accanto al palazzo baronale che giace sventrato e non ancora restaurato.

«Ci faranno un museo» la informa compunta.

«Potrei rivedere la cella di suor Filomena?»

«Era figlia di un ciabattino, gliel'hanno detto? Era promessa sposa. Così si racconta. Aveva la dote pronta. Per quanto fossero poveri, i genitori avevano fatto sacrifici per fare sposare la loro bella figliola. Lo sposo era un panettiere che avrebbe messo di suo una casa e un mestiere non spregevole. Ma qualche giorno prima del matrimonio la giovane sposa scappò di casa e si rifugiò in montagna. Qui fra queste rocce. Si nascose in una grotta e lì visse per sei mesi senza che nessuno la scoprisse. Era silenziosa e agile come una capra. Il padre la dava per morta. Lo sposo pure. Finché un giorno un pastorello la vide e lo raccontò in paese. Ma raccontò anche che aveva una aureola intorno alla testa, che era magra come una salacca e che parlava con la Madonna. Filomena fu riportata a casa dal padre che non aveva rinunciato a farla sposare con chi diceva lui. Ma lei disse che piuttosto che sposarsi si sarebbe uccisa. Il padre contrattò con la giovane figlia ribelle. Nella grotta no, semmai in convento. E così Filomena si trovò a dovere ricamare il corredo e ordinare una cassapanca dipinta per entrare nel convento di clausura. Non ebbe la vita facile. Fu tenuta sempre sotto sorveglianza speciale. Una ragazza ribelle era sospetta di appartenere al demonio. Ma lei digiunava, zappava l'orto, studiava, pregava alzandosi all'alba e col tempo la lasciarono stare.»

Ore 15.

Giorgia segue il pensiero di Filomena che si fa fluido e l'attira verso un luogo lontano nel tempo. Lo sguardo della suora è fermo sulla cassapanca che se ne sta immobile, pacifica e gentile, in fondo alla cella. Dentro quella cassapanca ci sono i suoi tesori: cinque tuniche di tela di Olanda, otto camicie di seta siciliana, quattro paia di lenzuola di lino, otto federe ricamate, due paia di babbucce di vimini intrecciato ricoperte di velluto nero, dieci soggoli di tela bianca di Fiandra, dieci asciugamani di lino, quattro veli neri, due estivi e due invernali, e cinque o sei libri di devozione: la vita di Santa Rita, la vita di Santa Monica, la vita di Cristo, il Vangelo con le illustrazioni di un famoso frate benedettino, i canti di Natale e di Pasqua. Nascosto sotto le stoffe c'è pure un bambolotto di pezza, ma non lo toglie mai di lì se non è sola.

In quella cassapanca ci sono pure delle tuniche che non ha mai indossato, cucite con amore dalla mamma Agostina Laminti. La ricorda bene quando i primi tempi saliva al convento portando dei piccoli panieri che contenevano pesci di fiume, noci e albicocche fresche del loro giardino. Poi era rimasta incinta per la tredicesima volta. Il medico le aveva detto che quel figlio era messo male e avrebbe fatto bene ad abortire. Però lei voleva il tredicesimo figlio. E l'aveva messo al mondo. Ma dando la vita al bambino aveva perso la sua.

Portava addosso un leggero profumo di basilico, la mamma Agostina. Sorrideva mite coprendosi la bocca con una mano a conca. Le mancavano quattro denti sul davanti. Aveva trentotto anni ma sembrava già vecchia. Si era ingobbita a furia di battere le lenzuola nel fiume con la cenere e la lisciva. I capelli le si erano fatti grigi per le continue gravidanze. C'erano sempre tanti bambini attorno a lei e non aveva tempo né per dormire né per nutrirsi come si deve. Eppure non l'aveva mai dimenticata quella figlia ribelle che era vissuta per sei mesi in una grotta, che aveva rifiutato il matrimonio e che ora se ne stava chiusa in una cella del convento alto. Diceva che Filomena era la più saggia di tutte le sue figlie e certamente sarebbe stata una buona sposa di Cristo. Per questo qualche volta lasciava gli altri figli e correva al convento portando delle focaccine all'olio appena uscite dal forno. Ogni volta che arrivava, trafelata, si sedeva sulla cassapanca e le raccontava delle sorelle e dei fratelli. Ma non si tratteneva mai molto. Aveva fretta di rientrare a casa. «Vedo che stai bene» diceva. Le dava un bacio in fronte e se ne tornava giù quasi correndo. Quanto darebbe per risentire i passi affrettati di mamma Agostina!

Ore 18. Hotel Belvedere.

Tornando in camera Giorgia trova delle fresie gialle che sporgono da un vaso di vetro blu. Si china per annusarle ricordando il loro segreto e dolcissimo profumo. Ma queste fresie non hanno profumo. Poi le viene in mente di avere sentito che ormai sono preferiti i fiori privati di ogni odore. Ma perché? Durano di più, era stata la risposta. Così però sembrano plastificati.

Giorgia appende la camicetta azzurra nell'armadio. Apre la valigia per toglierne le pantofole. Si sdraia sul letto e osserva fuori dalla finestra il mare in lontananza di uno strano colore rossiccio. Più in alto, quasi addosso all'albergo, si vede la rocca su cui spiccano il convento e la torre baronale.

La professoressa le ha detto che stasera mangeranno del tonno fresco "di gabbia". «Che vuol dire "di gabbia"?» «Li allevano dentro recinti immersi nel mare. Vedesse come sono belli e tondi. Le gabbie sono enormi s'intende. I tonni vi possono nuotare e correre avanti e indietro. Poi un giorno li uccidono urlando. Hanno costruito una fabbrica proprio addosso alla tonnara. Ci lavorava mia madre. Aveva sempre le mani rovinate per il continuo contatto col pesce congelato. Appena i tonni arrivano in fabbrica li fanno a pezzi e poi li congelano. Per mandarli in Giappone, in America.»

Ore 22.

«Dentro quella cassapanca entrerò quando sarò morta... ma c'è tempo, ho appena sedici anni.»

Giorgia insegue i pensieri quotidiani della giovane suora. Le sembra di sentire il ronzio di quella testa piccola e ingenua. La vede di spalle, seduta, che ricama con mani sapienti. Vede il suo sguardo che si posa sui fiori lilla dipinti sulla cassapanca e su quei due pappagalli rossi e verdi che portano legato al collo un nastro giallo, svolazzante. È proprio bella la cassapanca e ha la giusta misura per il suo corpo. Una volta ha pure fatto la prova, per convincere la sua compagna di cella Amalia che sosteneva non sarebbe mai potuta entrare lì dentro. Aveva aperto il coperchio, aveva tirato fuori la biancheria e vi si era adagiata con delicatezza. Ci entrava giusto giusto. Amalia aveva voluto chiudere il coperchio e per farle dispetto vi si era seduta sopra. Filomena era rimasta lì dentro, al buio, con le braccia incrociate, pensando a come ci si doveva sentire da morte. Ma non si era spaventata. Il buio le era sembrato non molto dissimile da quello della sua cella di notte quando chiudeva le imposte di pesante legno verniciato.

«Non hai paura?» le aveva chiesto l'amica sollevando il coperchio.

«No» aveva risposto sorridendo Filomena.

«Sei coraggiosa!»

«La mia paura sai qual è? Quella di non potere fare un figlio, mai» aveva detto di un fiato Filomena, ma subito si era pentita. Come le veniva in mente di desiderare un figlio quando era stata consacrata? I lunghi capelli neri erano stati tagliati, e con quelli aveva rinunciato pubblicamente a ogni desiderio carnale. Così volevano le regole del convento. Ma lei non pensava all'amore, pensava al figlio. Chissà perché, fin da piccola, aveva desiderato tenere in braccio e accarezzare un neonato. Per questo si era portata, nascosta nella cassapanca dipinta, un bambolotto di pezza che aveva costruito con le proprie mani. Qualche volta, di notte, lo prendeva in braccio e lo stringeva al petto con struggimento.

Amalia l'aveva guardata con stupore. Le ragazze in convento non pensavano che all'amore. Si innamoravano con furia svagata di un frate visto solo di schiena in chiesa, di un contadino giovane che aveva portato le uova in portineria. Nessuna parlava mai di figli. Cos'era l'amore se non quel sentimento pio e sensuale che le legava allo sposo celeste?

"Un solo sposo per tutte?" si chiedeva qualche volta perplessa Filomena. Ma sapeva che la Badessa Antonia non amava che le sue "figliole care", come le chiamava, facessero troppe domande. «La fede è cieca, bambina mia e non va discussa» dichiarava facendo tremolare il suo grasso corpo. Per fare sorridere la Badessa Antonia ci voleva poco: bastava un piatto di fagioli particolarmente ben cotti, un dolce con la gelatina di carrube, una coppa di panna montata.

Filomena china la testa sul nuovo ricamo a cui si sta applicando: rappresenta una piccola Madonna bionda con il ventre grosso che preme contro le vesti azzurre. Anche lei era vergine. Eppure aveva avuto un figlio.

Giorno dopo. Ore 14,30. Hotel Belvedere.

Giorgia cerca di fare scorrere la cerniera della valigia che, non si sa come, rifiuta di farsi serrare. Eppure non ha comprato niente. Ma le valigie hanno questa caratteristica: si fanno bloccare bene in partenza e al ritorno sembrano ribellarsi alla chiusura.

La stanno aspettando in automobile davanti all'alberghetto dal nome promettente dove ha dormito per due notti. Si avvicina alla finestra. Osserva il largo panorama che si apre davanti ai suoi occhi: la valle tempestata di case abusive, qualche capannone per la fabbrica del tonno in scatola, gli ulivi, le vigne, gli aranceti. In mezzo ai quali si erge la brutta e sbilenca costruzione della scuola. I ragazzi proprio in questo momento stanno uscendo a frotte con i loro zainetti colorati, fumando, chiacchierando, ridendo. In alto, a sinistra si alza la rocca con il convento delle suore di clausura e il palazzo baronale.

Sollevando gli occhi le sembra di scorgere una figurina affacciata a una delle finestre del convento. Potrebbe essere suor Filomena. Ma potrebbe anche trattarsi dell'angelo dai capelli rossi.

ROMA

Splendor

Splendor ha i tacchi alti, tanto alti che i piccoli talloni traballano a ogni passo. Sembra che debba cadere, ma non cade. Le gambe magre fanno pensare a un uccello marino che zampetta su e giù in cima a una roccia chiusa fra le onde. La gonna corta è orlata da frange sottili e nere che si alzano e si abbassano come ciglia pensose. Una camicetta a macchie di leopardo le scivola sulle spalle infantili, ossute, fasciandole la vita sottile. Splendor ha dodici anni ed è appena arrivata da un paese dell'Est che non vuole ricordare. Ogni tanto una immagine le si insinua fra i pensieri, rapida e crudele come una freccia avvelenata: rivede sua madre, poco più che trentenne, con una enorme pancia da donna incinta che avanza faticosamente reggendo due secchi colmi di mangime per le galline. La osserva mentre posa i due secchi, solleva un poco la gonna con le due mani e in piedi dove si trova, piscia a gambe larghe, incurante che l'orina le schizzi sulle caviglie magre. Splendor fa un gesto con la mano per cacciare quella immagine che detesta. Corruga le sopracciglia. Gli occhi si fanno stretti nel tentativo di cogliere un'altra immagine: Raffaella Carrà, ecco, la sua preferita, la bellissima Raffaella chiusa in un vestito lungo nero e luccicante. Se si concentra, può vederla sorridere. Possibile che sorrida proprio a lei? Proprio a lei, la piccola Splendor che porta il nome di un cinema, per il grande amore che aveva suo padre per le pellicole americane? Ancora un'altra immagine odiosa: un piccolo uomo dalle chiazze rosse sul viso che ruba i soldi faticosamente messi da parte dalla moglie, per andare a chiudersi dentro il cinema Splendor! La bambina caccia l'immagine dando un calcio all'aria. È Raffaella che vuole vedere, non l'uomo piccolo, ladro e bugiardo che è diventato suo padre con gli anni. Raffaella – così la chiama con la voce del pensiero – solleva le mani delicate e le spedisce un bacio che scivola fra le dita e poi si alza come una farfalla leggera, vaporosa che svolazzando viene a posarsi, lieve e delicata, sulla sua fronte. Sono stata baciata da Raffaella Carrà, si dice e fa un giro su se stessa per la gioia.

Ora il suo passo sugli altissimi tacchi a spillo si fa più baldanzoso e felice. Si avvia per corso Vittorio, gira per piazza della Cancelleria, percorre un pezzo di via del Pellegrino, raggiunge via dei Cappellari e subito dopo mette piede in via di Montoro. La testa piccola, dai lunghi capelli biondi, si solleva continuamente per controllare i numeri delle case nascosti dalle fronde degli alberi. Uno, due, tre, e così via fino alla fine. La via è corta. Quando arriva in cima, riprende a contare alla rovescia. Si ferma davanti a un numero inciso nella pietra. Dovrebbe essere questo, anche se è mezzo cancellato. Ma non si trattava di un negozio di parrucchiere? Toglie dalla tasca un foglietto su cui sono segnati nome della strada e numero. Sì, è proprio questo. Ferma sulle lunghe gambe da fenicottero, la bambina si gratta la testa con un gesto quasi comico, di perplessità.

Un uomo anziano appoggiato allo stipite di una porta osserva la ragazzina fumando un sigaro. Sorride fra sé nel vedere la piccola che si guarda intorno indecisa. Lui sa cosa sta cercando. Tutti, nel quartiere, sono al corrente di quello che si nasconde dietro quel portone di via di Montoro. Non sfugge il via vai di ragazzine semivestite dall'aria sperduta, di uomini spaventati che prima di mettere la testa fuori si guardano intorno, si mettono a posto la giacca, si annusano una mano per la paura che un poco del profumo dozzinale sia rimasto incollato alla loro pelle. Il negoziante vorrebbe fermarla, acchiapparla per un braccio e scuoterla. Ma sa che non servirebbe a niente. Quella bambina è determinata e sa quello che va a fare. E se fosse una schiava, come raccontano i giornali? Se le avessero tolto il passaporto e l'avessero picchiata a sangue per costringerle a vendersi? La mano dell'uomo si solleva lentamente, si ferma fra i capelli, le dita macchiate di nicotina grattano la cute, proprio come ha visto fare alla ragazzina. Sorride fra sé, divertito. Che la vita scorra, che le cose accadano, non sono né un poliziotto né un prete!

G. F. si guarda nello specchietto della macchina. Si sorride. È ancora giovane, anche se gli anni corrono. Trentanove primavere ormai passate, ma che sono ormai? Tira fuori la lingua per prendere in giro se stesso. Non sei vecchio, sei decrepito! Ride. Non è vero, sei un bambino e ai bambini piacciono le coetanee. Si sente forte come un torello. Gli occhi sono vivi, di un azzurro che solo la ceramica andalusa sa imitare. Azulejos. Così lo chiamano gli amici. Per quegli occhi luminosi e candidi alcune donne hanno perso la testa. «Vai, che sei in forma!» dice afferrando dal sedile posteriore la borsa di pelle nera che gli conferisce subito un'aria da uomo d'affari. Esce dall'auto, chiude con uno scatto le sicure. Si bilancia sulle due gambe guardandosi intorno. Via di Montoro non è lontana. Ma dovrà fare un pezzo a piedi. Non è facile trovare posteggio a quest'ora del pomeriggio. Vicolo Sant'Eligio. Ecco, deve ricordare dove ha posteggiato la Volvo, l'altra volta ha passato mezz'ora a cercarla per strade e stradine. È un quartiere che conosce poco. Lui vive in via Slataper. Per anni si è chiesto chi fosse questo Slataper. Poi una notte che non riusciva a dormire è andato a guardare sul web: "Scipio Slataper, nato a Trieste nel 1888 e morto a Podgora nel 1915. Irredentista e socialista. Ha scritto *Il mio Carso*, capolavoro della prosa lirico-evocativa". Buona memoria, amico mio, dovresti frequentare un poco di più la storia! "Partito volontario per il fronte nel 1915, fu ucciso sul Podgora." Amen. Dovrò dire alla segretaria di comprarmi questo "capolavoro lirico-evocativo". Intanto i suoi piedi si dirigono verso via della Barchetta e da lì verso via di Montoro. Mano a mano che si avvicina al portone lo stomaco gli si contrae in una stretta dolorosa. Sapeva che sarebbe venuta quella stretta. Una emozione rabbiosa, profonda, come una coltellata. Una emozione così non riesce più a provarla da quando era ragazzino. E tutto per una bambina di dodici anni! che porta il nome di un cinema, così gli hanno detto: Odeon, Luxor, Ambassador, una cosa del genere. Che idiozia! Una bambina poco più grande di sua figlia che ne ha dieci. Possibile che l'idea di uno stupro lo faccia volare? No, ragioniamo, non è uno stupro, non ne sarebbe capace. Se lei non vorrà, non la costringerà. Tanto se non sarà lui, sarà un altro. La logica dice questo. E poi la ragazzina è consenziente. Punto fermo. Punto chiaro. Su cui non transige. Patti chiari. Non è la violenza che lo interessa, ma la tentazione, la seduzione, la dolcezza di un corpo nuovo nuovo, un alito sconosciuto, un ventre da scoprire e un buio in cui seppellirsi. Niente altro, lo sa, si conosce, non forzerà, non imporrà, sarà dolce come il miele. L'eccitazione di un divieto? Si interroga pensoso, o l'esaltazione di un acquisto al buio, un acquisto umano, proibito e per questo esaltante? Se scoprirò che è stata costretta, venduta e comprata, la libererò, si dice affrettando il passo. Sarò il suo liberatore! Non importa come, quando. Saprò comportarmi da uomo onesto! Sente che il membro si muove da solo dentro i pantaloni. Un oggetto misterioso, imprevedibile, che dorme quando dovrebbe svegliarsi e si sveglia quando dovrebbe dormire. La bocca gli si allarga in un sorriso di allegria. Forza, amico mio, ci siamo quasi! Ma l'appuntamento è per le tre e sono appena le due e tre quarti. Mai arrivare prima! Si rischiano strane sorprese. Intanto mi fermo, faccio una telefonata a Cetti perché non stia in pena. Dirò che devo staccare il telefono per un incontro importante con un cliente.

L'uomo indugia, col telefono in mano. Compone il numero in fretta e si accorge di avere sbagliato. Possibile che non ricordi più il numero di casa? Si guarda intorno con aria smarrita. La strada è vuota. C'è solo un uomo anziano, appoggiato contro lo stipite di un negozio di mobili antichi che fuma un sigaro. Sarà mica un poliziotto? Ma poi ricorda di averlo già visto. È il proprietario del negozio. Niente di strano. Aspetta i clienti godendosi un poco quel tiepido sole di un pomeriggio romano.

L'uomo dal sigaro in bocca osserva di sottecchi il cliente che avanza. Un bell'uomo sui quaranta, nota. Giacca e pantaloni grigi, il ciuffo castano che gli saltella sulla fronte. Ha gli occhi azzurri, di un azzurro che gli ricorda un bambolotto che sua sorella bistrattava quando era piccola. Aveva proprio quegli occhi cerulei, bellissimi. Quando pensa a Mina, la immagina sempre bambina, chissà perché. Non riesce a pensarla adulta, sebbene da adolescente dispettosa e piena di slanci, sia diventata una giovane donna ambiziosa, abbia avuto due mariti, abbia viaggiato in lungo e in largo come esperta di vini, abbia avuto un tumore al cervello e sia morta in pochi mesi. Il dolore è sempre lì, secco e preciso, fra le costole e gli smuove le labbra che si piegano verso il basso in una smorfia di amarezza. Il sigaro gli cade sul selciato e lui lo pesta con la scarpa lentamente, con gusto, come se pestasse la sofferenza che ancora lo prende quando pensa alla sorella morta giovane.

Ora l'uomo dagli occhi azzurri gli passa davanti con passo elastico, facendo dondolare la grande borsa nera, proprio come se andasse a un appuntamento di lavoro. Ma lui sa bene dove è diretto. Non mi incanti, giovanotto! Lo guarda meglio da vicino e indovina la sua esaltazione. Emana da tutti i pori di una pelle giovanile, levigata e abbronzata. Si farà le lampade prima di venire a stuprare ragazzine straniere presso la signora del quarto piano? Non fare il moralista; anche tu hai tradito tua moglie con una prostituta. Sembra che la sua scarpa, intenta a pestare la cicca, gli rivolga la parola ridacchiando. Chissà cosa si prova a mettere le mani su una bambina come quella che ha visto passare prima! la camicia leopardata, i tacchi altissimi, la gonnella dalle frange nere che sembravano ciglia giganti. Gli occhi, li ha visti bene, sono cerchiati e truccati di nero. I capelli biondi lunghi e lisci tendono a scivolare sulla fronte e lei li tira indietro con un gesto distratto. Io non stupro bambine! E sputa con forza sprezzante sui sampietrini.

Il giovanotto dagli occhi cerulei lo guarda un attimo con riprovazione: come si fa a sputare sul marciapiede! è una roba da carrettieri! Gli occhi dei due uomini si incontrano. Lo sa, sa tutto, si dice G. F. con un misto di paura e irrisione. I suoi occhi chiari chiedono complicità. Hai mangiato la foglia anche tu, vecchio! Sai che il mondo è fatto di buio più che di luce, sai che la sessualità non conosce regole. Sai che io rischio, ma rischio con ebbrezza e pudore. Non sono un bruto, so quello che faccio. Porto alla vita, alla consapevolezza di sé un piccolo corpo implume destinato allo sconcio. Io l'accenderò come una candela di Natale. Non la brucerò. Ecco tutto.

Con spirito esaltato e ilare G. F. fa un piccolo cenno di saluto all'uomo anziano che continua a tenerlo d'occhio dalla soglia del suo negozio. Ma l'altro gli volta le spalle fingendo di non avere visto il saluto. G. F., con due sgambate veloci raggiunge il portone. Si china a leggere i nomi scritti sul quadrante come se non li avesse mai visti. Li scorre tutti con attenzione. Poi, come se per caso avesse trovato quello giusto, preme il bottone di metallo dorato. La porta si apre con uno scatto. Il giovane uomo spinge un poco il portone pesante, ma senza aprirlo del tutto. Scivola nell'androne buio con una mossa da gatto.

Il negoziante si volta quando sente una voce che dice «C'è nessuno qua?». Vede una signora dai capelli freschi di parrucchiere, entrata nel negozio senza che lui se ne accorgesse. «Arrivooo!» grida. Ma il suo pensiero è al di là del portone chiuso di via di Montoro. Dove si sta compiendo qualcosa che lo turba. Eppure non riesce a provare indignazione. Solo pena. Per quella bambina dall'andatura di fenicottero, dai capelli lunghi e lisci, dai fianchi magri e affamati. Ma anche per quel giovanotto che si assolve nel momento stesso in cui si accusa. Un incontro come tanti, un incontro quotidiano. Una grande città vive di questi commerci nascosti. Proibiti sì dalla legge. Ma di cui non importa niente a nessuno. Eppure la tristezza gli invade il cervello, gli asciuga la bocca. Come se tutto il male del mondo gli cadesse sul collo: Atlante curvo sotto il peso di una terra tonda e mostruosamente pesante. Un agnello sacrificale. Ferma la mano di quel boia! gli dice una vocetta sconosciuta da sotto la camicia. Ma sa che non lo farà. Perché? L'uomo scopre che gli tremano le mani mentre mostra alla signora dai capelli cotonati un tavolinetto elegante dallo scintillante ripiano di madreperla.

Sogno romano

Mi capita spesso di sognare Pier Paolo. Di solito lo sento camminare quasi fosse nella camera sopra il mio studio, come succedeva quando stavamo a Sabaudia. I tacchi dei suoi stivaletti alla gaucho vanno su e giù con un troc troc rapido e simpatico che mi ricorda la sua andatura veloce e disinvolta. Ma qui a Roma nessuno abita sopra il mio studio. C'è solo una terrazza condominiale talmente deserta che ci vengono solo i gabbiani, salendo a frotte dal Tevere, e spesso si fermano a litigare rumorosamente.

Nel sogno lo ascolto camminare su e giù, su e giù. Dopo un poco decido di andare a vedere se ha bisogno di qualcosa. Apro la porta finestra che dà sul balcone, salgo la ripida scala di ferro che porta al terrazzo e mi affaccio trattenendo il respiro. Ora so che non sono a Sabaudia ma a Roma e che sopra il soffitto del mio studio c'è solo la loggetta di uno stenditoio abbandonato. Supero l'ultimo gradino e mi guardo intorno incuriosita. Invece di Pier Paolo trovo una gabbiana che ha fatto il nido sotto la tettoia rotta e mi guarda sospettosa. Appena mi muovo, prende ad agitare le ali spargendo una nuvola di piume bianche.

E Pasolini? Non riesco mai a chiedergli perché cammini così velocemente da un capo all'altro del terrazzo, se abbia voglia di dirmi qualcosa.

L'ultima volta che ho sognato di raggiungerlo e di parlargli è stato diversi anni fa. L'ho sentito, come al solito, passeggiare su e giù sopra il mio studio. Mi sono affacciata e ho visto che vagava pensoso sulle mattonelle scheggiate. Ma non era solo. Intorno a lui c'erano i suoi collaboratori di quando faceva cinema.

Appena mi ha visto, ha sorriso e mi ha detto: «Vieni, vieni, di' a questi poltroni che riprendiamo a girare. Non sembra che abbiano voglia di fare niente».

I suoi collaboratori lo guardavano trasecolati. «Digli che è morto, Dacia» mi sussurrava uno di loro «digli che non possiamo lavorare con un morto.»

Io lo osservavo preoccupata, ma non osavo dirgli che lo ritenevano un cadavere. Lo vedevo così sereno, così giovanile, così deciso che mi sembrava più vivo che mai.

Lui continuava, come se niente fosse: «Questa morte, sai, mi ha fatto perdere dieci chili. Ma ora sto bene. Riprendiamo».

I suoi collaboratori lo fissavano attoniti. Io non sapevo cosa fare. Lo vedevo sorridere con la dolcezza di sempre. «Allora» diceva «che aspettano? perché mi guardano così?»

«Digli che è morto, morto da anni» insistevano loro imbarazzati.

Io stavo per dirglielo, per quanto non ci credessi del tutto. Ma mentre cercavo le parole per annunciargli questa strana verità, lo vedevo ripartire, chiuso nei suoi blue jeans stretti, muto e di nuovo solo, misurando il pavimento della mia terrazza. Su e giù, su e giù.

Gli altri erano spariti. Lui era lì, solo, ma non sembrava infelice, semmai sorpreso di trovarsi così vicino alle nuvole, in una morbida Roma ottobrina.

Europa

Europa è un nome che suona prima di tutto mitologico al mio orecchio abituato alle letture. Ricordo di avere incontrato la giovane Europa per la prima volta nel libro di Robert Graves, *Miti Greci* che scartabellavo affascinata quando avevo più o meno diciassette anni. Me l'aveva regalato proprio la figlia di Graves, Judith, che però portava il cognome materno, Nicholson anziché quello paterno, per uno spirito di indipendenza che la accomunava alla madre Nancy, una femminista delle più attive ai suoi tempi in Inghilterra.

Judith viveva a Roma col marito scrittore. Era l'inviata di un giornale inglese e avendo saputo che cercavo disperatamente lavoro, mi ha preso con sé a *travagghiari* (dentro di me le parole siciliane allora avevano una forza che poi hanno perduto con gli anni).

Judith mi pagava perché le facessi da segretaria. I miei compiti consistevano nell'impacchettare e spedire le fotografie che accompagnavano i suoi articoli; tradurre qualche lettera in italiano; mettere a posto l'archivio; ritirare le fotografie dalle agenzie di cui si serviva. Per la maggior parte del tempo facevo la galoppina, salendo e scendendo da decine di autobus – allora non disponevo neanche di una bicicletta – e mentre andavo di qua e di là leggevo, facendo la fila alla posta, aspettando gli autobus, seduta negli ingressi delle agenzie. Mi appassionavo a quegli autori che raccontavano l'Europa, anche se in modi e stili diversi fra di loro. Mi innamoravo dei libri di Jane Austen, di Conrad (il mio preferito), di Svevo, di Proust, di Grazia Deledda, di Balzac, di Simone De Beauvoir, di Pirandello. Allora non sapevo che il mio era un apprendistato letterario all'Europa, ma oggi credo che sia stato così. Sono i libri che leggiamo nell'adolescenza a formare i nostri gusti estetici, la nostra sensibilità etica, il nostro senso del sociale.

Judith era una brava giornalista e i suoi pezzi riscuotevano un buon successo in Inghilterra. La mattina quando arrivavo trafelata, avendo salito otto rampe di scale, sentivo che discuteva col marito, in camera da letto, della cronaca politica italiana. Erano appena le nove ma già stavano sbrigando la corrispondenza, ascoltando la radio e mangiando pane abbrustolito e burro, accompagnato da uno scurissimo tè al miele.

Io consegnavo i giornali della mattina, mettevo in ordine l'archivio fotografico, portavo via il vassoio col tè, sistemavo le carte, mentre loro si facevano la doccia e si vestivano. Quando uscivano dal bagno, lui, sbarbato ed elegante, salutava e se ne andava in ufficio. Lei, profumata e graziosa, con i capelli ancora umidi stretti in un nodo sulla nuca, mi spediva a fare commissioni.

Ricordo un novembre mite e assolato in cui seduta su un seggiolino del tram, leggevo rapita i racconti di Robert Graves. Di tutti i libri sui miti greci, quello di Graves è stato certamente il più avvincente per me, quello che mi ha catturata nelle sue spire narrative. Il fatto è che Graves sa raccontare: anche le più complicate genealogie celesti diventano chiare e appassionanti agli occhi di chi legge. Le più tortuose storie famigliari di dei e di eroi diventano gustose e avvincenti, così come si trasformano in avventure picaresche le discese dei divi da un cielo molto simile alla terra, per castigare o premiare, partecipare a una battaglia, proteggere un beniamino, rendersi invisibili, bere del buon vino, ascoltare la musica dei flauti, giacersi con una mortale.

È Graves che mi ha fatto vedere, con poche parole, le spiagge pulite e limpide davanti a Tiro, la città più importante dei Fenici, che fu poi conquistata e distrutta da Alessandro Magno nel 332 a.C. Qualcosa ci aggiungevo di mio naturalmente: avevo una fantasia fertile. Ed ecco la giovane Europa, viva e vestita di stoffe leggere, passeggiare su quella spiaggia, non lontana dal castello dove abitavano suo padre Agenore e i numerosi fratelli.

Europa chiacchierava e giocava con le sue coetanee, apparentemente al riparo da ogni sguardo maschile. Ma c'erano due occhi che osservavano dall'alto e si facevano desiderosi. Erano gli occhi di Zeus che studiava una strategia per comparire davanti alla ragazza, senza spaventarla.

Una volta presa la decisione, "Zeus incaricò Ermete di spingere il bestiame di Agenore fino alla riva del mare" racconta Graves. Poi, con una astuzia che lo soccorreva sempre quando voleva sedurre una mortale, prese le forme di un animale. "Si confuse nella mandria sotto le spoglie di un toro bianco come la neve, con una robusta giogaia e due piccole corna simili a gemme... Europa fu colpita dalla sua bellezza e poiché il toro si rivelò mansueto come un agnello, cominciò a giocare con lui ponendogli dei fiori in bocca e appendendo ghirlande alle sue corna. Infine gli balzò sulla groppa e si lasciò condurre al piccolo trotto fino alla riva del mare."

Commovente l'uso che il grande scrittore fa dei verbi, da illuminista del Novecento che ha letto Stuart Mill e Fichte: per lui Europa prende l'iniziativa con candida decisione ma è anche guidata. Seduce e viene sedotta. Balza sul toro, lo inghirlanda, lo spinge al trotto. Ma poi è lui che decide di inoltrarsi fra le onde e mettersi a nuotare verso il largo. "Europa, sgomenta, volgendo il capo, fissava la riva sempre più lontana. Con la mano destra stringeva il corno del toro, con la sinistra un canestro colmo di fiori."

Judith parlava poco di suo padre. Forse non gli perdonava di avere sposato sua madre a diciotto anni, di avere fatto con lei dei figli e di averla abbandonata per accasarsi con un'altra donna, lasciando che se la sbrigasse da sola con quattro bambini da crescere e da nutrire. Quello che mi colpiva era l'enorme tenerezza che provava per il marito appena più giovane di lei: un uomo alto, snello e biondo, con un sorriso dolce, sempre molto elegante, anche se un poco impacciato dalla timidezza. Prima che uscisse lo fermava sulla porta e lo carezzava, non curandosi della mia presenza, lo baciava mille volte. Poi chiudeva la porta e si rivolgeva a me, ma senza vedermi, come se i suoi occhi non riuscissero a contenere niente oltre l'immagine dell'uomo amato.

Qualche volta mi parlava di Roma, una città che lei giudicava cinica e pericolosa per un giornalista. Ciononondimeno cercava di adeguarsi e a volte mi spediva a portare regali di bottiglie e cioccolatini a qualche capufficio perché le accelerasse le pratiche.

Io mi vergognavo a porgere quei regali: pensavo che offesi me li avrebbero tirati in testa. Invece li prendevano, come se li stessero aspettando. Una volta rammento che un giovane capufficio spregiudicato, vedendo che nascondevo maldestramente un pacchetto nella tasca, me lo strappò con le sue mani dicendo: «Questo è per me, immagino» e senza aspettare una risposta, lo scartò sorridendo. Era una bottiglietta di profumo costosissimo per sua moglie.

Una sera, per premio la mia datrice di lavoro e il marito mi hanno invitata a cena sulla terrazza di casa, dove avevano ospiti importanti: giornalisti italiani di grido, un famoso scrittore tedesco, un console francese, uno storico austriaco e una celebre cantante greca. Io ho aiutato Judith a porgere i bicchieri pieni di vino, a presentare dei piattini in forma di conchiglia colmi di noccioline e cetriolini sotto aceto, prima di una cena molto colorata che era stata ordinata a un ristorante, visto che Judith non cucinava.

Dopo cena, sul terrazzo, ricordo di avere girato intorno allo scrittore tedesco, per cercare di sentire quello che diceva sui suoi libri. I romanzi erano la mia passione e chi li scriveva esercitava su di me una profonda fascinazione. Lo scrittore però non parlava dei suoi romanzi come avrei voluto, ma di Roma, la città della bellezza che "non conosce se stessa e si trascura oscenamente", come asseriva con voce malinconica. Mi sono accostata timidamente e ho avuto l'ardire di chiedergli cosa ne pensasse della Roma vista da Goethe, di cui avevo recentemente letto le memorie di viaggio. Lo scrittore mi ha guardata con una certa sorpresa e poi mi ha risposto che lui non leggeva gli altri scrittori, fossero pure classici: «D'altronde Goethe lo legge qualsiasi ragazzino a scuola e lo impara pure a memoria, ma io, mentre scrivo non voglio essere influenzato».

Nella mia innocenza adolescenziale sono rimasta molto sorpresa. Per fortuna il saggista austriaco che era molto giovane e gentile e sapeva tutto su Goethe e sui grandi viaggiatori del Settecento e dell'Ottocento, mi ha raccontato molte cose curiose su Gogol, su Stendhal, su Hawthorne, su Henry James, tutti straordinari viaggiatori che hanno scritto pagine ammirate e ironiche, gentili e farsesche su Roma.

A mia volta ho ricordato quel giorno che Goethe era sceso per strada nel mezzo di una festa e si era inoltrato fra la folla che mormorava "*ammazza, ammazza*", e aveva creduto che volessero uccidere qualcuno, per scoprire poi che si trattava di un intercalare, ancora oggi in uso: "ammazzala!" si dice con sorpresa e non ha niente a che vedere col delitto.

A questo punto lo scrittore famoso è scoppiato a ridere, aggiungendo un altro episodio di quelle bellissime memorie di viaggio goethiane che lui conosceva benissimo. Con gli anni avrei scoperto che spesso gli scrittori dicono di non leggere per non farsi influenzare, ma invece (per fortuna, aggiungerei) leggono molto e di tutto.

"Giunto su una spiaggia cretese, nei pressi di Gortina, Zeus si trasformò in aquila e violentò Europa in un boschetto di salici accanto a una fonte, o come altri dicono, sotto un platano sempre verde" scrive Robert Graves. Strano che un toro abbia avuto bisogno di trasformarsi in aquila per violentare una donna. Forse Zeus temeva che con quel corpo massiccio avrebbe schiacciato la giovinetta. Ma l'aquila non è altrettanto inadeguata per fare l'amore, tutta piume e becco com'è?

Da quella violenza, narra la leggenda, nacque Minosse, seguito da Radamanto e Sarpedone. E io mi chiedevo: tutte e tre le volte fu violenza? o la violenza si trasformò col tempo in amore e consuetudine affettuosa? fu una convivenza o una prigionia quella che Zeus impose a Europa? e lui continuò a rimanere toro e aquila, o prese le forme più normali di un giovane e innamorato marito fenicio? Questo non viene detto da nessuna parte.

Robert Graves narra che Agenore, arrabbiato per il rapimento di Europa, la sua prediletta, spedì gli altri figli in giro per il mondo a cercarla "con l'ordine severissimo di non tornare senza di lei". I ragazzi alzarono le vele, ma non sapendo dove andare, si avviarono in direzioni diverse: Fenice verso la Libia, dove approdò a Cartagine e diede il suo nome ai Punici; Cilice verso la terra degli Ipachiani che da lui prese il nome di Cilicia; Fineo verso la penisola di Tinia dove fu tormentato dalle Arpie. Cadmo invece salpò per Delfi dove andò a consultare l'oracolo.

A Delfi la famosa pitonessa gli consigliò di rinunciare

alla ricerca e di fondare invece una città: Tebe. Cosa che lui fece e per cui divenne famoso. Disinteressandosi della sorella rapita.

Evidentemente anche allora gli dei erano intoccabili e le pitonesse lo sapevano. Europa non sarebbe più tornata dal padre Agenore. Apparteneva al toro, all'aquila, al grande padre Zeus che da lei volle tre figli, per poi abbandonarla e passare ad altre conquiste amorose.

"Il nome cretese e corinzio di Europa era Ellotis" continua Robert Graves "che fa supporre un rapporto con Ellice, ovvero il salice. La santità dell'albero stava nelle sue foglie a cinque punte che rappresentavano la mano della dea. Ma il dio Apollo lo prese a prestito come il dio Esmun aveva fatto con l'emblema di Tanit."

Gli dei si rubavano a vicenda le insegne, e Apollo era uno dei più rapaci.

Di Europa non si sa più niente. Chissà se fu felice, anche se per breve tempo, col suo Zeus, che l'aveva sedotta in forma di toro lunato e poi violentata in forma di aquila. Il ratto e lo stupro appartenevano ai privilegi degli dei. Ed Europa non era considerata dai Fenici e dai Greci particolarmente disgraziata per avere subìto l'abbraccio forzato di Zeus.

Ancora oggi c'è chi ritiene che il ratto e lo stupro facciano parte del destino delle donne. Lo pensano soprattutto coloro che amano la guerra considerandola l'unica soluzione per i conflitti e le dispute fra i popoli.

La nostra piccola grande Europa, che oggi si riconosce in una sola moneta e una sola bandiera, è stata in effetti rapita e stuprata più volte nel suo processo di formazione. Proprio come la bella Europa, figlia di Agenore e della fantasia crepitante dei Greci.

Sono certa che Europa, l'antica Europa descritta da Robert Graves, entrata nella mia vita attraverso la figlia

Judith, abbia vissuto a lungo e bene. Nonostante le esperienze di dolore, nonostante l'emigrazione forzata, nonostante gli stupri, nonostante le gravidanze imposte, nonostante la soggezione a un dio capriccioso e crudele. Perché Europa era un ragazza intelligente e determinata.

Voglio credere, non solo sperare, che da una altrettanto brutta esperienza storica, simile a quella mitologica, anche la nostra piccola grande Europa di popoli affini e prossimi, stia uscendo da una storia di saccheggi e di stupri senza eccessive pulsioni di morte, con la voglia di affrontare una maturità di autonomia e saggezza.

Il calciatore di Bilbao

In aereo da Roma a Bilbao mi sono trovata seduta accanto ad un uomo pallido dalle labbra scure. L'aereo ballava tanto che non riuscivo a leggere. Il cielo era pulito, chiarissimo. Non si vedeva una nuvola. Ma proprio questa limpidezza doveva essere opera di fortissimi venti che scuotevano l'aereo, lo lanciavano per aria e poi lo spingevano in basso come fosse un fuscello.

Poco prima la hostess ci aveva servito una tazza di tè. Ma non si riusciva a portare alle labbra il liquido senza rovesciarselo sulle dita.

Per vincere il disagio il mio vicino ed io ci siamo messi a parlare. Ma soprattutto è stato lui a raccontarmi di sé, del suo viaggio, anzi del suo ritorno poiché era la prima volta dopo vent'anni che rivedeva Bilbao.

Come due pellegrini su una nave in tempesta si confidano a bassa voce per ingannare l'attesa di un evento risolutorio, che sia la morte o la fine della furia naturale, così noi due, con gli occhi fissi sul tè che si agitava nelle tazze, ci tenevamo compagnia. Vent'anni fa l'uomo dalle labbra scure era arrivato in Spagna dal Brasile, "comprato" dalla squadra del Bilbao. Avevano molto mercanteggiato i suoi proprietari brasiliani per venderlo al prezzo più alto. Poi, quando sembrava che l'affare andasse a monte, gli avevano detto improvvisamente che era stato concluso e si preparasse a partire. E lui, che non ci contava più, aveva dovuto fare in fretta le valigie e correre a Bilbao, la sua nuova città.

Era la prima volta che si trovava in Spagna e tutto gli sembrava estraneo e nuovo, leggermente minaccioso. I vecchi tram dal muso di ferro grigliato, i ponti anneriti sul Neviόn, i poliziotti ad ogni angolo di strada, con quel loro elmetto verde e nero, le torri gotiche della cattedrale, la Gran Vía che presuntuosa e solenne attraversa tutta la città per finire alla Plaza del Sagrado Corazόn con quella gigantesca statua del Sacro Cuore che sembra lì pronta per condannarti.

Aveva vissuto sei mesi nell'infelicità, non riuscendo a fare amicizia con i compagni di squadra che fra di loro parlavano in basco, mangiando da solo nel ristorante dell'Hotel Torrόntegui, camminando in lungo e in largo per la città, e stancandosi negli allenamenti fino alla spossatezza.

Verso Natale quando già pensava di piantare tutto in asso e tornarsene alle sue verande di Aracaju, una sera era stato trascinato dall'allenatore che era l'unico a occuparsi un poco di lui, in teatro.

Figuriamoci, lui non era mai stato a teatro in vita sua. Il cinema gli piaceva sì, ma solo quello d'azione, con molte sparatorie e corse a cavallo.

L'opera gli dava ai nervi con quelle voci troppo acute. Il cabaret l'aveva visto una volta e non l'aveva convinto. In quanto al teatro per lui era un mondo assolutamente sconosciuto.

Ma una volta in platea, al buio, sprofondato in una poltroncina di vecchio velluto dai braccioli lisi, era avvenuto quello che meno si aspettava al mondo: era stato affascinato, incantato dalle parole del testo. Mai la lingua spagnola gli era sembrata così musicale, così vicina ai movimenti dell'acqua, quasi uno sprizzare di ruscelli, rivoli e cascate che gli deliziavano l'orecchio.

Si trattava di Calderón de la Barca che lui ricordava di avere qualche volta sentito nominare a scuola. Ma che non l'aveva mai minimamente interessato.

La vita è sogno mi dice il vicino dalle labbra scure lanciando un'occhiata di sbieco al finestrino. Stavamo slittando a muso in giù come su un vagoncino delle montagne russe. Gli dico che qualche volta vado a teatro anch'io.

La parte di Rosaura era interpretata da una attrice che subito aveva colpito la sua fantasia. Il perché non lo ricordava. Non era bella, per lo meno nel senso a cui era abituato lui nel suo mondo: aveva occhi scurissimi e lontani l'uno dall'altro, il che dava al suo sguardo una curiosa espressione di disorientamento. Era piccola e nera di capelli e di pelle, quasi una india, con un corpo minuto e ben fatto.

Di questa donna aveva subito amato la voce quieta, profonda e il suo muoversi per la scena come fosse nella sua casa, con la perfetta naturalezza del più grande artificio.

Aveva seguito parola per parola tutta la tragedia. Aveva sofferto con Sigismondo, aveva trepidato con Rosaura, era stato re e pellegrino, prigioniero e capo di eserciti.

Ne era uscito sconvolto. E qualche sera dopo, senza dire niente all'allenatore, era tornato in teatro da solo a rivedere *La vida es sueño*.

Si era seduto al buio, dubbioso, convinto che non avrebbe più provato le emozioni della prima sera. E invece, dopo appena due minuti era stato ripreso dall'incanto. Come se non conoscesse già la storia aveva di nuovo sofferto per Sigismondo, aveva di nuovo trepidato per Rosaura e se ne era tornato all'albergo Torróntegui carico di voci amiche.

La sera seguente, stanco morto per gli allenamenti, si era seduto di nuovo nella poltroncina dai braccioli lisi del teatro Arriaga, a bersi le parole degli attori.

E così ogni sera, fino a che lo spettacolo era rimasto in

cartellone a Bilbao, per quanto presto si dovesse alzare la mattina, per quanto stanco fosse dopo i salti, le corse, le esercitazioni.

Ormai conosceva tutte le parti a memoria. Ma questo anziché saziarlo sembrava dargli più fame. Tutto il giorno ripensava a quell'atrio buio del primo atto, la prigione di Sigismondo e di come in sonno venisse trasportato nelle lussuose sale della reggia, per poi tornare alla sua tana.

La notte sognava Rosaura in abiti maschili che saliva su per le rocce lamentando il tradimento di Astolfo. Voleva fare qualcosa per lei ma non riusciva ad avvicinarla.

In teatro qualcuno nel frattempo si era accorto della sua assiduità. E questo qualcuno era proprio Rosaura, ovvero Concha Alvarez, la giovane prima attrice della compagnia.

A furia di vederlo in prima fila, si era abituata a quegli occhi accesi che la seguivano per la scena, a quella testa attenta che beveva le sue parole. Ormai lo aspettava. E la sera, prima che cominciasse lo spettacolo, andava a spiare da una fessura del sipario per vedere se lui era già arrivato.

Il giorno dell'ultima replica l'uomo dalle labbra scure si sentì perso. Come avrebbe fatto senza Rosaura? Avrebbe voluto parlarle, ma come fare? Non gli era mai successo niente di simile e non sapeva come si usasse in un mondo tanto diverso dal suo. E se poi mi disprezzasse? Cos'è un calciatore rispetto ad un'attrice che semina parole così fertili e profonde nel buio della platea? Così pensava tormentandosi nel dubbio.

Ma fu lei stessa a fare la prima mossa. Alla fine dello spettacolo, durante i ringraziamenti, lo guardò dritto negli occhi e gli sorrise con una tale dolcezza che lui ne fu stordito. Poi, con un dito, gli fece cenno di aspettarla lì dov'era.

Così lui fece, torcendosi le mani. E quando tutti se ne furono andati e le luci furono spente e già si immaginava che l'avrebbero preso per il collo e buttato fuori come un ladro, sentì il fruscio di un vestito accanto a sé.

Per giorni e giorni l'uomo dalle labbra scure e Concha camminarono per la città. Lei parlava, parlava. Si era messa d'impegno a fargli amare Bilbao, che lui detestava. Per questo lo portava lungo il fiume in certe strette stradine dove si vendeva uva passa profumata involtata in foglie di vite. E poi in piccoli ristoranti del Campo Volantín dove si mangiava il baccalà con le olive e il latte dentro delle ciotole di terracotta. E l'aveva portato a Begona a vedere la festa dei tori e al parco di Las Tres Naciones, nonché al mercato dell'artigianato della Tendería.

Erano tutti e due timidi e impacciati e non avevano osato baciarsi finché non avevano preso confidenza. La notte la passavano camminando e parlando.

Non ci era voluto molto all'uomo dalle labbra scure per innamorarsi di Bilbao. E alla fine non sapeva se gli piaceva la città per via di Concha o se gli piaceva Concha per via della città.

Concha finiva le prove verso le otto. E lui, dopo una rapida doccia che lo liberava del sudore degli allenamenti, correva a prenderla, coi capelli ancora bagnati, una calda sciarpa di alpaca intorno al collo.

Alla fine dell'anno sportivo il calciatore era stato però venduto, contro la sua volontà, a una squadra brasiliana. Ed era dovuto tornare alle verande ormai dimenticate di Aracaju.

Lì aveva cercato disperatamente di farsi raggiungere da Concha per sposarla. Voleva fare dei figli con lei. Ma Concha era legata con un contratto alla sua compagnia e non poteva muoversi. Così lui si limitava a parlarle per telefono. Delle lunghe conversazioni da una parte all'altra dell'oceano che lo spossavano e lo alleggerivano di buona parte dei suoi guadagni.

Per sentirsi vicino a lei, andava spesso a teatro, da solo. Nessuno della sua squadra amava la prosa. Anzi lo consideravano un po' matto per i suoi gusti e gli ridevano dietro. Ma lui non se ne curava. Sperava sempre di assistere ad un'altra rappresentazione di *La vida es sueño*. Ma a Rio de Janeiro dove giocava anziché Calderón si dava soprattutto Valle Inclán. Quando aveva qualche giorno di libertà, prendeva l'aereo e si precipitava a Bilbao. Concha lo aspettava paziente e innamorata. Passavano la giornata a camminare per la città come facevano ai tempi in cui lui abitava ancora a Bilbao. Poi si coricavano insieme e dormivano abbracciati dopo avere fatto l'amore per tutta la notte.

Un giorno, mentre l'uomo dalle labbra scure si recava da Aracaju a Rio per una partita importante, fu rincorso da un fattorino che gli consegnò un telegramma. Veniva da Bilbao. "Mi sposo, ti amo, Concha."

L'uomo rimase col foglio in mano, vuoto di ogni pensiero. Poi, spinto dai compagni, fece quello che doveva fare. Ma giocò malissimo e si prese i fischi dei tifosi.

Appena ebbe due giorni di libertà partì per Bilbao. Ma lì non trovò la sua Concha. «È in viaggio di nozze» gli disse l'amica con cui divideva la casa. «E dov'è andata?» aveva insistito lui testardo. «Non lo so, forse a Rio.»

Come a Rio? Il calciatore aveva fatto un salto, colpito da un dubbio terribile: e se lei fosse andata a cercarlo mentre lui stava qui? Prese di corsa un altro aereo e tornò a Rio. Si chiuse in albergo aspettando una telefonata di lei. Nell'attesa non riusciva più né a mangiare né a bere. Andava su e giù per la stanza nudo, dando calci ai mobili. Ogni volta che squillava il telefono si precipitava e quando sentiva che non era lei buttava giù senza una parola.

Da allora non aveva saputo più niente di Concha. Sono passati gli anni. E lui si è rassegnato alla perdita. Quasi non ci ha pensato più. Si è sposato con una bella brasiliana da cui ha avuto due bambini. Ha smesso di fare il calciatore. Ora dirige una palestra al centro di Aracaju. Fa soldi. Si considera in pace col mondo e con se stesso.

Ma qualche mese fa sua moglie è morta e lui ha deciso di venire di nuovo a Bilbao per risolvere dopo molti anni il mistero di Concha.

Intanto il nostro aereo, dopo tanti sussulti e piroette e scivolate, finalmente era arrivato in porto. Siamo scesi malconci, pallidi e nauseati.

Ho salutato l'uomo dalle labbra scure. Me ne sono andata in albergo. Ho venduto le stoffe italiane per cui ero andata a Bilbao. E dopo tre giorni sono tornata in aeroporto per prendere un DC9 per Barcellona e da lì proseguire per Roma.

In aereo, questa volta nella calma di una giornata umida e afosa, senza vento, ho riincontrato l'uomo dalle labbra scure. I capelli tagliati corti, il collo taurino, gli occhi azzurri malinconici. Mi ha sorriso. Gli ho sorriso.

«Ha scoperto il mistero di Concha?» gli ho chiesto sedendomi vicina a lui.

«Nessuno sa niente di lei, né al teatro, né a casa sua. Sembra sparita nel nulla» mi ha detto con voce spenta.

È arrivata la hostess con il tè. Ha posato le tazzine sui tavolinetti ribaltabili e se n'è andata. Ho guardato l'uomo dalle labbra scure che strappava l'angolo della bustina dello zucchero, rovesciava la polvere nella tazza. Sembravamo tutti e due sorpresi e affascinati dalla assoluta immobilità del liquido nel recipiente di plastica.

«Se questo è stato un sogno non dirò/ cosa ho sognato... certo è l'ora di destarsi...» l'ho sentito ripetere accanto a me le parole di Sigismondo mentre l'aereo volava morbido come su un tappeto d'aria, senza una scossa.

Timbuctù

Tutta quella polvere. Tutta quella polvere che mulina nel vento le impedisce di guardare lontano. È come contemplare il mondo attraverso un velo mobile e impalpabile. Un velo giallastro che sotto il sole prende delle venature di puro oro. Per quanto vadano in giro coperti di tutto punto, con gli occhiali calcati sul naso, il cappello in testa, la bocca coperta da un fazzoletto legato dietro la nuca, la polvere si infila lo stesso negli occhi, nel naso e nella bocca. Che poi è sbagliato dire polvere. Si tratta di sabbia. Una sabbia così sottile e leggera che è quasi invisibile. Viene sollevata dal vento e gira in forma di nuvola posandosi dove le capita, formando montagnole che sembrano nidi di termiti in mezzo alla città, per scomparire poco dopo travolte da un vortice tempestoso.

Una tazza di tè alla menta? L'uomo intabarrato negli stracci rossicci sporge un braccio magro e scuro offrendo un bicchiere colmo di liquido fumante. Il profumo intenso sale su per le narici come una promessa di allegria carnale. Sara prende il bicchiere e lo guarda in controluce. Il liquido scuro fuma dentro il vetro azzurro filettato d'argento. Subito dopo anche i suoi amici romani Lavinia e Renzo portano alle labbra il tè bollente. Gilberto, la guida, se ne sta in piedi vicino alla Land Rover e li guarda sorridendo sarcastico. Ma perché? Forse perché li considera buffi con quelle bardature, intenti a sollevare un poco il bavaglio per sorbire un sorso di tè. Oppure perché gli piace sentirsi il padre di tutti, un vecchio robusto e sereno che conosce l'Africa più di loro e li guida a scoprire i suoi arcani. Ma per conoscere bisogna soffrire, sembra dire il suo sorriso ironico e voi non sapete cosa sia la sofferenza. Pensate a quei viaggiatori del XVIII secolo che correvano tutto il giorno su un cammello bizzoso difficile da fermare. Pensate a quelle carovane che si accampavano di notte ai bordi di una duna immensa, che magari di notte scompariva, col pericolo di essere aggrediti da quei ragni rossi che qui chiamano Tre passi, per dire che una volta che ti hanno punto puoi fare solo tre passi e poi sei morto.

Sara si porta alle labbra il tè profumato di menta. Ha una gran sete. La notte scorsa era andata per bere l'acqua che aveva sul comodino e l'aveva trovata piena di sabbia. Ora pregusta lo scorrere di quel liquido odoroso in gola. Ma appena ne sente il calore sulla lingua avverte la presenza dei corpuscoli di sabbia che si cacciano sotto i denti, si incollano al palato. Le viene da sputare ma si trattiene per non offendere Ahmed che continua a versare bicchieri di tè e ora beve con gusto la sua porzione di infuso. Sperando di non essere notata Sara rovescia rapida il bicchiere nella sabbia. Non può proprio mandarlo giù quel tè. Sollevando gli occhi vede che Lavinia e Renzo invece lo sputano senza tanti complimenti. Il guardiano Ahmed, che se ne sta accocolato per terra, li osserva sprezzante. Solo Gilberto gli dà soddisfazione. Ingolla la bevanda impastata di granellini di sabbia con un fare da gran signore.

Ora il guardiano estrae da uno straccio bianco una pagnotta ben cotta farcita di datteri schiacciati. La taglia a pezzi con un coltellaccio dal manico di avorio e ne porge una fetta a ciascuno. Sara agguanta il pane, spinta dalla fame. Ma appena prende a masticarlo sente la sabbia stridere sotto i denti. Ingoia il boccone tutto intero facendo uno sforzo su se stessa. Il resto del pane lo tiene in mano senza sapere che fare. La sabbia sta nell'acqua, dice Gilberto con fare paterno, e quindi tutti i cibi ne sono contaminati. Non è sporca la sabbia, la puoi mangiare. Per fargli piacere Sara prova a metterne in bocca un altro pezzo. Ma decisamente la sabbia che scricchiola sotto i molari le fa perdere ogni gusto per quel pane fresco e morbido. Gilberto sorride. Sarà un sorriso di pietà o di solidarietà? Difficile dirlo. Ha qualcosa della maschera quel viso bruciato dal sole e segnato dal tempo. Eppure è bellissimo, si dice Sara, nonostante l'età e le rughe. Ha gli occhi limpidi color lavanda e i denti sani, bianchi e lucidi.

Ora Gilberto allunga un dito e mostra loro in lontananza le cupole color terra. Timbuctù sta davanti a loro ormai quasi completamente mangiata dalla sabbia. Una volta qui c'era l'oasi, racconta lui, c'erano alberi fitti che crescevano lungo il Niger, c'erano coltivazioni di lino, moschee dalla cupola dorata, enormi biblioteche pubbliche, università dai famosi insegnanti, scuole di astronomia, di matematica e di scienze. Le sue miniere d'oro erano celebri in tutta l'Africa. L'impero Songhai aveva fama di grande liberalità e cultura.

E ora? chiede Sara timidamente. L'impero è stato distrutto nel 1591 dall'esercito marocchino, spiega Gilberto sorridendo gentile. Ma per secoli ancora si è continuato a scavare l'oro. Poi quando l'oro è finito, Timbuctù è diventata il centro del commercio del sale. Grosse carovane di cammelli prelevavano il sale nelle miniere del deserto e lo trasportavano fino al Mediterraneo dove veniva scambiato con stoffe, pesce affumicato, legno, spezie, ma anche strumenti musicali, profumi, gioielli. Pur avendo esaurito le sue miniere d'oro la città conservava qualche ricchezza. C'erano palazzi bellissimi, teatri, giardini pieni di fiori e fontane zampillanti.

Lavinia e Renzo sono ansiosi di andare a visitare la moschea di Sidi Yaya. La Guida Blu ne parla molto bene. Oppure cominciamo dalla biblioteca di Ahmed Baba?

Ma Gilberto ricorda loro che hanno preso un impegno con la barca a vela che deve condurli sul Niger. Si incamminano verso il fiume. Lungo la spiaggia infuocata le barche sono allineate, scure e ovali come gusci di cozze svuotate dei loro molluschi. Montano sulla scialuppa che è pesante e procede con una lentezza esasperante. Un malese dalla testa imbacuccata negli stracci, se ne sta accoccolato a prua e infila continuamente un lungo bastone nell'acqua per controllare l'altezza del fondo. Sembra che il letto del fiume si sposti in continuazione secondo i venti che trasportano le sabbie formando montagnole e piccole dune. L'acqua è torbida e manda un odore di alga marcita al sole. Le vele sono scure e rattoppate mille volte.

Da lontano le acque sembravano ferme, ma una volta sulla barca vengono travolti da onde piccole e rabbiose che li sballottano da una parte all'altra. Sara è presa dal mal di mare. «Per forza, non hai mangiato niente» osserva Gilberto sferzante. Sara si bagna la fronte con un poco d'acqua pescata dal fiume. Si accorge che le rimane il palmo coperto di minuscoli granelli di sabbia. «Perché non andiamo alla Biblioteca?» chiede agli amici «voglio vedere i corani del Trecento.» Mentre discutono ecco che vedono avanzare lungo la costa delle figure sbiadite: un movimento incessante di lunghe zampe giallognole, una confusione di teste, fagotti, musi, che si stagliano contro un cielo verde bottiglia. Una carovana di cammelli che sembra uscita dal nulla. Il calore, salendo dal basso, li rende opachi e poi lucidi, vibranti come se stessero dietro una tenda. O dentro un sogno.

Ma anche loro stanno all'interno di un sogno opaco e intenso sotto il sole di un mezzogiorno africano, si dice Sara. Se socchiude gli occhi le sembra di scorgere le cupole d'oro della vecchia Timbuctù. Dietro si intravedono le sue strade affollate, le sue pecore grasse, le sue palme, i suoi bagni pubblici. Delle donne lavano i panni sulla riva del fiume mentre il vento fa svolazzare i vestiti di teli celesti e gialli. Hanno le braccia coperte di tatuaggi. Al loro fianco dei bambini giocano a schizzarsi l'acqua del fiume. «Il sultano Kanka Musa» suggerisce Gilberto «sta radunando i suoi uomini per portarli alla Mecca. Sta caricando i sacchi d'oro sui cammelli. Sono tanti e anche solo stando fermi sollevano nuvole di polvere dorata. Siamo nell'anno 1300, una giornata di autunno, nel vento che sa di datteri secchi e foglie di menta.»

Più tardi, mentre cercano di mandare giù un pezzo di montone stracotto e bisunto sotto una tenda che sbatacchia al vento, Gilberto racconta loro dei suoi frequenti viaggi in Mali, delle sue amicizie africane, della sua fiducia nel futuro. Mentre parla mangia e beve facendo scivolare le maniche larghe sugli avambracci asciutti e abbronzati. Sara si sorprende a pensare che di un uomo simile ci si può anche innamorare. Sembra che abbia vissuto tante vite e che ognuna di queste gli abbia lasciato una impronta di mistero e di consapevolezza sul corpo scarno e ferito. Viene voglia di attingere alla sua saggezza. Ma sarà vera saggezza? Nei suoi occhi piccoli e grigi ogni tanto sprizzano scintille di una profonda e incontrollabile follia. Quando sorride, gli tremano un poco le labbra abbronzate dal sole impietoso del deserto. Eppure si capisce che non ha paura di niente, che il suo coraggio non nasce da incoscienza, ma da una determinazione amara e crudele a confrontarsi con l'ignoto, senza temere le trappole, le prove, le brutte sorprese.

Lavinia ora sta medicando la mano di Renzo che si è ferito aprendo una scatoletta. Anche loro sono esasperati dalla presenza della sabbia nel cibo. Il montone infatti è infarcito di rena e l'acqua che giace nei bicchieri e sembra limpida, risulta granulosa appena la prendi in bocca. Renzo offre a Sara un poco di fagioli in scatola. Sara ringrazia e manda giù con piacere. Sono dolciastri e sanno di latta ma per lo meno sono immuni dalla sabbia.

Gilberto sa raccontare con molta grazia. I tre lo ascoltano senza stancarsi. La sua voce dolce e un poco rauca narra di Avicenna che era medico, astronomo, matematico, filosofo e politico. Scriveva in arabo e in persiano. Conosceva Aristotele e cercò di darne una sua interpretazione attraverso una soggettività monoteista. Il suo Dio, riferisce Gilberto succhiando il montone e leccandosi le dita unte di grasso con disinvoltura invidiabile, era un Dio razionale ed eterno, un essere che non conosceva il passare del tempo come noi uomini, la sua intelligenza era vasta come l'universo, non soggetta a deterioramento, ferma nella sua perfezione. L'uomo potrà conoscere la verità solo quando si sarà spogliato del suo corpo, perché allora attingerà all'intelligenza necessaria e senza tempo del suo Dio.

Sara si chiede se Gilberto non si identifichi un poco troppo con quel Dio della perfezione raccontato da Avicenna nel lontano X secolo. Lo guarda muovere le braccia con morbidezza, lo osserva mentre versa il tè al guardiano che ha voluto cenasse con loro. C'è qualcosa di talmente raffinato in lui che potrebbe anche rivelarsi volgare da un momento all'altro. Qualcosa di così esposto e recitato che potrebbe nascondere finzione e stanchezza. Eppure tutto quell'esibirsi e recitare, le dà voglia di baciarlo. Ma può una ragazza di diciotto anni innamorarsi di un uomo di sessanta?

In quel momento squilla il suo cellulare. È Amos, il fidanzato portoghese che chiama da Lisbona. Le parla d'amore ma senza molto entusiasmo. Sono tre anni che stanno insieme e qualcosa si è consumato fra di loro. Sara si accorge di avere fretta di chiudere la conversazione per ascoltare le parole di Gilberto che nascondono trappole segrete, lo sa, ma sono proprio quelle trappole che la seducono. Si porta alla bocca un calice di vino rosso, e lo manda giù, senza pensarci. Gilberto la guarda con gli occhi scintillanti. Per la prima volta da quando è a Timbuctù Sara non prova fastidio al contatto con la onnipresente sabbia che si sta posando sul fondo del bicchiere. Ecco dove comincia l'inganno, si dice. Ma sa che quell'inganno l'ha già completamente conquistata.

Il poeta-regista e la meravigliosa soprano

L'auto corre lungo la strada tutta buche facendoli sobbalzare sui sedili. Non ci sono finestrini né pareti. L'aria libera entra ed esce dalle fiancate aperte. Il tetto consiste in una struttura di metallo coperta da un telo cerato. Per non cadere fuori dall'abitacolo, bisogna aggrapparsi ai lunghi tubi di ferro che tengono i sedili saldati al pavimento.

Il paesaggio scorre al di là della strada di terra, in un turbinio di polvere che l'auto solleva avanzando rapidamente. Baobab dal goffo corpo di legno poroso, bassi cespugli di acacie dalle spine pungenti, pietraie, miseri pini contorti dal vento. Qualche capra selvatica. Sentieri rosso sangue che si incontrano e si dividono in mezzo al nulla. Ogni tanto la strada è interrotta da una cupola ocra alta più o meno un metro che si leva in mezzo alla terra arsa. Sono nidi di termiti. Il guidatore frena appena un poco, esce con le ruote sull'erba calpestando le radici che sbucano puntute dal suolo, facendo sobbalzare gli ospiti.

E poi riprende la strada. L'erba è bruciata e intrisa di polvere. Il guidatore, un giovane nero dalla faccia tonda e sorridente, indossa una camicia a fiori dalle maniche corte. In fondo alle braccia nude, le mani chiuse in due guanti di feltro nero scorrono con gesti pigri sul largo volante reso bollente dal sole.

Quando la ragazza dagli occhi cilestrini solleva lo sguardo e vede la creatura vestita di bianco che si aggrappa disperatamente ai tubi, si dice che sta viaggiando con la più grande cantante del mondo ma non se ne rende conto. L'idolo delle folle teatrali, l'"Admirable" come la chiamano i francesi, porta i calzoni color neve stretti sulle anche e se ne sta seduta rattrappita sullo scomodo sedile impolverato. Il cappello di cotone dalle larghe falde candide le copre la fronte, un paio di enormi occhiali da sole le nascon-de mezza faccia. La camicia di pizzo sangallo si apre con due alette fresche sul collo sudato. La diva è lì davanti a lei, ha la faccia contratta dallo sforzo di non aspirare la polvere che frulla all'interno della Land Rover, ma non ha niente di divino. Sembra una bambina stanca e impaurita. Eppure si sforza di sorridere impavida. Ogni tanto si volta verso il poeta-regista e gli lancia uno sguardo amoroso. Gli occhi scuri e liquidi però sono carichi di nuvole nere. Dove diavolo stiamo andando su questo scomodissimo e sgangherato camioncino scoperto? dicono quegli occhi abituati a posarsi sui sedili soffici di lussuose automobili che procedono sfiorando appena l'asfalto. Nello stesso tempo però non vuole apparire capricciosa, e stringe i denti accettando che il sole e la polvere la accechino. Vor-rebbe che il regista notasse il suo eroismo e sapesse che lo fa per lui, per la tenerezza che le ispira il suo giovane cor-po di atleta. So che non è colpa tua, suggerisce quel sorri-so storto, so che mi vuoi bene, ma non ti sembra che esa-geriamo con queste corse su strade dissestate, nel centro di un'Africa afosa e piena di zanzare sanguisughe?

Erano andati insieme all'Opera di Parigi a sentirla can-tare: il poeta-regista, il grande narratore e la ragazza dagli occhi cilestrini. Quando erano entrati in sala si erano sen-titi fuori luogo in mezzo a un pubblico di signore in vesti-to da sera e signori in smoking che si stavano sistemando educatamente sulle comode poltrone, mentre gli orche-strali provavano le ultime note.

Era una serata di gala e nel palco reale erano già seduti gli invitati d'onore: il re e la regina di Spagna, assieme al presidente della Repubblica francese. A un certo punto l'orchestra aveva smesso di mandare suoni striduli, e aveva intonato la *Marsigliese*. Tutti si erano alzati in piedi. E il re di Spagna, rivolto al pubblico, aveva accennato un inchino antiquato. Sfoderando però un sorriso moderno, come a dire: sappiamo di giocare un gioco morto ma siamo qui vivi e moderni e ci piace recitare. Non a caso facciamo onore alla *Marsigliese* che a suo tempo avrebbe accompagnato il taglio della nostra sacra testa. Ma tant'è, i re ormai contano poco. Siamo dei simboli vaganti e come tale mi prostro, voilà, ancora una volta, come avrebbe fatto un mio antenato, con la grazia estrema di un sovrano vero.

Poi si era fatto buio. Il silenzio era sceso sulla sala gremita. E il sipario, con le sue frange dorate, i suoi ricami in rilievo, si era aperto frusciando sull'interno della chiesa di Sant'Andrea della Valle di Roma. Grandi archi di pietra, un Cristo pallido e contorto appeso di sguincio, una piccola Madonna dall'aria serafica chiusa dentro un rigido mantello azzurro, angioli grassotelli arrampicati sulle colonne, vasi da cui uscivano gigli mai visti. La musica di Puccini saliva su per le narici, assieme al fumo profumato. Ma di solito l'ouverture non si suona prima di aprire il sipario? L'originalità della regia consisteva anche in questo: acuire un'attesa che sapeva di gigli mentre le note insistevano nello scolpire presentimenti musicali fra gli archi spettrali di una chiesa nuda e vuota. Anche se tutti sapevano di che si trattava, era come se la vicenda venisse raccontata da un cantastorie, per un pubblico ignaro e innocente: c'era una volta un ribelle bonapartista, fuggito dalla prigione di Castel Sant'Angelo, che fu aiutato da un pittore di madonne, Cavaradossi, a nascondersi dalle guardie del papa, dirette da un intelligente e sadico poliziotto chiamato Scarpia.

Quando sul palco era apparsa la Admirable, in un ampio vestito di velluto verde ramarro, c'era stato un applauso a scena aperta. La ragazza dagli occhi cilestrini era sprofondata nella poltrona, isolandosi mentalmente dal pubblico, per ascoltare senza essere disturbata quella voce straordinaria. Il poeta-regista se ne stava seduto al suo fianco, silenzioso e attento come al solito. Il narratore di fama internazionale le si era avvicinato sussurrandole in un orecchio: «Si muove come una pantera, hai visto?». Ed era vero. La soprano solcava a grandi passi il palco come fosse una giungla di cui era regina e padrona. La voce potente non sembrava uscire da quel corpo inquieto, da quella gola bianca, ma da un vulcano profondo che buttava fuori una lava incandescente in mezzo a lapilli e pietre infuocate.

La ragazza dagli occhi cilestrini seguiva senza fiato quel corpo stretto nel velluto verde che correva da una parte all'altra del palcoscenico, ed era dolente e vittorioso nello stesso tempo, lacerato dalla paura e assetato di rivalsa. Un corpo che in certi momenti faceva fatica a seguire la voce che tendeva a scappare, volando, fuori da quella bocca di donna, per entrare in zone perverse e lontane, sconosciute alle tradizionali esperienze musicali. Era la voce di un drago possente e nello stesso tempo di un cardellino che chiede pietà.

La ragazza dagli occhi cilestrini era tornata all'albergo stremata da quella esperienza divorante. Conservava nella memoria le grida di Cavaradossi che veniva torturato nelle prigioni di Castel Sant'angelo. La voce crudele di Scarpia che cerca di ricattare la giovane Tosca e lei che, filando miele, scende a patti col torturatore: io mi giacerò con te se rinunci a fare fucilare il mio amato pittore. Scarpia acconsente: fingerò di fucilarlo e lo lascerò libero! promette. Tutto in cambio del giovane corpo femminile di cui è ghiotto. Il patto è fatto. Scarpia è soddisfatto. Tosca crede di avere salvato il suo Cavaradossi. La fucilazione si avvicina. Lei di nascosto fa coraggio al suo amore: sarà una finta, vedrai, preparati al dopo! Ma la fucilazione è vera. E una volta scoperto l'inganno, Tosca si getta dagli spalti del castello.

Dopo lo spettacolo hanno cenato insieme in un bistrot vicino al teatro. C'era anche lei, la pantera, accanto al poeta-regista che la guardava intenerito. «Io devo partire per l'Africa, verrai con me?» gli aveva sentito dire con voce dolce. «I miei amici ci accompagneranno.» La diva si era voltata a fissare la ragazza dagli occhi cilestrini. Ed era stato come se la vedesse per la prima volta. Le aveva indirizzato un sorriso di cortesia. Ma anche di curiosità. La sua voce di donna innamorata era densa, un poco manierata. Aveva risposto al regista che era contenta di andare in Africa con loro, che era contenta di viaggiare assieme agli amici del suo innamorato. Il poeta-regista aveva appoggiato una piccola mano nervosa sulla mano bianca e grande della Admirable. I loro occhi si erano incontrati e alla ragazza era sembrato lo sguardo di una promessa amorosa senza confini.

Il camioncino è fermo in mezzo a un prato irto di stoppie e di rami morti. Fra la polvere sollevata si intravedono delle forme grandi e scure. «Ma sono elefanti!» dice la Admirable emozionata. La sua è la voce acuta, felice, di una bambina che scopre l'universo. Il suo braccio si solleva a indicare un punto in mezzo alla nube di polvere, una figura gigantesca che muove lentamente le orecchie.

Era la prima volta che la ragazza dagli occhi cilestrini vedeva un elefante fuori dalla gabbia. Per una strana nemesi, questa volta erano loro, gli umani, a stare al chiuso dietro tubi e reti. E là davanti ai loro occhi pascolava tranquillamente libera una mandria di elefanti.

Strani, visti da vicino. Vecchissimi animali preistorici dalla pelle rugosa, cadente, grigia come la corteccia di un antico albero morente. Gli occhi piccoli e vivi. Le orecchie che si aprono come ombrelli e si muovono sensibili a captare i suoni, a cacciare le mosche. Il codino corto e misero cade in mezzo alle zampe posteriori che sembrano indossare un largo pigiama logoro tanto sono coperte di pieghe e borse e grinze. Le zampe ben piantate per terra si muovono lente e sembrano incapaci di correre. Invece corrono, eccome! Proprio in quel momento infatti vedono uno che avanza a grandi passi verso il furgone. La terra trema. L'elefante sembra puntare contro di loro. La Admirable ha un sussulto di paura. Ma quando l'animale arriva vicino al furgone, si ferma, solleva la lunga proboscide color acciaio e manda un barrito che è un grido di disperazione. Stanco di questi turisti che fotografano, ridono, guardano, girano loro intorno come mosche fastidiose? No, in realtà sta cercando il figlio che si è allontanato.

Ecco infatti un piccolo che appare da dietro un cumulo di sassi grigio argento, si avvicina alla elefantessa mastodontica dalle zanne ricurve e si aggrappa alla sua coda. Gli altri, come seguendo un ordine silenzioso, si mettono in fila: le grandi femmine davanti e i maschi dietro. In mezzo, i piccoli che si avvinghiano al codino dell'animale che li precede. Così in fila scendono lungo una china che li porta dentro il largo fiume dalle acque rosse che scivola pigro e potente verso valle.

È una visione talmente sorprendente e primordiale da togliere loro la parola. Nessuno osa fiatare. Anche la Admirable adesso ha dimenticato la scomodità di quel sedile, il sobbalzare sulle buche, la polvere che si incolla sulla pelle, il sole che accieca, le zanzare che succhiano il sangue e osserva affascinata le straordinarie bestie africane che chiedono solo di essere lasciate in pace. Il turismo organizzato le insegue, le scruta, le stana ovunque siano e pretende di assistere a ogni loro movimento con presunzione insopportabile.

I turisti certamente non uccidono come facevano una volta i cacciatori, ma disturbano, questo sì. I poveri elefanti li osservano con un misto di noia e di insofferenza. Non sanno che senza questi guardoni del turismo anche loro scomparirebbero. Non sanno che il turismo è la sola garanzia della loro sopravvivenza.

Il gruppo di una trentina di elefanti, bellissimi nella loro selvaggia opacità arcaica, scende ora nell'acqua, sprofondando fino al ventre e procedono così, in fila, i più piccoli protetti dai più grandi, eleganti, amabili, memoria di un mondo che sta per estinguersi.

La ragazza dagli occhi cilestrini vorrebbe sorridere per la gioia di quella visione d'altri tempi. Ma qualcosa glielo impedisce. «Perché piangi?» chiede la Admirable con dolcezza. «Non piango» risponde la ragazza non sapendo di mentire, mentre lacrime silenziose le scivolano lungo le guance.

«Oddio, un coccodrillo!» dice la Admirable che sembra preoccupata per gli elefanti ormai immersi a metà dentro le acque di quel fiume che si stende maestoso davanti a loro. Il coccodrillo se ne sta disteso al sole con la bocca aperta. Sopra le sue scaglie color ferro un uccelletto dalle alte zampe sottili, le penne bianche e il becco lungo, si regge in bilico come il capitano di una nave, e scruta l'orizzonte, curioso. Ogni tanto si china a beccare qualcosa fra quelle scaglie opache e terrose. Se il coccodrillo rabbrividisce o si agita, l'uccelletto bianco perde per un attimo l'equilibrio, ma lo riprende subito aprendo a metà le alucce robuste. E si guarda intorno rizzando la testina dal ciuffo impertinente.

Gli elefanti non mostrano paura di fronte a quel grosso coccodrillo dalle fauci aperte. «Perché tengono la bocca aperta?» chiede la Admirable.

«Per rinfrescarsi» risponde il regista teneramente.

«Per mangiarti meglio, bambina» dice cantilenando l'amico narratore.

Gli elefanti passano vicino alla bestiaccia acquattata al sole senza neanche guardarla. «Non hanno paura?» «Con una zampata gli potrebbero schiacciare la testa» insiste il narratore e la divina ride e batte le mani come una bambina felice. Gli elefanti ora non stanno più in fila, si sono sparsi dentro l'acqua: qualcuno immerge la proboscide nel fiume e se la porta alla bocca come fosse un braccio lungo e avido. Altri succhiano il liquido fangoso e se lo spruzzano sulla testa accaldata. Non sanno niente del mondo, eppure sembrano intuire ogni cosa: conoscono la sua profonda meraviglia, sanno del suo eterno invito a vivere, il suo rapido correre verso un futuro di morte. Sembrano perfino indovinare che nessuno li toccherà finché reggerà la spietata e avida legge del turismo di massa. Ed è questo che li rende così fragili nonostante la loro potenza, la loro mole e le loro orecchie a ombrello, capaci di captare i suoni più lontani.

In casa del grande poeta-regista, alla periferia di Roma, la Admirable un giorno aveva conosciuto la madre dell'uomo amato. L'anziana maestra li aveva accolti con un vistoso fiocco rosa fra i capelli castani, raccolti ordinatamente dietro la nuca. Aveva stretto fra le piccole mani nodose le grandi mani morbide della cantante. Aveva sorriso mostrando i denti immacolati, macchiati solo un poco sui canini da un rossetto viola. Li aveva condotti in giardino camminando davanti, a piccoli passi timidi. Li aveva fatti accomodare su seggioline di vimini, all'ombra di un gigantesco ippocastano ed era rientrata per tornare subito dopo reggendo un vassoio con del tè freddo e dei biscotti al cumino. Avevano bevuto il tè chiacchierando del più e del meno. Poi il poeta-regista aveva chiesto alla madre di mettersi in piedi vicino alla Divina e aveva scattato una fotografia. Lì accanto alla grande cantante di cui era innamorato il figlio, la piccola e magrissima maestra sembrava una nanetta. Ma non mostrava imbarazzo. I suoi occhi scintillavano. Il suo sorriso si faceva sempre più liquido e dolce. Tutto ciò che procurava gioia al figlio rimasto vivo

– l'altro era morto trucidato in guerra – assicurava gioia anche a lei. Proprio come canta meravigliosamente Don Ottavio parlando di Donna Anna, la sola che si sia rivoltata alle prepotenze di Don Giovanni: "Quel che a lei piace, vita mi rende/ quel che a lei spiace, morte mi dà".

Il poeta-regista era felice ma impacciato. Per questo aveva chiesto alla ragazza dagli occhi cilestrini di essere presente all'incontro. Forse temeva che alla madre adorata la grande soprano non piacesse. O che provasse qualche forma di gelosia. Non le ripeteva in continuazione che la sola donna della sua vita era lei? E ora, da dove spuntava questa straniera dalle mani grandi, le gambe lunghe, il collo da cicogna, la bocca da rana?

Ma la piccola e indomita maestra friulana era troppo intelligente per mostrare gelosia, ammesso che in quel petto minuto e fragile fosse capace di covare un sentimento così devastante. Voleva che la grande soprano si sentisse bene a casa loro, voleva che il figlio fosse contento di quell'incontro, voleva che tutto sorridesse attorno a loro. D'altronde questa era stata la volontà dell'intera sua vita: una volontà che si era trasformata in docile sottomissione nei riguardi del marito sempre più infelice e manesco. Una volontà che l'aveva portata a investire tutto sul rapporto sempre più intimo e simbiotico col figlio. Una volontà che la spingeva a parlare come una bimba timorosa: non alzava mai la voce, si stupiva di tutto, si adombrava a ogni parola brutale. Nel suo cielo volavano solo angeli giocosi pronti a ricoprire di petali profumati i corpi dei mortali. Nella sua casa erano ammessi solo sorrisi di allegria e di benvenuto. Il suo amore per la sobrietà e la gentilezza la portava a pigolare come un uccellino, respirando a stento per non disturbare, mangiando pochissimo per non dare spazio alle passioni della vita che le apparivano estreme e nemiche.

«Sarà vero che esistono degli uomini che amano altri uomini?» aveva detto un giorno alla ragazza dagli occhi cilestrini con una flebile voce scandalizzata. La ragazza l'aveva guardata stupita, senza sapere cosa rispondere. Il grande poeta-regista parlava tranquillamente della sua omosessualità, non la nascondeva agli amici. Alla madre sì. Probabilmente perché sarebbe stato come distoglierla da quel suo mondo di fiori, angeli e sentimenti delicati. Per questo si rifiutava di parlarne, soprattutto con la stampa. Non voleva che la piccola maestra leggesse, magari per caso, delle sue fughe di notte a caccia di ragazzi. E lei, pur non avendo mai subìto una proibizione, si teneva lontana dai giornali, dai pettegolezzi.

Quel giorno il grande poeta-regista aveva portato a casa una donna, una diva, famosa in tutto il mondo, che voleva fare conoscere alla madre. Molti mettevano in dubbio l'amore del regista per la Admirable.

«Cosa lo attira di lei? Il successo, la gloria?» Ma non lo conoscevano. La ragazza dagli occhi cilestrini li aveva visti insieme. Sapeva che lui era innamorato, proprio come può esserlo un uomo di una donna. E la sua sessualità bizzarra? La sua consuetudine alla caccia notturna di ragazzi? Una contraddizione incomprensibile, dicevano gli amici. Ma l'amore è più complicato e misterioso di quanto si pensi. Ci sono delle passioni che nascono dall'entusiasmo, dall'ammirazione, dalla voglia di imparare e riverire. Come dice Stendhal: "Il monarchico si innamora delle principesse, il rivoluzionario delle ribelli". Il geniale poeta-regista, amante della musica e del teatro, si era innamorato di una straordinaria interprete. Anche se il suo corpo continuava a prediligere i ragazzi? Anche.

Era un amore nuovo e dolce, quasi adolescenziale, fatto di baci furtivi, di piccole promesse, di abbracci a occhi chiusi, di rincorse, lunghe chiacchierate al telefono. Soprattutto tanta ammirazione: di lei per l'arte poetica di lui e di lui per la voce sorprendente, meravigliosa di lei.

Col tempo, il famoso poeta-regista si era abituato a dividersi con la grazia di un felino. Di giorno, la donna di un sogno inebriante e impossibile, di notte le rabbiose e provocanti battaglie con un corpo adolescenziale sfuggente e mai veramente suo.

Il camioncino slitta, sbuffa, si ferma con uno scossone. Il cappello della grande cantante vola via e lei allunga un braccio con fare teatrale. L'autista dalla faccia larga e sorridente prova a girare la chiave di accensione. Il motore riparte, ma le ruote continuano a slittare. Prova ancora. Le ruote ora schizzano fango e il motore si imballa con degli urli che si trasformano in rantoli e presto in un silenzio inquietante.

«*Il faut descendre*» dice l'autista «dovete scendere, troppo peso, *il faut descendre.*» Le mani lunghe e nere si muovono con una eleganza fiabesca. Non riescono a essere assertive quelle dita: sembra che scacci delle mosche dal viso di una persona amata. «*Il faut descendre!*» ripete e balza giù dal suo posto. Apre lo sportello dalla parte del regista che con un salto appoggia gli scarponcini sulla terra rossa.

«Ma i coccodrilli che abbiamo visto prima?» dice titubante la Admirable. Si è tolta gli occhiali che tiene con la mano guantata. Sulla faccia, lì dove la polvere non si è posata, si allargano due cerchi pallidi.

Il regista allunga una mano per aiutarla a scendere. Lei appoggia titubante un piede sul predellino di metallo e si guarda intorno. Il panorama è lo stesso da ore: terra arsa, qualche baobab, cespugli spinosi, un sentiero di terra ocra che si srotola davanti all'auto per chilometri. Non c'è traccia di vita, di case, di persone. Sono usciti dal parco avviandosi verso un Nord desertico e inospitale.

Il regista e la ragazza dagli occhi cilestrini si danno da fare, assieme al narratore, per spingere le ruote anteriori fuori dal fosso. L'autista, nel suo gabbiotto, dà segni di impazienza. Ma chiaramente i tre non hanno la forza di spostare un camioncino. Gesticolando rabbiosamente il giovane scende dal posto di guida, estrae dal bagagliaio uno stuoino di vimini e lo infila sotto le ruote anteriori. «*Prenez des pierres!*» dice. Ma non ci sono pietre intorno. Solo terra bruciata, qualche arbusto coperto di aculei, le piccole piramidi rosse, nidi di termiti e basta.

L'autista rimonta sul camioncino e li incita a spingere. La ragazza, il poeta-regista e il narratore appoggiano le mani sul bordo posteriore e provano a spingere mentre le ruote riprendono a girare a vuoto. Lo stuoino schizza via, fatto a pezzi. L'autista scende di nuovo sconsolato, osserva da vicino le ruote che stanno scavando la terra, sempre più in profondità. Fa un gesto disperato prendendosi la testa con le mani.

«E ora?» dice lo scrittore che ha sempre presentimenti drammatici. «Rimarremo qui tutta la notte, saremo mangiati dagli animali. Ti ricordi la storia dell'isola nel lago Victoria? Gli esploratori erano stati lasciati soli sulle rocce, con tende e fucili, ma quando erano tornati a prenderli, un mese dopo, non avevano trovato di loro che qualche osso spolpato.»

Il regista osserva la Admirable. Che però non sembra spaventata. Improvvisamente appare il lato grottesco della vicenda e tutti e quattro scoppiano a ridere. «Bisogna trovare delle pietre» dice infine il poeta-regista. Ma nessuno osa avventurarsi lontano dalla Land Rover, sapendo che il fiume vicino è infestato di coccodrilli che si mimetizzano nel terreno e che corrono come demoni se vedono una preda appetitosa. L'autista tira fuori dal bagagliaio ogni sorta di strumenti, ma non quelli giusti.

«Ci vorrebbe una di quelle scalette di ferro che ho visto attaccate dietro agli autobus che attraversano il deserto.»

«Ma lui non ce l'ha.»

Così scoprono che il giovane autista raccomandato dall'albergo non ha previsto niente: gira senza pala, senza scaletta, magari senza neanche la ruota di scorta. E chissà se ha la patente.

Provano ancora a fare presa sotto le ruote con pezzi di rami spezzati, cartone arrotolato. Ma non c'è niente da fare. La fossa si fa sempre più profonda e l'auto non accenna a muoversi. Anzi, a un certo punto il motore si ferma del tutto e il silenzio cala sui cinque che vedono scendere la sera. Sta scurendo. I rari alberi si tingono di azzurro, i cespugli si trasformano in sagome goffe e nere che si rizzano contro l'orizzonte e la stradina di terra piano piano non si distingue più dal cielo. Che fare?

«*Il faut monter. C'est dangereux*» dice l'autista che rientra nell'abitacolo e sbatte la porta. Poi lo vedono portarsi alla bocca una bottiglietta piatta con dentro del liquido giallo. Il regista, che non perde mai la calma, apre lo sportello, gli strappa dalle mani la bottiglia e dice che bisogna continuare a provare. Non si può restare lì tutta la notte. L'autista ubbidisce mollemente. Si mettono di nuovo a spingere, il guidatore con loro, mentre la ragazza dagli occhi cilestrini prova a mettersi al volante. Ma la macchina è decisamente impantanata. E il motore sembra morto.

La Admirable mostra un coraggio insospettato. Ha fame come gli altri, ma non protesta. Torna a sedersi sul sedile foderato di plastica e si guarda intorno paziente. «I coccodrilli possono montare su un camioncino?» chiede con voce calma. L'autista si mette a ridere. Poi spiega che non sono i coccodrilli a fargli paura, ma «*les bandits*», come dice sgranando gli occhi. Pare che di notte girino dei tipi col fucile che assaltano chiunque trovano sulla loro strada, e portano via tutto, macchine fotografiche, soldi, documenti.

Ormai si è fatta notte. Intorno a loro c'è un gran silenzio. Interrotto ogni tanto dall'urlo gutturale di un uccello predatore. Nel silenzio si sentono anche i grilli che mandano quel loro stridio insensato e le zanzare che cominciano a farsi invadenti e insistenti. «Copritevi che qui il pericolo più grave è la malaria, non i banditi» dice il narratore. Ma non hanno niente all'infuori delle loro giacchine a vento di cotone. La cantante ha perso pure il cappello che è volato lontano e non sono più stati capaci di trovarlo.

Le zanzare si fanno ogni momento più voraci. Il loro sibilo supera quello dei grilli. Ogni tanto il gracidio delle rane fa capire che il fiume non è lontano. Si sente anche il barrito di qualche elefante. Ma sembrano distanti e comunque non c'è da avere paura degli elefanti, dice l'autista che insiste nel parlare di banditi. Anche le due pile che avevano in tasca stanno per esaurirsi. La luce diventa sempre più fioca. Stanchi e affamati hanno rinunciato a spingere. Se ne stanno tutti e cinque seduti sul camioncino cercando di cacciare le zanzare sventolando i cappelli. Non rimane che aspettare l'alba. Oppure il passaggio di qualche auto. Cosa che sembra improbabile, visto che da tre ore sono fermi, e di auto non ne è passata nemmeno una.

Si sono quasi addormentati, la cantante con la testa appoggiata alla spalla del poeta-regista, quando sentono di lontano un rumore di motore che si avvicina.

«Arriva qualcuno!» grida la Admirable.

L'autista si è addormentato e non accenna a muoversi. Il regista scende di corsa e si piazza in mezzo allo stradino di terra per farsi vedere. Punta la torcia contro il mezzo che arriva sollevando un gran polverone. I fari sono a mezzo metro da terra. Non può essere un camion. Sembra una macchina. Che avanza rapida. Il guidatore accende gli abbaglianti. L'auto si avvicina sempre di più, ma senza rallentare. Quando arriva alla loro altezza, improvvisamente accelera superandoli con un clamore di clacson che fa saltare il regista da una parte. E si allontana mentre loro si sbracciano e gridano «*au secours!*».

«Ha avuto paura!» dice il narratore guardandoli desolato.

Ma dopo un poco, quando si stanno rassegnando alla notte in furgone, sentono di nuovo un rumore di motore e vedono la macchina che procede a ritroso verso di loro. Si tratta di una grande Mercedes color champagne, piatta ed elegante, ma dotata di quattro ruote motrici. L'auto si ferma un poco più avanti. Ne scende un conducente nero che si mette a parlare fitto con il loro autista. Infine costui fa loro un inchino e dice «*Venez! Monseigneur vous attend*».

La ragazza si avvicina per prima alla lussuosa Mercedes. E quale non è la sua sorpresa nello scoprire, seduto composto, elegantissimo, un piccolo prelato nero dal lungo abito viola, il copricapo cremisi e un enorme anello d'oro massiccio al dito.

«*Je vous avais pris pour des bandits*» dice sorridendo. E subito porge la mano da baciare. Dalle sue vesti emana un profumo leggero di bergamotto. «*Montez, montez*» li incalza. Ordina all'autista di caricare il loro bagaglio nell'ampio baule, quindi fa loro posto accanto a sé togliendo di mezzo alcuni rotoli di carta. Non scende neanche per salutare la Admirable e lei si accomoda accanto a lui parlandogli felicemente in francese.

Il regista li presenta: «Questo è uno scrittore italiano, letto e ammirato in tutto il mondo, questa è la Admirable, grandissima soprano, regina dei palcoscenici di New York e di Parigi, e poi c'è lei, la giovane scrittrice e ci sono io che faccio il regista e sto cercando i luoghi per un mio film. Il monsignore li saluta sorridente e bonario. A ciascuno porge la mano da baciare. Ma non mostra di riconoscere nessuno dei loro nomi. La Mercedes riparte soffice e si dirige veloce verso sud in mezzo a straducole di terra rossa. Il viaggio dura più o meno una mezz'ora. Poi, bruscamente la macchina gira verso destra, la strada di terra si trasforma miracolosamente in strada di asfalto e improvvisamente si trovano davanti a un cancello irto di punte di ferro. «*Nous sommes arrivés*» dice il monsignore e scende finalmente dall'auto tenendo le sottane con le mani come farebbe una gran dama.

Subito accorrono delle serve a piedi scalzi che si chinano a baciare la mano piccola e nodosa del loro signore, su cui spicca l'anello d'oro che rappresenta in miniatura un Cristo crocifisso. Davanti ai cinque si aprono le porte di una missione tutta nuova, dalle mura rosa confetto, i finestroni dipinti di fresco, la torre campanaria di mattoni cotti al sole, una chiesa capiente e nuda. La casa padronale in mattoni, circondata da capanne circolari di fango seccato, qui chiamato adobe, ha il tetto ricoperto di paglia.

Il vescovo chiede loro se hanno cenato. Alla risposta negativa, dà ordini al cuoco di preparare per tutti. Intanto domanda di quante stanze abbiano bisogno. «Quattro» risponde il regista. Ma non ci sono quattro stanze disponibili. Solo due. «Due vanno bene» risponde il regista «una per gli uomini e una per le donne» aggiunge svelto senza tenere conto dello sguardo offeso della cantante che aveva già appoggiato la sua valigia accanto a quella di lui con aria complice.

Così la ragazza dagli occhi cilestrini si trova a dovere dividere una minuscola stanza dal pavimento di cemento, dotata di due lettini di ferro e un lavandino sbreccato, con la grande diva dagli abiti bianchi impolverati. «Mi dispiace» dice a fior di labbra, comprendendo la sua delusione. Ma la diva le risponde con grazia: «In casa di preti non ha voluto scandalizzarli». E ora, a turno, si lavano la faccia e le mani in quel minuscolo lavandino che sporge dal muro appena fatto.

Poco dopo ecco la campanella che suona. «*Le dîner est servi!*» grida una voce melodiosa. E i cinque vengono guidati verso una spaziosa sala da pranzo dove, a un tavolo lungo, si sono già accomodati quattro frati anziani e un giovane segretario, dalla faccia rubizza e gli occhi languidi. La cena è composta di pasta di banane condita con salsa di carne, pescetti di fiume fritti nell'olio di palma, e un dolce di papaia e zenzero. Il monsignore li intrattiene in un ottimo francese. Ha modi educati. Parla di Parigi, di Roma, del papa.

Ma la sua passione è il calcio, confessa dopo avere bevuto uno squisito caffè dentro una tazzina di Limoges. E snocciola i nomi di tutti i giocatori della Roma come se li conoscesse di persona. Il regista lo guarda allibito. La soprano gli chiede con gentilezza se è mai andato all'opera. «Pfui!» fa lui sollevando una mano indolente. Un gesto di disprezzo e di indifferenza. E ricomincia a parlare di un terzino a lui particolarmente caro e di tutte le partite in cui ha giocato, contro la Juventus, e contro il Milan e di come sia solito segnare con noncuranza, dribblando i giocatori della squadra avversaria con mosse abili e rapide. «*Il est africain*» dice orgoglioso, e si alza per prendere personalmente, dall'interno di un armadietto di legno chiuso a chiave, una bottiglia di Pernod che versa nei bicchieri degli ospiti assieme all'acqua che, garantisce, è stata bollita per un'ora e al ghiaccio, sempre fatto con acqua sterilizzata. «Alla Roma!» brinda sollevando il bicchiere di cristallo.

Dopo cena i frati si affrettano verso le loro celle, salutando appena gli ospiti. Il monsignore invece li invita a restare con lui. E così trascorrono le ore su un terrazzo profumato di incenso, bevendo Pernod col ghiaccio, mangiando arachidi e palline di banana fritte. Il vescovo vuole sapere tutto sul papa, sulle piazze e sulle fontane della città eterna che non vede da tanto. Ma soprattutto le sue domande girano intorno alla "magica Roma" e ai suoi attaccanti, al suo sorprendente portiere, ai suoi mediani. Il solo a rispondere è il poeta-regista che gioca a calcio da quando era piccolo, ma non è molto informato sulle ultime gesta della Roma. L'amico narratore che non sa niente di calcio, prova a chiedergli qualcosa dei famosi «banditi che circolano col fucile di notte». Ma non ne ottiene che generiche risposte rassicurative: «Qui niente fucili» dice il monsignore portandosi alla bocca il bicchiere opalescente. «*Ici, la paix*» insiste bevendo e ridendo. Per tornare subito dopo a elogiare il passo veloce di un altro attaccante.

Ma si fa l'ora di andare a letto. Una serva a piedi scalzi li accompagna alle stanze dove giacciono le loro sacche coperte di polvere. La ragazza vede che la Admirable si gratta le braccia che sono cosparse di bolle rosse. Le porge un tubetto di crema contro le punture delle zanzare. E l'altra ringrazia timidamente. Non sembra contenta di stare con lei dentro quella piccola stanza dal pavimento di cemento e i lettini di ferro smaltato. Avrebbe preferito dormire col suo innamorato, ma «*il faut avoir patience*» dice a fior di labbra.

La ragazza dagli occhi cilestrini esce per andare al bagno e quando torna la trova che si sta spogliando con gesti acrobatici.

«Torno fuori se ti vergogni» dice.

«No, no, ho quasi finito» risponde l'Admirable. Ma è proprio buffa: difficile togliersi il reggipetto tenendosi addosso la camicia e sfilarsi le mutande avvolgendosi le gambe con un lungo pareo rosso mattone. Sembra abbia il terrore di mostrarsi nuda. Anche se, educatamente, la ragazza se ne sta seduta sul suo lettino voltandole le spalle.

Infine sono dentro le lenzuola, sotto la zanzariera che si è aperta sul letto appena hanno tirato da una parte la sopracoperta. «Ingegnoso questo sistema» commenta la Admirable mentre raccoglie i lunghi capelli scuri con le due mani e li arrotola sulla nuca e li ferma con un elastico.

«Ci saranno le pulci, che dici?»

«Non credo, mi sembra tutto molto pulito.»

«Be', buonanotte.»

«Buonanotte.»

Ma dopo un'ora la sente soffiare e girarsi senza tregua.

«Non riesci a dormire?»

«No. Che ore sono?»

«Mi pare le tre.»

«Quei morsi di zanzare... Speriamo che non mi venga la malaria.»

«Dicono che questa non è zona di malaria.»

«Speriamo.»

Ancora silenzio. Ma nessuna delle due riesce a dormire.

«Tu lo conosci da molto?» chiede la Admirable e la ragazza dagli occhi cilestrini scruta il buio prima di rispondere. Non ricorda da quanti anni lo conosce, il poeta-regista dalla faccia severa, gli occhi tristi e innocenti: forse cinque, forse sei.

«Credi che sia capace di amare?»

«Credo di sì.»

«Ho sempre avuto sfortuna con gli uomini. Non vorrei avere sbagliato un'altra volta.»

La ragazza dagli occhi cilestrini ha paura di parlare. Se non accenna lei all'omosessualità di lui, non dirà una parola, si ripromette.

«Stai dormendo?»

«No.»

«Perché pensi che una donna fortunata in tutto sia tanto sfortunata in amore?»

«Non lo so. Forse non cerchi la persona giusta.»

«Forse.»

Silenzio.

E poi: «Mi stai dicendo che ho sbagliato anche questa volta?».

«Non lo so. È un uomo generoso, capace di amore. Forse è troppo attaccato a sua madre.»

«Troppo innamorato di lei per innamorarsi di un'altra donna?»

«Forse.»

«L'ho pensato anch'io. Ma lui mi parla sempre d'amore.»

Silenzio. Che dire?

«Quando un uomo parla tanto d'amore vuol dire che non ha voglia di abbracciarti» riflette la diva.

La ragazza dagli occhi cilestrini vorrebbe dirle che quella è anche la sua impressione. Ma per discrezione, tace. Poco più tardi la sente respirare regolarmente, come chi è scivolato nel sonno senza accorgersene.

La mattina dopo, al tavolo della sala da pranzo, mentre mandano giù un caffè nero diluito nel latte bollente, si raccontano i sogni fatti. La Admirable dice di avere dormito poco. In compenso, nei brevi tratti di sonno, ha camminato fra gli elefanti. E ha pure visto un bestione che le porgeva la zampa come fanno i cagnolini.

«Io prendevo in mano quella zampa e la stringevo, come per un saluto. Poi mi rendevo conto che era una mano di uomo, nera nera, ma morbidissima e mandava un leggero odore di erba cotta al sole. Quando l'ho lasciata è tornata a essere una zampa di elefante.»

Il regista racconta di avere sognato di giocare a calcio con un gruppo di ragazzi neri. Fra questi ce n'era uno che aveva gli occhi luminosi, azzurri. «Diceva di essere Cristo» commenta sorridendo. «Ma non voleva che gli altri lo sapessero. Perciò si copriva gli occhi con due lenti scure.»

«E tu?» chiede il regista all'amico narratore.

«Io ho sognato di essere in Africa con voi, di essere rimasto impantanato in mezzo a una strada di terra rossa, e che un monsignore veniva a salvarci con una Mercedes color champagne. E che conosceva a memoria tutti i nomi dei calciatori della Roma.»

«Ma che sogno è?»

«Tu pensi che andando su Marte, su Giove, scopriresti chissà che cosa. E invece, secondo me, troveresti le stesse cose che ci sono sulla terra. Semplicemente ripetute. Anche dopo morto, cosa credi che ti succeda? Ricominci tutto da capo e buonanotte.»

La ragazza dagli occhi cilestrini sta per raccontare un suo sogno scardinato e frammentato, quando vengono interrotti da una donna africana dalle ampie gonne bianche e i piedi scalzi che porge loro, facendo un inchino, un foglietto scritto a mano.

Il regista prende il foglietto e legge: «Per il pernottamento, l'uso di due stanze a due letti: 400 dollari. Per la cena: 100 dollari. Per il trasporto in missione e ritorno alla macchina con l'accompagnamento di due aiutanti: 300 dollari. Grazie e buon viaggio!».

La Admirable scoppia a ridere. Seguita dal poeta-regista e dall'amico narratore. Peggio che se si fossero fermati in un albergo a cinque stelle! Il regista torna a leggere le cifre con gli occhi sgranati. E le ripete a voce alta. Il narratore dice che così si spiega quella meravigliosa Mercedes. La ragazza dagli occhi cilestrini tira fuori tutti i soldi che le sono rimasti e non sono tanti. Per fortuna c'è la cassa comune. Ci sono i traveler's cheques che hanno messo da parte per il resto del viaggio.

E il monsignore?

«Sta in preghiera e non vuole essere disturbato.»

Una mattina, mentre la ragazza dagli occhi cilestrini se ne sta seduta al tavolo di lavoro, arriva una telefonata da Parigi.

«Lo sai? l'Admirable è morta stanotte.»

Da anni non la sentiva. Dopo il film che aveva girato con il poeta-regista, e che non aveva avuto un grande successo, si erano perse di vista. Il poeta-regista andava spesso a Parigi a trovarla, ma lei aveva già cominciato a sospirare dietro a un altro innamorato. Che non si sarebbe mostrato molto migliore degli altri.

Poi improvvisamente e senza una ragione, era morto il poeta-regista. Un uomo ancora giovane: il piccolo corpo robusto, abituato alle corse, al gioco del pallone, alle cacce notturne, era stato trovato in riva al mare, col cuore scoppiato dalla pressione di una ruota di automobile e la faccia, le braccia e le gambe coperte di ferite e di sangue. Subito, il giovane che si era accompagnato col poeta-regista quella sera, aveva dichiarato di essere stato lui a ucciderlo. Ma com'è che non aveva neanche una goccia di sangue sul vestito nuovo? «C'era qualcun altro con te, dillo!» insistevano gli investigatori. Ma lui aveva sostenuto che era solo, che aveva fatto tutto da solo. E la polizia gli aveva creduto. D'altronde quando c'è un reo confesso, cosa si sta a cercare ancora? Il caso è risolto e buonanotte.

La ragazza dagli occhi cilestrini era stata così ferita da quella morte prematura e ingiusta che ancora non riusciva a riaversi. Ogni notte sognava di vederlo tornare. D'altronde anche la madre di lui si comportava come se fosse ancora vivo: «Sta in giardino a scrivere» le diceva quando la vedeva arrivare «vuoi che te lo chiamo?». E si affacciava alla porta finestra per avvertirlo. Ma poi si tirava indietro incassando la testolina sotto il guscio come una vecchia tartaruga. «È troppo occupato adesso. Aspetta, dimmi qualcosa del tuo teatro. Vedrai che fra poco rientra.»

Così la ragazza dagli occhi cilestrini si sedeva accanto alla vecchia maestra dalla faccia raggrinzita, gli occhi persi, e le raccontava del teatro che andava facendo in un quartiere di periferia.

Una notte aveva sognato che lui la chiamava. Le diceva: Sono tornato, eccomi qui: non sei contenta? E lei lo aveva abbracciato felice. Ma mentre lo stringeva a sé, aveva sentito il freddo delle ossa premere contro il petto.

La radio sta strillando la notizia della morte della Admirable. Tutto il mondo è in lutto. Trasmettono continuamente la sua voce sublime che si alza verso il cielo come una bandiera di dolore.

La ragazza dagli occhi cilestrini ripensa al loro viaggio in Africa, alla infantile gioia della diva di fronte agli elefanti, alla notte passata insieme nella piccola stanza della missione. Peccato non essere andata a trovarla a Parigi dopo la morte del poeta-regista. L'avrebbe ascoltata parlare d'amore e di gioielli. Più si sentiva maldestra nelle passioni che suscitava e che provava, più si avvolgeva di gioielli preziosi. Che però non avevano niente a che fare con quella cosa volgare e stupida che sono i soldi. Per lei un anello di brillanti era un oggetto magico con cui aprire delle porte segrete. Una collana era una catena con cui si imprigiona il tempo. Un braccialetto era una prova di fedeltà. Un paio di orecchini, il ricordo ciondolante delle ore che passano e che portano gloria e oblio.

Improvvisamente ricorda che una volta, quando il poeta-regista era ancora vivo, la Admirable le aveva mandato un libretto. Era una raccolta di poesie. Dentro aveva trovato la sua firma dai tratti grandi e decisi: "Alla ragazza dagli occhi cilestrini, una amica lontana".

Ora le sue mani si allungano sugli scaffali alla ricerca del libretto di poesie. Non ricorda nemmeno di chi fossero quei poemetti. Ricorda che erano stampati come piccoli fiori su una preziosa carta giapponese.

Ma eccolo. Per fortuna è rimasto intatto, nello scaffale della poesia, un poco impolverato ma ancora sano e fresco.

Lo apre e legge:
Ogni amore è fantasia
esso inventa l'anno, il giorno,
la sua ora e la sua melodia,
inventa l'amante e in più
l'amata. Nessuna prova
contro l'amore, che l'amata sia mai esistita.

In piccolo, la firma di un famoso poeta spagnolo, Antonio Machado.

In volo

Ada chiude la valigia, si guarda le scarpe chiedendosi se siano adatte per un viaggio in aereo. I piedi, in volo, si gonfiano. Ma sa che non se le toglierà come fanno molti, per infilarsi le pantofole di pezza distribuite dopo il decollo. Non le sembrano decorose. E poi ha sempre paura di trovare il pavimento del gabinetto bagnato e quelle pianelline leggere non rimarrebbero asciutte.

Il taxi è sotto che l'aspetta. Ingolla l'ultimo sorso di caffè e chiude la porta a chiave. La giornata è grigia, ci sono cumuli di nuvole cinerine che si aggrovigliano spinte da un vento impetuoso. L'aereo ballerà. Chissà se riuscirà a dormire.

È la prima volta che viaggia da sola, senza P. «Ho bisogno di un periodo di solitudine» ha detto lui stirando penosamente le labbra. In tredici anni non aveva mai provato un bisogno così impellente di solitudine. Ora invece, sotto Natale, ha scoperto improvvisamente che deve "stare solo". E se n'è andato a Cuba, "per riflettere".

Il volo per Toronto ha un'ora di ritardo. Ada gira per i negozi dell'aeroporto osservando oziosamente le boccette di profumo, le panciute bottiglie di vino, le stecche di sigarette. Improvvisamente si ferma sorridendo: ricorda un gesto di P. che tira giù un pacco di Emme-Esse da uno scaffale in alto, facendo ruzzolare una ventina di scatole, appoggiate in bilico l'una sull'altra. Ricorda la sua faccia spaventata. Avevano riso insieme. «Sono maldestro, vero?» aveva detto lui guardandola con gli occhi azzurri, chiari e luminosi.

Era maldestro? forse sì, pensa comprando distrattamente un rossetto color sangue. Quel rosso che piaceva tanto a P. Voleva che lei lo usasse sempre il rossetto, anche se poi glielo cancellava coi baci. Ada apre l'astuccio, ne osserva il colore brillante che fa pensare a una ferita aperta. Ma poi, passando accanto a un contenitore per i rifiuti, lo getta via con tutto l'involucro.

Finalmente in volo. Seduto accanto a lei c'è un uomo pallido, grasso, dai capelli radi che le sorride gentile. Le dita paffute pescano continuamente dentro un pacchetto di patatine fritte che tiene fra le gambe. «Ne vuole?» «No grazie.» Vorrebbe solo leggere in pace. Per fortuna ha trovato un posto vicino al finestrino. Detesta trovarsi chiusa fra due corpi sconosciuti. Una fila più avanti, un gruppo di napoletani ride a voce alta. È difficile concentrarsi. Ma, cocciutamente, ci prova.

Non ha letto nemmeno due pagine che un bambino biondo paffuto si intrufola fra i sedili trotterellando, le appoggia una manina sporca sul ginocchio e le dice qualcosa che non capisce. Ada lo osserva con sgomento: assomiglia moltissimo a P. quando era bambino. C'è una foto che lo raffigura proprio così: biondo, florido, gli occhi azzurri, spalancati che guardano verso l'adulto, invocando protezione. Ma c'è anche dell'arroganza in quello sguardo, come se quell'attenzione la pretendesse a tutti i costi. Il bambino ora le batte furiosamente la mano sul ginocchio e lei non sa che fare. Per fortuna arriva la madre, una bella ragazza dai tacchi alti, i blue jeans strappati e una maglietta corta che le lascia libera la pancia. Proprio sull'ombelico scintilla un cerchietto d'oro. La ragazza afferra bruscamente il bambino e se lo porta via senza neanche chiedere scusa.

Ada torna a cacciare il naso nel libro. Ma non riesce a leggere perché l'aereo si è messo a fare salti da canguro. Il suo sguardo va al finestrino. Fra un mucchio di nuvole bitorzolute intravede una mezza luna dai contorni incerti. Non è la luna di Conrad e delle isole del Pacifico di cui sta leggendo. I napoletani hanno smesso di ridere rumorosamente. C'è una tensione nell'aria che tiene tutti silenziosi e aggrappati ai braccioli. Ada lancia uno sguardo di sguincio al suo vicino che continua a mangiare patatine fritte con l'aria tranquilla.

Quando finalmente sbucano sopra le nuvole e l'aereo torna a volare quieto, una hostess dai capelli decolorati, stretti in una coda di cavallo, si china a posarle il vassoio della cena sul tavolinetto pieghevole. Ada è costretta a chiudere il libro. Davanti ha una vaschetta di plastica colma di lasagne bisunte, un piattino quadrato su cui giace una fettina di carne dal colore violaceo. Un dolce alla crema, bianco, segnato da una N di cioccolato. Non ha fame, non mangerà. Riprende il libro e lo apre dove aveva messo il segno.

Proprio in quel momento il vicino dai capelli radi le si rivolge con molta gentilezza, chiedendole se veramente non ha intenzione di mangiare la sua cena. No, risponde. E lui, sempre più umile e garbato, la prega di potere approfittare delle sue lasagne e del suo dolce. Ada lancia uno sguardo sul vassoio vuoto del vicino. La vaschetta delle lasagne è pulita come se fosse stata lavata col sapone. Non c'è più traccia del dolce bianco con la N di cioccolato in rilievo. Il bicchiere di vino rosso è stato bevuto fino all'ultima goccia. Fa un piccolo cenno di ammirazione per quell'appetito sorprendente e gli cede volentieri la sua cena. L'uomo prende a mangiare con voracità.

Ada apre il romanzo e ricomincia a leggere. Ma viene interrotta dal rumore sgradevole di qualcuno che vomita. Non è il vicino, ancora intento a divorare le lasagne, ma un ragazzino seduto due file più avanti. La madre gli tiene la fronte e lo rimprovera borbottando. L'odore acido la raggiunge, nauseabondo. Chiede alla hostess un bicchiere d'acqua. La donna dalla coda di cavallo fa cenno di sì con la testa, ma poi sparisce in mezzo ai sedili senza una parola. L'acqua non arriverà.

L'uomo accanto continua a mangiare tenendo gli auricolari incollati alle orecchie. La madre del ragazzino che ha vomitato, ora si alza per andare a gettare il sacchetto di carta. È una donna dalla faccia dolce e segnata.

Ada si volta verso il finestrino per guardare la luna: è nitida, tagliata a metà come uno spicchio di cedro candito, d'un bianco giallognolo, zuccherina e scintillante, spicca contro un cielo nero e gelato.

La hostess dalla coda di cavallo passa a ritirare i vassoi. Non dice una parola, non sorride. Sembra pensare ad altro, corrucciata, mentre le mani lavorano alacremente. Intanto il vicino grasso, dai capelli radi, fa slittare il sedile all'indietro, si benda gli occhi con una sciarpa scura e si mette in posizione di sonno. I suoi piedi senza scarpe tentano di puntellarsi contro il sedile di fronte. Porta i calzini a righe blu e grigie. Per terra, appallottolata, la busta vuota delle patatine fritte.

Le luci del soffitto si spengono. Dall'alto calano dei piccoli schermi su cui viene proiettato un film di guerra. Le tendine rigide vengono abbassate dalla mano brusca della hostess silenziosa. Addio luna! L'uomo grasso che occupa tutti e due i braccioli con due braccia più larghe che lunghe, già russa tenendo la bocca semiaperta. Ada aggiusta la piccola luce mobile sul libro e riprende a leggere. Il sonno è andato via del tutto. Come la fame. Ha solo sete, ma la hostess, a cui ha ripetuto la richiesta, ancora una volta ha annuito ma poi non è tornata. Sarà bene che si alzi e vada da sola a prendere l'acqua, si dice. Ma una pigrizia dolorosa la trattiene rattrappita nel suo seggiolino stretto accanto al finestrino. E poi, come superare il corpo ingombrante del vicino senza svegliarlo? Riapre il libro e legge di un'altra luna, su un altro cielo caldo e ventoso. Ma al posto del capitano della nave alla rada, vede la faccia sorridente di P. Ha i capelli lunghi sulle orecchie, biondi e lisci come se fossero stati intinti nell'olio. «Solo un poco di solitudine» dice mentre si siede a tavola in mezzo a una folla di amici «aspettami che torno, ti amo tanto.»

Ada si sveglia con un senso di oppressione sulle gambe. Il vicino ha appoggiato sbadatamente la sua borsa da viaggio addosso a lei nell'alzarsi per andare al gabinetto. Sullo schermo appaiono uomini che sparano. Un soldato salta per aria su una bomba. Altri corrono imbracciando mitragliatrici. Anche qui, in mezzo alle nuvole, la guerra pretende di catturare la sua attenzione. Supplichevole e pretenziosa come il bambino che batteva sul suo ginocchio. Abbassa gli occhi sul libro. Non vuole vedere, neanche se si tratta solo di una finzione, quei soldati giovanissimi che cadono come birilli nella sabbia rovente.

Il bambino che trotterellava nel corridoio, ora piange mentre la madre cerca di addormentarlo con degli schiocchi della lingua contro il palato, quasi fosse un carrettiere che cerca di tranquillizzare il suo mulo. Ada accende la luce e torna a riaprire il libro. Ma dopo poche pagine le palpebre calano leggere sulle pupille stanche. Di lontano vede il corpo del marito, agile e leggero che cammina festoso per le vie dell'Avana. Indossa una camicia dalle maniche corte, di una stoffa chiara, a grandi fiori rossi. «Il nostro matrimonio è solido» le dice dolcemente «ma ha bisogno di respirare.» C'è qualcosa di così feroce ed enigmatico in quelle braccia nude che sbucano dalla leggera camicia a fiori rossi che non riesce più a seguirlo.

Intanto la hostess ha riaperto gli scuri e la nuova giornata invade la carlinga con una luce accecante e polverosa. Lo sguardo va al finestrino, cercando tracce di quella luna che le ha tenuto compagnia durante la notte. Ma è sparita. Al suo posto appaiono dei dorsi giganteschi di nuvole rosate: montoni faraonici che si avviano galoppando leggeri verso lontani orizzonti.

La hostess le scuote una spalla. È l'ora del caffelatte. Vuole anche un dolce? Forse sì. Le è venuta fame. Mentre solleva lo schienale, le pare di capire il perché di quel viaggio solitario. Il biglietto, comprato a poco prezzo su Internet, la porterà a Toronto, dove non è mai stata e non troverà nessuno ad aspettarla. Ma forse scoverà il coraggio per tornare indietro, impacchettare i libri e cambiare casa.

ABRUZZO

Le tombe dei Sanniti

Mara si è addormentata sulle pagine di Plinio. La svegliano i barbagli della lampada a petrolio posata accanto alla testa. Solleva lo sguardo, per un momento persa: non ricorda più dove sta. Solo dopo qualche secondo capisce: è nella tenda del campo, con le carte militari delle montagne abruzzesi aperte davanti, il libro di Plinio posato sulle mappe. Erano ore che leggeva. La testa si era reclinata da sola e gli occhi si erano chiusi mentre le guance si appoggiavano sui polsi incrociati. In certi momenti la solitudine è così palpabile che la sente respirare accanto a sé come fosse una creatura indipendente.

"Ricominciamo!" si dice, paziente. La pazienza è una virtù che le appartiene, di questo non ha dubbi. Forse per questo ha scelto di fare l'antropologa. Ma non aveva messo in conto questi eremitaggi da monaco medievale. Sola in una tenda marrone e gialla, fra due picchi di montagne, con la neve che si ammucchia sul terreno, fasciandolo e ottundendo ogni rumore. Torneranno, sì, torneranno i compagni di studio ma non prima di sabato e c'è una intera settimana da passare, sola sulle carte, e sulle tombe appena scoperte, prima che arrivino.

Ricominciamo da Plinio e dalla descrizione del villaggio, con le sue capanne, i suoi muretti di pietra, i suoi costruttori di vasi, di frecce. Nel silenzio nevoso le pare di udire il canto di un gallo. E poi i passi di un soldato. E quelli di un bambino che insegue una capra ridendo. Una donna accovacciata sta accendendo il fuoco. La sente parlare, ma è un linguaggio che non conosce. Poi, ecco uno scalpiccio ritmato. Forse stanno portando un morto alla sepoltura nel cimitero ai margini delle case. Lì, fra quelle tombe rettangolari che i tecnici hanno scavato nei mesi scorsi le abitudini quotidiane del popolo preromano prendono corpo come piccole piacevoli allucinazioni diurne.

Ma oggi nevica, le tombe sono coperte da teli di plastica. Se ripensa al momento in cui hanno sollevato la prima lastra, le si asciuga la gola. Ai loro occhi stupiti erano apparse, dopo mesi di scavi, le ossa perfettamente conservate di un bambino. I denti ancora intatti, perfetti, il cranio leggero e spezzato a metà come un uovo da cui è scappato via il pulcino. Con che tenerezza e cura era stato deposto in quella bara di pietra, a un metro sotto il livello del suolo, e con che delicatezza era stato ricoperto con una lastra che lo aveva conservato sicuro e protetto per più di duemila anni.

Mara solleva la testa. Le pare di udire dei passi fuori dalla tenda. Si alza, scosta il lembo di tela marrone che fa da porta e si trova davanti il muso di un enorme cane pastore bianco. «Sei tu, Caronte?» Il cane scodinzola. È proprio lui. Viene a vedere se c'è qualcosa da mangiare. Da quando hanno messo la tenda, viene spesso a trovarla. Appartiene a un pastore che ogni tanto arriva insieme col cane, a curiosare. Lei gli offre un caffè. Lui si siede, composto, beve portandosi la tazza alle labbra con le due mani e le parla delle pecore che ormai non vengono più condotte in Puglia. Morta la transumanza, sono costrette d'inverno a pigiarsi dentro uno stazzo umido in cui cercano di tenersi calde ammucchiandosi le une sulle altre. «Non fanno quasi più latte» si lamenta il pastore bevendo a piccoli sorsi il caffè bollente. Qualche volta le porta in regalo una fetta di formaggio che lei trova troppo salato. Ma le piace ascoltarlo mentre racconta del padre, anche lui pastore, che partiva per le Puglie con mandrie di centinaia di pecore, un mulo per le masserizie. Durante il viaggio offrivano latte fresco e formaggi in cambio di pasta, vino e olio. Si portavano dietro anche un libro, che poteva essere la *Gerusalemme liberata* o la *Divina Commedia* e spesso ricavavano dalle loro pagine delle frasi da imparare a memoria.

Il freddo le sta ghiacciando i piedi, sebbene abbia acceso la stufa a gas. Sarà meglio uscire e fare un giro intorno per scaldarsi. Ma fuori tira vento e la neve si sta accatastando pericolosamente sui fianchi della tenda. Sarà il caso di andare in paese? ci vuole un'ora di cammino contro vento, in discesa e un'ora e un quarto per risalire.

Non ha molta voglia di andare. Ormai fa buio e la pila è piuttosto scarica. Ma l'idea di un cappuccino caldo l'attira.

In quella suona il cellulare.

«Mara, dove sei?»

«In questo momento fuori dalla tenda, sotto la neve. Pensavo di scendere in paese a prendere un cappuccino.»

«Come vanno gli studi sulle tombe dei Sanniti?»

«Vado avanti.»

«Sabato ti vengo a trovare. Porto gli sci?»

«Portali.»

«Non hai paura di stare sola lì in mezzo alle montagne?»

«No. Ogni tanto viene a trovarmi Caronte.»

«Chi è Caronte?»

«Un cane.» Lo sente ridere al di là del telefono.

«E tu pensi che da sposati potrai continuare a fare l'eremita in cima alle montagne?»

«Se il lavoro me lo richiede, sì.»

«Mi sa che non ti sposo affatto.»

«Allora cambiamo programma?»

«No, scherzo. Ti costringerò, con un figlio, a stare dentro casa. Io voglio fare l'amore ogni giorno, sei un mostro a farmi stare così, a digiuno per settimane.»

«Finché non avrò capito il segreto di queste tombe, non scenderò a valle.»

Lui tira un sospiro e commenta amaro: «Hai la testa di un mulo».

Mara sorride infilandosi il cellulare nella tasca interna della giacca a vento.

Le piace camminare giù per la collina, affondando i piedi nella neve. Deve attraversare un pezzo di bosco per raggiungere la strada, ma non ha paura. Piuttosto dovrà coprirsi la testa perché dai rami alti cascano dei fagotti di neve che si spiaccicano sui capelli. Si tira la sciarpa sulla testa e affretta il passo. Forse un poco di paura ce l'ha, anche se sa che è del tutto irrazionale. Gli orsi in questa stagione dell'anno sono in letargo. I lupi non attaccano gli uomini e poi se ne stanno nel fitto delle foreste più alte. Ma quelle tombe sannite, sebbene così pulite, con quelle ossa scarnificate, le hanno messo addosso un senso di inquietudine. Quasi che, da quelle sepolture, la stessero spiando. Di giorno è lei che osserva, rileva, descrive, fotografa, ma di sera, quando lo sguardo è costretto dentro il raggio della pila, migliaia di occhi ciechi, lontani, inghiottiti dal tempo, la seguono silenziosi e acutissimi, come se volessero capire senza capire, vedere senza vedere. È quello sguardo cieco che la allarma.

Un rumore improvviso alle spalle la fa sussultare. Si volta di scatto e alza la pila. È Caronte che l'ha seguita in silenzio. Mara gli fa una carezza sulla testa e lo vede scodinzolare. Un cane abituato a muoversi nella neve, bianco su bianco, con solo tre punti neri: il naso sempre umido e curioso, gli occhi rotondi e dolci, interrogativi.

Insieme scendono a valle tenendosi compagnia a vicenda.

Il piacere di leggere

"C'era una volta una vecchia, senza alcuno al mondo e povera..." Comincia così una favola abruzzese raccolta da Gennaro Finamore, pubblicata da Adelmo Polla.

Giorgia tiene il libretto fra le mani e legge. È il suo piacere segreto. Che nessuno mai potrà toglierle. Per cui è disposta a trascurare gli ospiti, il pranzo che a quest'ora è già preparato in tavola, perfino il suo lavoro di scrittura. Se non si nutrisse di parole altrui d'altronde come farebbe a scrivere di suo? L'energia di un corpo viene da una buona alimentazione. Così il suo, per funzionare, ha bisogno di cibarsi continuamente di storie e di libri.

"Viveva in una capanna ai margini del piccolo paese di Gioia dei Marsi, addosso ai boschi, sopra un dirupo" continua il racconto mentre il libro scivola sulle sue ginocchia.

Ogni giorno la donna dalla faccia rugosa di vecchia tartaruga esce a fare legna. E mentre torna alla sua casuccia di legno brontola fra sé: "Quanti pesi, anima mia, quanti pesi! non ce la faccio più a portare tutta questa legna. E se non lo faccio io come potrò cucinare? e come potrò scaldarmi?".

Lo sguardo le cade su una casa che si trova in basso nel paese distrutto dal terremoto. Strano, non c'è rimasto nessuno a Gioia, salvo lei e una guardia forestale che vive dall'altra parte del villaggio abbandonato. Fra le case crollate, di cui alcune pareti sono rimaste miracolosamente in piedi sono cresciuti i rovi, ci si nascondono le serpi e i rospi. Eppure da una delle abitazioni ancora in piedi, sebbene col tetto sfondato, esce un filo di fumo. Proprio curioso.

La "vecchia", come la chiama Finamore, si protende in avanti sulle rocce sporgenti per capire chi possa avere acceso quel fuoco la mattina di un marzo particolarmente freddo e umido.

Però ripensandoci, a Giorgia non piace chiamare un personaggio "la vecchia". Preferisce darle un nome. La chiamerà Colomba come la protagonista di un suo romanzo. Colombina detta 'Mbina che nel libro vive oggi e ha vent'anni mentre qui siamo in un'epoca misteriosa in cui vecchio è qualcuno che non è mai stato giovane, eterno come sono i vecchi delle favole.

Colomba ora si guarda intorno incuriosita, perché non vede nessuno in giro per il paese. Solo quel fumo inatteso che sale da un tetto fracassato.

Intanto continua a brontolare. Ha preso l'abitudine di parlare a voce alta da quando è rimasta sola dopo il terremoto del 1915. Perfino la guardia forestale che si chiama Gerardo lo sa e ogni tanto la saluta di lontano dicendo: «Comare Colomba, con chi state a parlare, col padreterno? quello non vi sta a sentire tanto siete brutta e vecchia!». E lei fa spallucce. Qualche volta si rivolge a una formica, a una cinciallegra, a un gatto selvatico. E loro le rispondono. Hanno vocine stente e sotterranee, ma lei le sente e non occorre essere un'aquila per distinguerle.

Giorgia osserva Colombina detta 'Mbina e la paragona a sua madre che ha più di novant'anni ma è sempre bella e dritta, non curva come le vecchine delle favole. Sul collo regge una gran testa ardita di capelli bianchi indomiti, gli occhi sono enormi, cerulei, e quando sorride lo fa con franchezza e infantile allegria. Anche lei ogni tanto parla da sola. È l'abitudine alla vita solitaria che porta a questo. Quante volte le ha detto: «Sono tutti morti: gli amici, i parenti, e ora sono lì che aspettano. Ma io non sono ancora pronta. Me ne andrò quando sarò pronta». E nel dirlo si aggiusta la collana di chicchi d'ambra che le ha portato recentemente dalla Polonia. Fa collezione di collane la sua mamma dalla testa leonina e gli occhi cerulei. «Mi piace toccare i chicchi di una collana» dice sorridendo maliziosa «un po' come fanno le beghine con i grani di un rosario. Solo che io non credo in Dio.» «Mamma, non ti sembra un poco esagerato essere atea alla tua età?» «Perché, secondo te i vecchi sono scemi?» «Tutte le tue amiche sono fervide credenti.» «E io no. Non perché l'idea di un Dio mi dispiaccia, ma ho un concetto diverso della divinità. Per me un Dio non può che essere amoroso e soccorrevole, sempre. Questo Dio che adorano loro è indifferente, crudele e anche qualche volta un poco ingiurioso.» «Don Chiacci dice che Dio è presente nella sua assenza. Non si può chiedere a Dio di occuparsi delle cose terrene. Altrimenti dove andrebbe a finire il libero arbitrio?» «Per me un Dio dovrebbe occuparsi dei malati, degli esclusi, degli umili, degli innocenti. E io questo Dio non lo vedo da nessuna parte.»

Così è sua madre, l'ardimentosa. Che ora è seduta accanto a lei su questi sassi del monte della Palomba che danno sulla valle lucida di pioggia. C'è un buon odore di foglie bruciate e aghi di pino che sale dai boschi che digradano verso valle. Proprio quell'odore che sente la vecchia Colomba annusando l'aria fresca di un marzo del 1920 in quel di Gioia dei Marsi.

La "vecchina" parla da sola, dice Finamore, e si rivolge spesso alla morte: «O morte, o morte, quando ti ricorderai di me? Sono vecchia, sola, non ho nessuno al mondo. Perfino il cane mi hai portato via. E sono costretta a trascinare fascine su e giù dal bosco. Perché non vieni a prendermi?».

La ripeteva tanto spesso questa invocazione che un giorno le si presentò davanti la Morte in persona.

«Allora, Colomba, andiamo!» le disse con voce gentile.

«E dove?»

«Ma come, mi hai chiamato tante volte. Ora sono qua e tu mi chiedi dove andiamo?»

«Dove vorresti portarmi?»

«Be', dove stanno gli altri morti.»

«E dove stanno gli altri morti?» chiede Colomba prendendo tempo.

«Non fare tante domande e seguimi» risponde sbrigativa la Morte.

«Ma io non ti ho mica chiamata per andare dagli altri morti» dice Colomba con voce ferma. «Non sono pronta.»

«E allora perché mi hai invocata tante volte?»

«Ti ho chiamata perché mi aiutassi a portare queste fascine.»

«Ho capito. Non vuoi venire. Va bene, tornerò quando mi chiamerai sul serio.»

E la Morte se ne andò a grandi passi.

Colomba si sedette su una roccia e sorrise a se stessa. Com'era stata brava a cacciarla quella malandrina. Eppure eri proprio tu a chiamarla, si dice per onestà verso se stessa. Eh quante storie per qualche parola! da quando in qua si prende per oro colato ogni parola detta in un momento di fatica?

Giorgia vede Colomba scendere piano piano verso il paese seguendo il sentiero pietroso che si snoda fra i faggi. C'è da prendere l'acqua per la zuppa, e vedere se la guardia forestale ha un fiammifero da darle per accendere la stufa. Ma è anche spinta dalla curiosità di sapere da dove viene quel fumo che sale dalla casa diroccata.

Lentamente si avvia fra le stradine disselciate, e arriva davanti alla casa dal tetto sfondato. Dentro, fra le mura sbriciolate vede un pastore anziano, con una lunga barba bianca, che si accinge a rinvigorire il fuoco con qualche ciocco di legna secca.

«E tu chi sei?» chiede Colomba all'uomo che ha tutta l'aria di un pellegrino stanco di camminare. I suoi piedi sono chiusi dentro scarpe sformate e logore, incrostate di fango.

L'uomo solleva la testa e la guarda con un sorriso gentile.

«Non ti dice niente il cuore?» le chiede con tono affettuoso.

«Veramente no. Sei uno di quelli scampati al terremoto che torna a cercare la sua casa?»

«No.»

«Sei venuto dalle Americhe, dove dicono che si trovano le monete d'oro sui marciapiedi?»

«No» risponde l'uomo e la guarda con un sorriso che a lei sembra di avere già visto, ma dove?

«Da dove vieni?» insiste Colomba.

L'uomo fa un gesto per aria come a indicare il cielo.

E se fosse quel Dio di cui tutti parlano? si chiede Colomba, contenta che si sia fermato proprio qui, in un paesino distrutto dal terremoto da dove tutti sono scappati.

«Sei venuto dal cielo? E a fare che?»

«A parlare con te.»

«Con me?»

«Con te, vecchia incredula e presuntuosa.»

«Mi sa che hai sbagliato indirizzo.»

«Non sei quella che non crede in Dio, perché lo ritiene poco amoroso e poco caritatevole?»

«Sì sono io. Come faccio a fidarmi di un Dio che ha fatto tutto questo danno? Ti sei guardato intorno? Sono morti tutti, in un quarto d'ora. Primi fra tutti i bambini. Che colpa avevano? Perché li hai voluti punire? di che? quelli che sono rimasti sotto le macerie hanno sofferto, hanno avuto paura, freddo, terrore. E molti sono morti di fame e di dolore. Un Dio amorevole come può permettere tutto questo?»

«Tu che ne sai?»

«Io ero qui, io. Ho visto la mia casa crollare. Sotto le macerie sono rimasti mio marito e i miei due figli. Sei tu che non c'eri.»

«Io ci sono sempre, sappilo. Ci sono sempre e ovunque su questa stupida terra.»

«Stupida quanto vuoi. Ma l'hai costruita tu.»

«Vedi che credi in Dio. Sii coerente e pregalo, perché lui ti può aiutare. Gli uomini hanno bisogno di Dio. E Dio degli uomini.»

La vecchia Colomba lo guarda bene. È un uomo magro, dalle mani grandi e le dita sudicie. Sembra più vecchio di lei. Quanti anni potrà avere? Eppure in questo vecchio pastore c'è qualcosa di vasto e profondo, come un pensiero di cui non vedi il fondo. Che sia veramente Dio? O forse un angelo mandato dal cielo a farle cambiare idea. Ma perché Dio, che è il signore del mondo, dovrebbe occuparsi di lei, piccola creatura insignificante che vive sola ai margini di un paesino distrutto dal terremoto e abbandonato?

«Sei un angelo?» gli chiede pensosa.

«Che importa? Per credere ci vuole umiltà.»

«Sei umile tu?»

«Che donna arrogante!» sbotta lui soffiando sul fuoco. E poi, più conciliante: «Vuoi del vino caldo?» dice porgendole un bicchiere di legno colmo di un liquido fumante che manda un delizioso profumo di spezie.

«Beviamo al futuro?» suggerisce lei ironica portando alle labbra il vino caldo.

Ma proprio mentre ingolla il primo sorso e chiude le palpebre per godere di quel vino profumato, sente un leggero frullio di ali. Apre gli occhi e si trova davanti un fuoco spento. Dell'uomo dalle scarpe infangate non c'è più traccia. Che abbia sognato?

Giorgia chiude gli occhi e le pare di sentire sulla lingua il sapore del vino speziato. Cosa ne sarà di Colomba dal collo rugoso, sola su quelle montagne, davanti a un fuoco spento?

Non lo saprà mai. Le favole sono misteriose. Suggeriscono più che dire. Usano il linguaggio arcano dei sogni e delle profezie.

Ora dovrà chiudere il libro e scendere a passo rapido verso casa dove gli ospiti l'aspettano per il pasto in comune. Dove l'aspetta il suo cane fulvo. L'aspetta il suo computer dai misteriosi linguaggi tecnologici. L'aspetta una storia da raccontare ai lettori.

La bambina e il terremoto

Gioia dei Marsi. La scrittrice tiene in mano una fotografia sbiadita. Vi si vede una bambina dai capelli chiari che cammina sui binari del treno con le braccia sollevate. Porta un paio di calzettoni scuri arrotolati sulle caviglie, un paio di scarpe da uomo grosse e bucate, senza lacci che le stanno evidentemente larghe. Intorno a lei si distinguono le macerie di una casa distrutta dal terremoto.

«Che fai?» chiede la scrittrice alla bambina che le ricorda vagamente se stessa piccola.

La bambina non risponde. Continua a camminare su quei binari, a occhi chiusi, le mani tese in avanti.

«E se arriva il treno?»

La bambina fa un saltello. Una delle scarpe sembra sgusciarle via, e lei sta per perdere l'equilibrio cadendo in avanti, ma poi si riprende e continua a camminare.

«Sei sorda?»

La bambina scuote leggermente la testa. Quindi è in grado di sentirla.

«Dov'è la tua mamma?»

La bambina indica col piede una cartolina che giace per terra. La scrittrice la raccoglie: è il ritratto di una donna elegante, snella, chiusa in un vestito nero. Da come cammina sicura su quel terreno accidentato, da come stringe al petto un quaderno e due libri, si capisce che si tratta di una maestra. Curioso, ai piedi tiene un paio di scarpe proprio uguali a quelle che indossa nell'altra foto la bambina.

«Dormivo» comincia la donna con una voce grassa e roca che contraddice la sua figura delicata e farfallina. «Tutti dormivano. Il terremoto non si annuncia, càpita, arriva, ti prende sul collo, così come è successo a me... nel giro di cinque secondi mi sono caduti addosso tutti i travi del tetto, sono rimasta prigioniera... bussavo, chiamavo Giovanni, ma nessuno mi sentiva... non sapevo quanta parte della casa era crollata, le case allora erano senza fondamenta, così le costruivano i pastori... un pastore poi se ne fa poco di una casa, è sempre in giro... infatti lui se ne stava in Puglia mentre noi morivamo quassù fra le rocce... chiamavo mia figlia che dormiva nella stanza accanto, non sapevo se fosse morta o viva... piangevo e mi portavo le mani sulla faccia ma poi le ritiravo impiastricciate di gesso... ero coperta di gesso dalla testa ai piedi come una statua in costruzione... gesso asciutto, gesso in polvere che si infilava negli occhi, nei polmoni... meglio non piangere mi dicevo, le lacrime diventavano subito fanghiglia e bruciavano le guance, ma uscivano da sole e poi cadevano, come pallottole bianche sulle mani, sulla gonna. Avevo lo spazio per allungare le gambe, le ho allungate... sentivo dei gridi da lontano... dei gridi soffocati, come al di là di una montagna di calcinacci... piano piano nel buio ho distinto qualcosa: c'era una mano sola, marmorea, vicino al mio piede... ma non ne ero sicura... come era possibile una mano di donna, bianca e chiusa? un pugno pieno di gesso... ma era senza braccio... ho provato a spostarla con un piede... era proprio una mano... improvvisamente si è aperta come un fiore e il gesso è caduto fuori a rivoletti... le dita si sono mosse come se volesse salutarmi. Era una mano staccata dal corpo e chiedeva aiuto. Mi sono accorta che tremavo dalla testa ai piedi... sentivo il battito dei miei denti che prima mi era sembrato il tamburreggiare della pioggia sul tetto... ma no, erano i miei denti, l'ho capito dopo... intanto pensavo a chi poteva appartenere quella mano... ho provato a calciarla, ma tornava sempre indietro, il pavimento era inclinato come un tetto... e io ero lì chiusa, incastrata in una nicchia, sotto una trave gigantesca spezzata in due, in trappola fra due angoli di parete da cui continuava a sfarinarsi quel gesso... mi troveranno, dicevo, mi troveranno... ora cominceranno a scavare e mi troveranno... perciò gridavo i nomi dei vicini: Mario! Gerardo! Concettina! Domenica! ma non rispondeva nessuno, sentivo gli urli delle sirene, sentivo dei cani abbaiare... e quella mano che, pur essendo morta, mi voleva dire qualcosa... per questo ogni tanto muoveva un dito indicandomi il buio, al di là dei grovigli di ferri e di tavole e di calcinacci.

«Sono passati giorni e giorni, non so dire quanti... poi mi hanno detto che erano solo quattro... ma a me sono sembrati quaranta... non sapevo quando cominciava la notte e quando il giorno... capivo che calava la sera dal silenzio che penetrava tra quelle travi spezzate... la mattina invece sentivo dei motori al di là delle macerie... un pomeriggio, credo fosse un pomeriggio, ho avvertito un gran tramestio, e tutto il mio angolo si è mosso: il pavimento ha cominciato a scivolare verso il basso, la mano è rotolata giù ma non ha smesso di segnalare con un dito alzato il buio della casa distrutta. Ho pensato che sarei finita schiacciata e addio vita... con l'ultimo sforzo della disperazione mi sono aggrappata a un palo e ho cominciato a gridare con quanta voce avevo in gola... ma avevo poca voce, la gola era secca, piena di polvere e avevo già chiamato tanto.

«Credo di essere morta. Poi mi sono ritrovata in vita, ma non riuscivo ad aprire gli occhi... qualcuno mi tirava per i piedi... dal movimento e dal rumore ho capito che ero su un carretto che procedeva con un forte rumore delle ruote sui detriti... accanto avevo solo cadaveri... mi credono morta, ho pensato, mi portano a seppellire e ho alzato un braccio per fare vedere che ero ancora viva, ma il braccio non mi ha obbedito... e la cosa più incredibile è che ho scorto la mano, la mano bianca della donna che indicava il buio, che si sollevava dai corpi morti e volava via, come se fosse una grande farfalla bianca... cosa voleva dirmi? che stavamo andando proprio lì dove forse ci aspettava un Dio crudele che aveva voluto punire gli uomini di essere uomini?»

La scrittrice apre gli occhi nel letto che sembra tremare. Ha ancora nelle orecchie la voce di... ma come si sarà chiamata la madre della piccola, la maestra dalla vita sottile come una vespa e le scarpe chiodate? E Giovanni chi è? il padre della bambina?

Le mani vanno alle fotografie che ha trovato dentro il cassetto di una vecchia scrivania. Sì, c'è una fotografia di un uomo che potrebbe essere Giovanni. Un pastore, alto e bruno, avvolto in un gran mantello nero. E in testa porta un cappello dalle falde larghe. Vicino a lui un gregge di pecore. Ma sono dipinte. Il fotografo l'ha ritratto dentro lo studio, ha voluto però immortalarlo in mezzo alle pecore. Più che un pastore sembra un bandito con quel cappellaccio in testa e quel mantello che nasconde del tutto il giovane corpo.

E la bambina?

La bambina continua a camminare sui binari, in silenzio. È assorta in pensieri segreti e misteriosi.

La scrittrice fa per deporre le fotografie nel fondo del cassetto. Cosa le può importare di questa famiglia sconosciuta e morta ormai da quasi un secolo?

Ma le sue dita continuano a stringere quei quadratini di carta e la sua mente insiste a porre domande a cui non trova risposte.

Cosa ne è stato della bambina? E cosa della madre?

Osservando meglio le immagini, ne mette a fuoco una che non aveva notato prima. Ritrae una scena di matrimonio. Si vede una giovane che assomiglia molto alla bambina dei binari e un uomo dalla faccia baffuta, e il cipiglio fiero. Be', probabilmente la bambina è cresciuta e si è sposata. Tutto qui. Ma pure c'è qualcosa che non torna. In un'altra fotografia che si trova proprio sotto quella del matrimonio si vede una bimba stesa su un catafalco. E guardandola meglio si capisce che si tratta della stessa che cammina sulle rotaie. Ha la faccia bianca come la carta e la testa e le braccia fasciate. Una piccola mummia irrigidita, di cui si distingue solo il viso immobile e sereno. Non c'è dubbio che sia lei. Quindi è morta sotto le macerie del terremoto.

E la madre? La foto del matrimonio riguarda lei e Giovanni. Ma accanto c'è un'altra foto della stessa sposa con uno sposo diverso. La scrittrice aveva creduto che fosse una copia della prima. E invece, osservando bene, si accorge che l'uomo è un altro. Nel giorno delle nozze il secondo marito appare come un povero giovanotto uscito dal seminario. La testa lunga, due basette virgolettate, un paio di baffetti appena visibili, gli occhiali da miope. Quanti mariti ha avuto questa giovane maestra di paese?

Piano piano la scrittrice si accorge di essere entrata nella storia. La sua curiosità di narratrice l'ha portata in mezzo a una vicenda che, sebbene difficile da ricostruire, o forse proprio perché difficile da ricostruire, la stimola a farlo.

Sgombra il grande tavolo da lavoro coperto di carte. Allinea le fotografie una per una sul largo ripiano di legno. Ecco Giovanni. Ma accanto, in evidenza, l'altra foto con un diverso sposo. Da quello che dicono le foto si potrebbe arguire che la giovane maestra dalla vita di vespa si sia sposata una prima volta, magari a sedici anni – nella foto appare giovanissima, tanto è vero che l'aveva scambiata per la figlia, quella che cammina sui binari. Si assomigliano molto madre e figlia, ma la ragazzina non può avere più di dodici anni, mentre la madre potrebbe averne sedici o diciassette.

Scrutando quelle cartoline, davanti e dietro, scopre una

didascalia che non aveva notato: Nestore e Addolorata oggi sposi. E una data quasi illeggibile, che riesce a stento a decifrare: ott... 19... Ecco, può darsi che il primo marito sia partito soldato e sia morto in guerra. Giovanni muore e Addolorata si sposa con Nestore. Allora non era pensabile, per quanto lei fosse emancipata, che lasciasse il marito e si mettesse a vivere con un altro. Anna Karenina e Madame Bovary insegnano cosa succedeva alle adultere. E l'Abruzzo dei primi dei Novecento non era molto diverso dalla Francia dell'Ottocento.

Ma ecco qua, un'altra piccolissima fotografia che mostra un giovane in uniforme. Non ha né le basette né i baffi ma potrebbe averli tagliati. Ha comunque lo sguardo un poco trasecolato e muto del giovane ritratto durante la cerimonia di nozze. Non può essere che Giovanni, ed è andato soldato. Non è certo che sia morto. Ma lo si può dedurre dai fatti.

La fotografia dei due con tanto di dedica di Nestore "alla mia amata Ratina" che poi sarebbe il diminutivo di Addolorata, Addoloratina sembra decisamente posteriore. Lo si capisce dalla capigliatura di Addolorata. Che fra l'altro, per quanto conservi il vitino da vespa, appare più matura, con un seno più evidente e le guance più rotondette. Non ha più sedici anni come nel ritratto del primo matrimonio. Il lutto allora per una sposa era rigoroso. Difficile sposarsi prima di un ragionevole passaggio di tempo.

Quindi Addolorata, la giovane maestra del piccolo centro montano di Gioia dei Marsi, si è sposata una prima volta con Giovanni e una seconda volta con Nestore. Non è bello il secondo marito, ma ha uno sguardo dolce e gentile.

Chissà cosa è successo in quegli anni tra un matrimonio e l'altro. La giovanissima Addolorata è rimasta vedova. Senza figli? Se la bambina della foto è morta sotto il terremoto, e aveva dodici anni, doveva essere figlia del primo marito e non del secondo.

Piano piano il quadro si compone. E la scrittrice si prepara a scrivere la storia di questa famiglia toccata dolorosamente dai lutti della prima guerra mondiale e del terremoto del 1915.

Ma cosa è successo dopo la morte della figlia? Hanno continuato a vivere in pace Addolorata e Nestore?

Un'altra fotografia viene ad aiutarla. In uno scatto grande quanto un francobollo, in bianco e nero si può vedere Addolorata: uno strano cappello le nasconde in parte il viso e sorride al fotografo. Guardando bene si capisce che non si tratta dell'Abruzzo e neanche dell'Italia. Sullo sfondo si intravedono due grattacieli e l'insegna di un negozio: *Bread and...* Quindi siamo in un paese di lingua inglese. Gli Stati Uniti? Probabilmente, anzi quasi sicuramente sì, perché la scrittrice sa di una grande comunità di abruzzesi emigrata nel 1915, in seguito alle distruzioni del terremoto. Sono approdati con la nave a Boston e sono rimasti da quelle parti nel Nord America.

Una volta è stata invitata dalla comunità. Ricorda una certa Caterina dagli occhi scintillanti. Piccola e muscolosa, raccontava dei parenti scappati dall'Abruzzo dopo avere perso la casa, gli animali e tutti gli strumenti per il lavoro. Si erano trovati in miseria, senza mezzi di sostentamento e avevano deciso di partire. Con le pecore non si scialava ma avevano di che costruirsi la casa e di che mangiare tutti i giorni vendendo la lana e il latte. Facevano anche delle caciotte buonissime che portavano al mercatino del paese. Ma dopo il terremoto ogni vendita era stata interrotta. Le pecore erano tutte morte e con che cosa campavano? Allora non c'era il turismo, la povertà mordeva, la fame uccideva. Avevano saputo che a Boston c'erano delle famiglie abruzzesi che aiutavano chi arrivava ed era disposto a lavorare sodo e sono partiti.

Caterina potrebbe essere una nipote di Addolorata che potrebbe avere avuto altri figli dal terzo marito. Ma che ne è di Nestore? Possiamo arguire che non ha voluto partire per Boston? Che i due si sono separati? E la bambina? Ma come si chiamava la bambina dei binari morta sotto le macerie? questo non c'è scritto da nessuna parte. I bambini sono spesso senza nome. Ehi bambina! come ti chiami? La risposta è un mugolio incomprensibile. Forse non lo sa nemmeno lei. La scrittrice ha visto delle tombe nel cimitero improvvisato dopo l'orribile terremoto del 1915 che in una notte ha fatto più di 33.000 morti, in cui erano segnati i nomi dei genitori ma non dei figli. «Sono angeli, gli angeli non hanno nome» dice infilandosi fra quelle immagini la giovane maestra.

Ma Addolorata che invece è partita per Boston, dopo avere perso la figlia nel terremoto e avere visto la scuola in macerie e il paese completamente distrutto, cosa ha fatto? Si è risposata? Ha avuto altri figli? Le comunità, soprattutto all'estero, tendevano a incoraggiare il matrimonio, per rinforzare l'etnia che era minacciata da altre etnie più numerose e aggressive.

Immaginiamo che Addolorata si sia sposata. Avrà avuto altri figli? Probabilmente sì: era difficile immaginare un matrimonio senza figli... e lei era ancora molto giovane. Anche se aveva lasciato in Italia un marito, la comunità incoraggiava la maternità, anche se le carte non erano del tutto in regola. L'Italia era così lontana e gli amori così importanti per la continuità della specie.

Strano che fra le foto non ce ne sia una della nuova famiglia di Addolorata. A meno che questa... la scrittrice stringe fra le dita il ritratto di una ragazza dalla lunga coda di cavallo e il sorriso un poco flou come usava al tempo di Ingrid Bergman. Lo sfondo è un college americano, con le sue costruzioni anni Trenta, i suoi prati percorsi dagli scoiattoli, le sue automobili del dopoguerra. Sì, potrebbe essere una nipote di Addolorata, quella nata a Boston e cresciuta fuori città in una piccola villetta come quella di Caterina, nel quartiere di prevalenza italiano dove ancora i ristoranti, le chiese sono gestiti da emigrati abruzzesi.

Immaginiamo che si chiami Ingrid. Molte giovani madri erano affascinate dalla figura della meravigliosa attrice che ha incantato il mondo. E hanno dato alle figlie il suo nome. Nome di cui si sarebbero pentite qualche anno dopo, quando hanno appreso dalle riviste di pettegolezzi che la bellissima e fedele Ingrid si era perdutamente innamorata di un regista italiano dalla moralità poco raccomandabile, che dopo avere fatto dei figli con lei l'avrebbe lasciata per un'altra moglie, per giunta indiana.

Sì, è molto probabile che questa giovane studentessa dalla lunga coda di cavallo, dal sorriso luminoso si chiamasse Ingrid come Ingrid Bergman, che fosse nata nella villetta di Boston dove abitavano i suoi genitori: la giovane maestra Addolorata scampata al terremoto dopo essere rimasta sepolta nella sua casa, sotto una trave, per quattro giorni e un giovane figlio di emigrati incontrato a Boston, che magari lavorava nella scuola italiana dove lei insegnava la lingua del suo paese. Probabile anche se non certo.

Ingrid ha la faccia candida e generosa di una ragazzina cresciuta al riparo dai dolori del mondo. Qualche volta ha dovuto nascondere la sua origine italiana, perché gli italiani hanno avuto per lungo tempo la fama di persone rozze, facili di coltello e intolleranti di ogni legge. Ma ora le cose sono cambiate e lei, sebbene conosca solo qualche parola di italiano anzi di dialetto del suo paese, Gioia dei Marsi, vuole imparare meglio la lingua madre.

Per questo si è iscritta alla scuola estiva di italiano, nella Università di Middlebury nel Vermont. Dove si è incontrata con la scrittrice venuta da Roma per raccontare i segreti della cultura italiana.

Le serpi di monte Marsicano

Giorgia si inoltra con il cane lungo il torrentello che scende dal monte Marsicano. In una mano stringe un bastone leggero che ha raccolto per terra sotto un faggio. Camminando, le hanno insegnato, bisogna sempre battere il terreno con la punta di un bastone. Perché le serpi sentono le vibrazioni e scappano. «Le serpi sono creature timide» ascolta la voce ragionevole dell'amico P. sfuggito a tutte le serpi del mondo e morto giovane per una malattia velenosa non uscita dalla lingua biforcuta di un rettile ma trasmessa da una minorenne dedita all'eroina.

Non c'è mai nessuno da questa parte. I turisti vanno tutti a Val Fondillo, che in effetti è una valle bellissima solcata dal Sangro o da un affluente del Sangro non sa dirlo con sicurezza. Qui, sotto Opi, la strada che porta al monte Marsicano è molto più difficoltosa: bisogna infilarsi fra radici gigantesche che escono dal terreno creando alte groppe diseguali, buche improvvise, grovigli di tralci in cui il piede può rimanere intrappolato. Ci sono pendii ripidi e scivolosi da superare, letti di torrenti coperti di pietre da attraversare, sentieri invasi da cespugli spinosi da percorrere. I piedi si muovono lenti fra erbe alte e taglienti, rami che sporgono, piantine di cardo che pungono le gambe. Ogni tanto la scarpa affonda in un enorme escremento di vacca, sollevando un polverone di pulci di campagna e di mosche. Vicino al torrente, invece, si possono incontrare centinaia di farfalline azzurre che volano insieme formando una nuvola sulfurea e iridescente e non hanno paura di niente. Ci passi in mezzo e loro si scostano un poco per tornare a frullare subito dopo in una danza allegra e incosciente. Alzando la testa si può vedere il dorso tondeggiante del monte Marsicano, uno dei più alti della zona, ben 2242 metri.

Giorgia si siede su un grosso sasso coperto di licheni e tira fuori dallo zainetto un piccolo libro. "Da Marso figlio di Circe ebbero i Marsi il nome" scrive Gennaro Finamore, grande osservatore e studioso della storia abruzzese. "I Marsi avevano l'arte de' venefici nonché quella di incantare serpenti." Ne ha parlato perfino Plinio specificando: "Con la propria saliva ne medicavano le morsicature e co' loro incantesimi li facevano crepare". Non si capisce se facessero crepare i serpenti o i nemici. Certo i Marsi avevano la fama di essere "ciarmatori", ovvero incantatori di serpenti. "Erano coloro che maneggiavano i serpi, toglievano a questi il veleno e vendevano antidoti."

Quindi una specie di dottori primitivi che curavano con il veleno dei serpenti. Ma da dove gli derivava questa arte? La leggenda vuole che la prima a praticare questa antichissima tecnica fosse Circe che l'insegnò ai suoi figli, fra cui Marso. Ma non li aveva fatti con Ulisse i suoi tre figli? Da nessuna parte c'è scritto che uno dei figli di Circe si chiamasse Marso. Eppure molte voci, anche di archeologi famosi, riportano la presenza della maga in questi luoghi. Non si dice con chi si sia accoppiata ma si dà come certa la nascita di un figlio chiamato Marso, da cui deriverebbe il popolo dei Marsi, che ha dato il suo nome anche a una parte importante della regione Abruzzo e alla più maestosa montagna degli Appennini chiamata appunto monte Marsicano.

Una sensazione strana di essere osservata le fa sollevare la testa. Di lontano, nel fitto del bosco due occhi la stanno scrutando, lucidi e curiosi. Non appartiene a un uomo ma a un animale quello sguardo diffidente ma anche candido come la luna. Ma quale animale? Giorgia vede gli occhi scintillare nell'ombra ma non ne distingue il corpo.

Prova a stare immobile per non spaventare la bestia. E aspetta, un minuto, due minuti, cinque minuti. Infine la sua pazienza viene premiata. L'animale, tranquillizzato, piano piano esce dall'ombra degli alberi e si mostra in tutta la sua bellezza.

L'aveva immaginato dalla leggerezza dei passi e dalla delicatezza dei movimenti. Si tratta di un gigantesco cervo dalle corna ramificate. Il muso morbido, delicato, come quello di una gazzella, le spalle larghe, possenti, in contrasto con le zampe che sono alte e magre come quelle dei cavalli.

I due si guardano a lungo: il cervo da una parte, inquieto, incuriosito, muto, Giorgia dall'altra, trepidante, volontariamente immobile, eccitata dalla visione.

Una forza magnetica trasporta la donna col bastone antiserpi e il cane in un mondo lontano e fiabesco, in cui le foreste erano nere e impenetrabili, abitate da creature fantastiche, piene di pericoli fatali, ma nello stesso tempo promettevano seduzioni e sorprese. Le tenebrose selve in cui a stento filtravano i raggi di luce, ogni tanto si aprono miracolosamente formando una "valletta amena" come dice Ariosto, sui cui prati smeraldini si possono incontrare unicorni dal pelo candido, dromedari che cercano il loro deserto, fate travestite da guerriere. Accostando l'orecchio a terra, ancora oggi si può sentire il lontano scalpiccio degli zoccoli di un cavallo, forse di due cavalli, o addirittura di tre cavalli. Saranno i paladini di Carlo Magno? saranno i saraceni con le loro spade istoriate? saranno i draghi ingordi che ogni anno chiedono in dono una vergine da divorare?

Ma ecco che improvvisamente il bellissimo cervo dalle corna ramificate si volta e si allontana senza fare rumore.

Con quelle corna legnose e pesanti e con quel corpo possente non fa scricchiolare le foglie più di quanto faccia lei con le scarpe da montagna. Nella sua mania di dare corpo alle parole scritte, Giorgia si chiede se quella visione sia più o meno vera delle immagini che le si compongono nella testa mentre legge.

Circe, ora lo ricorda, era figlia del dio Sole e della ninfa Perse. Quindi era sorella o sorellastra di Medea, perché anche lei era figlia del Sole. Dove ha letto che la parola Circe viene da Circolo, cerchio, e che Circe era, prima della interpretazione riduttiva e spregiativa datale dai misogini greci, una potentissima dea appartenente alle più remote civiltà? Forse in Robert Graves, il solo studioso dell'antichità capace di una visione non androcentrica. Sì, nella mitologia arcaica Circe rappresentava i cicli della natura, camminava attorniata da leoni e lupi e orsi. Aveva il piede leggero, la mano robusta, abituata a stringere frecce alate ed era capace di farsi ubbidire con un tocco della sua dolcissima voce, sia dall'umile topo che dal magnifico leone.

Per costringerla al silenzio e renderla impotente i Greci hanno dovuto trasformare le sue magie in orribili imprese malefiche. Chi non ricorda la storia di Ulisse e dei suoi marinai che approdano sulla costa del Circeo, vicino a Latina? Omero racconta che il grande navigatore acheo mandò avanti i suoi soldati che furono ricevuti da una bellissima donna in una dimora tutta foderata di pietre preziose. Lì entrarono, si sedettero a una tavola imbandita dove furono servite appetitose vivande: capretti arrostiti sul fuoco, maiali imbottiti di castagne, caciotte morbide e dolci e un vino frizzante mescolato col miele. I soldati mangiarono e bevvero senza pensieri, non sapendo che quel vino era drogato.

Poco dopo i commensali cominciarono a grugnire e a gettarsi a quattro zampe. In pochi minuti si erano trasformati in porci. Il solo che non era entrato nella reggia di

Circe, Euriloco, tornò al battello e raccontò a Ulisse come erano finiti i suoi marinai. Ulisse volle salvarli. E per questo tornò alla villa fatata, si fece invitare a cena da Circe fingendo di non sapere niente sulla fine dei suoi compagni, sebbene si stupisse dei tanti cinghiali e maiali che razzolavano per il giardino e di come, invece di stare alla larga, si accostassero ai suoi calzari e pretendessero di fargli le feste, come avrebbero fatto dei cani.

Circe diede da mangiare e da bere anche a Ulisse, ma lui, ingegnoso, mescolò il vino con una polvere magica chiamata Moly che consisteva in un fiore bianco pestato assieme a una radice nera delle montagne. La maga Circe, quando vide che il giovane e biondo ospite non prendeva a grugnire come gli altri marinai, capì che era sfuggito al suo incantesimo e, come racconta Omero, si inginocchiò davanti all'eroe viaggiatore e lo pregò di non ucciderla.

Il lettore greco doveva godere dell'umiliazione di una donna così potente, memoria di un passato a misura di donna, davanti al più furbo e più intelligente dei suoi eroi, che introduceva il principio della sovranità maschile. Che soddisfazione assistere alla genuflessione della grande dea, figlia del Sole, simbolo di antiche libertà femminili, di fronte al giovane, intelligente, scaltro e modernissimo Ulisse per supplicarlo di risparmiarla.

Ulisse acconsentì, racconta Omero, perché non era un sanguinario, ma prima pretese che tutti i suoi marinai fossero riportati alle loro fattezze umane. Così fece Circe. E dopo avere rovesciato l'incantesimo non poté fare a meno di invitare nel suo letto il lungimirante Ulisse, non si sa se per ingraziarselo o per premiarlo della sua strategia vincente. Da questa unione nacquero tre figli: Agrio, Latino e Telegonio. Il che la dice lunga sul concetto di lealtà coniugale che avevano i Greci: Ulisse non solo si invaghisce di donne diverse sparse per il mondo mentre viaggia verso la casa dove lo aspetta sua moglie, ma genera figli che poi abbandonerà a una madre inconsolabile e solitaria. Mentre a Itaca Penelope disfa di notte quello che fa di giorno per ingannare i Proci e non intaccare la sua fedeltà coniugale.

Giorgia viene disturbata nei suoi pensieri da un leggero fruscio. Solleva lo sguardo e incontra un altro paio di occhi che la fissano. Questi sono però occhi inquietanti, vicini e sospettosi. Due occhietti obliqui e fessurati di un serpente dal bel colore grigio macchiettato di nero la contemplano dal basso. Giorgia istintivamente si scosta. Ma poi si impone di stare tranquilla e osservare bene l'aspide. Ha la testa triangolare? è una vipera? Le sembra proprio di sì.

Trattiene l'istinto di scappare. Meglio stare ferma. Gli animali si sconcertano di fronte a un corpo immobile. Non sanno che decisione prendere e si risolvono alla fuga. Curioso che la serpe la osservi piegando leggermente la testolina come farebbe un cane. Non sembra spaventata, ma nemmeno pronta ad aggredire. Non tira fuori la lingua biforcuta in segno di minaccia. Se ne sta a metà con la testa sollevata, ferma, fermissima, a guardarla come se avesse davanti una creatura molto strana e cercasse di capire se costituisce un pericolo oppure no.

Giorgia ripensa a quello che ha letto nel libretto di Gennaro Finamore sui ciarmatori di serpenti. Le persone "ciarmate", dice Finamore, possono fermare una serpe soltanto pronunciando a voce alta *"fèrmete, bellucce!"*

Prova a mormorare quella formula magica *"fèrmete bellucce!"*. Le piace l'idea di una offerta di amicizia alla vipera: *"Bella, bellella, bellucce, bellulille"* dice a fior di labbra e vede che la vipera, con mosse morbide e sinuose, si gira su se stessa e lentamente, scivolando aggraziata sulle foglie morte, si allontana.

"Intorno all'anno Mille la leggenda del vecchio Marso rivive cristianeggiata" scrive Finamore. Il culto del serpente, legato all'antichissima dea Circe, e forse anche alla sorella di lei, Angizia, altra divinità arcaica dei popoli pre-romani, viene trasformato dalla Chiesa medievale nel culto di san Domenico.

Domenico di Sora era un monaco che credeva nell'ascesi e nell'isolamento. Ma dovunque andasse, raccontano le leggende, veniva raggiunto da folle di persone che gli chiedevano consigli, guarigioni, perfino miracoli. Era infatti circolata la voce che avesse trasformato delle serpi in pesci. E così lui, invece di ritirarsi in una grotta e vivere di preghiere come avrebbe voluto, si trasformò, per accontentare i suoi fedeli, in un fattivo costruttore di monasteri. Ne fondò diversi, in Lazio e in Abruzzo.

La piccola cittadina abruzzese di Cocullo gli dedica ogni anno una giornata popolata di serpenti. La statua del santo viene avvolta in festoni di rettili vivi e la processione procede con fanfare e trombe accompagnata da montagne di aspidi striscianti.

"Nel dì della festa corrono i fedeli da ogni parte d'Abruzzo e da più oltre. Le serpi sono miti, come animali domestici, si lasciano prendere, senza mordere, i più grossi portati dinnanzi all'altare girano per la chiesa senza fare male ad alcuno. Nella processione i contadini li portano addosso e la statua del santo n'è coperta."

Ma come aveva trasformato le serpi in pesci, si diceva che san Domenico era anche capace di fare il contrario. Si racconta infatti di una sua fedele che gli mandò in dono cinque grossi pesci del lago del Fucino. Il messo che doveva consegnare i pesci a Domenico, ne lasciò due a casa per la sua cena e consegnò gli altri al monaco. Che però appena lo vide arrivare gli disse: «Figliolo perché hai diminuito il dono?». L'altro negò ogni addebito. Allora il santo soggiunse: «Vai pure a casa, troverai un regalo». Il messo tornò a casa e andò a prendere il sacchetto dove aveva chiuso i due pesci. Ma, apertolo, scoprì che erano diventati due serpenti vivi che lo rincorsero per tutta la casa. Spaventato tornò dal santo e gli confessò il peccato.

Giorgia si guarda intorno assaporando il silenzio del bosco. Che non è mai un silenzio pacifico ma contiene in sé qualcosa di grave, di inquietante. La vipera è sparita in mezzo ai massi. I grossi faggi, in questa zona, sembrano crescere direttamente dalla carne viva della pietra. Le radici si fanno largo fra le spaccature dei sassi con una forza visibile nelle vene del legno che sono forti e nodose e in rilievo. A volte, l'albero, trovando il suo sviluppo impedito da un macigno, lo abbraccia e lo incorpora e lo ingoia dando proprio l'impressione di essere tutt'uno con la roccia.

Perché il serpente fa scandalo? «Nella sua semplicità è pieno di mistero» sente la voce di P. che le parla nell'orecchio «incarna quello che è incomprensibile in noi: la tentazione inspiegabile, l'attrazione del buio... col suo corpo lungo e snodato appare all'improvviso per sparire subito dopo, capisci... rappresenta la morte che arriva improvvisa da una spaccatura della terra, per poi scomparire... è femmina e maschio insieme, gemello di se stesso... un essere primordiale privo di ossa che sparisce e rinasce fuori dal nostro controllo.»

Rivede la faccia luminosa e ilare del giovane amico. Aveva tanta voglia di vivere. Si innamorava ogni giorno di una donna nuova. Ma rifiutava di prendere precauzioni. Giocava con i demoni del desiderio sessuale, senza freni e senza cautele. Si era lasciato incantare da quella piccola testa triangolare che tintinnava come una sonagliera. Pensava che l'azzardo lo avrebbe salvato dal veleno. E invece, con una minuscola acrobazia di grande eleganza, la "tentazione inspiegabile" si era rivoltata e lo aveva punto con la lingua biforcuta. E lui, come nelle fiabe africane, aveva fatto tre passi ed era stramazzato per terra, mentre il suo corpo si trasformava in sasso nero.

Storie di monaci abruzzesi

Giorgia si infila nel letto dell'albergo dalle lenzuola che sanno di detersivo. Ha due libri con sé. Ne apre uno ma si accorge che le pagine sono opache, i caratteri non si distinguono. Gira gli occhi verso la lampada di ferro battuto posata sul comodino. La luce è fioca, lunare. Basterebbe questo per capire che l'Italia non è un paese di lettori. In tutti gli alberghi succede la stessa cosa. Le lampadine da comodino non sono fatte per leggere ma per guardare l'ora sulla sveglia o al massimo per trovare il bicchiere con la mano addormentata.

Prova a staccare il paralume di stoffa dalle perline rosa, ma è avvitato al di sotto della lampadina. Allora si rialza. Spegne la luce del comodino. Accende la lampada centrale. Con un asciugamano in mano per non scottarsi, svita la lampadina, cerca di tirare a sé il paralume rosso cupo, ma non ci riesce. Sembra saldato. Prova con il tacco della scarpa a dare due colpi. Finalmente il paralume arrugginito si stacca. Lo appoggia sulla mensola, posa l'asciugamano in bagno, riavvita la lampadina e torna a letto dopo avere spento la luce centrale.

Il libro, delizioso, di Gennaro Finamore racconta storie di monaci in Abruzzo. Giorgia lo apre, si accosta col cuscino alla fioca lampadina e prende a leggere.

"Un contadino andò in fiera a comprare un asino..."

Il suo pensiero viaggia con le parole. Gli basta una piccola spinta per incamminarsi da solo come se fosse su una strada in discesa. Vede il contadino che si avvia verso la fiera. Porta i pantaloni stretti sotto il ginocchio. Indossa una camicia pulita e stirata di fresco che tira ai polsi. Sembra essersi accorciata e ristretta su quel corpo di giovane uomo sposato da appena un anno che mangia regolarmente, dorme abbracciato alla sua donna e fa l'amore una volta alla settimana, forse il sabato. Il corpo risente di questa nuova vita, così diversa da quella del ragazzo magrissimo a cui fino a un anno fa si potevano contare le costole sotto la canottiera. Porta una camicia giallina, un giubbetto di pelle, stinto e liso, color castagna appartenuto a suo padre e prima di lui a suo nonno. In testa un berretto malandato, anche quello proprietà di famiglia da forse una trentina d'anni.

Giorgia ripensa a suo nonno, lo scultore gentile e spietato che la rimproverava continuamente. Quando andava a fargli visita dal collegio dove l'avevano chiusa per "imparare l'educazione", lo trovava tutto vestito di bianco intento a curare le dalie che erano la sua passione. Dalie gialle, rosa, bianche, dalla corolla gonfia come la testa di un gatto. Su cui lui si chinava con le mani lentigginose parlando loro amorosamente: «Ora vi tolgo qualche insetto, vi pulisco ben bene, avete sete? se avete sete vi do dell'acqua fresca, ma poi fate le brave, dormite».

Quando scorgeva la nipotina, strizzava gli occhi grandi color nocciola e la apostrofava con ironia: «A quest'ora ti alzi piccola perdigiorno? avvicinati che ti insegno qualcosa sulle dalie». E quando si avvicinava l'afferrava per un braccio. Aveva mani di ferro e unghie sempre curate, su cui passava lo smalto trasparente. «Sei proprio brutta. Non capisco perché non hai preso da tua nonna che era bellissima. Hai la plica mongolica. Un vero difetto della natura. Tua nonna non aveva la plica mongolica. Ma mangi per lo meno? sei troppo magra, sembri un serpente non una bambina.»

Le fantasie si incrociano ai ricordi mentre legge. Il nonno si allontana brontolando mentre lo sguardo si sposta sul dorso del contadino che si dirige verso la valle.

Ma cosa va a fare il contadino alla fiera?

Cosa fa il contadino che va alla fiera, come suggerisce Finamore? Cammina sotto il sole abruzzese, in una giornata primaverile. Ogni tanto si tocca la tasca interna del giubbetto dove tiene i soldi che ha messo da parte faticosamente per comprare l'asino. Non può continuare a mandare la giovane moglie a prendere l'acqua al pozzo che è distante due chilometri da casa. Anche se Adelina non ha mai protestato, a dire la verità. Ha un modo di prendere su l'orcio, di appoggiarselo sulla testa, che è elegante e veloce nello stesso tempo. Gli piace vederla partire con la cuccuma di rame sulla testa. Gli piace guardarla mentre arrotola la tela grezza per farne un cuscinetto e poi ci appoggia la cuccuma e si aggiusta su una gamba e sull'altra per trovare l'equilibrio. La cuccuma non è mai vuota. Dentro ci sta il vino della loro vigna che lungo la strada Adelina lascerà dalla suocera, per proseguire fino al pozzo e tornare con l'acqua.

Finora Adelina è andata tutti i giorni alla fonte senza lamentarsi. Ma domani chissà. E comunque se ci sono i soldi sarà meglio prenderlo questo asino. Non solo per l'acqua, ma anche per il carbone, che bisogna andare a caricare in fondo al paese, e per la legna che ogni tre giorni bisogna raccogliere ai margini del bosco.

Giorgia cammina con il giovane contadino. Entra nella sua testa, ne annusa i pensieri. È questo il piacere perverso della lettura? entrare nella testa e nel corpo di uno sconosciuto, tastarne lo spirito, carpirne i pensieri? provare quali sapori ha in bocca?

Il contadino a cui Finamore non dà un nome ma che lei chiamerà Bastiano, si guarda intorno. La strada sterrata si srotola sotto i piedi allenati al cammino. Com'è bella questa mattinata! Finamore non dice da dove viene il contadino. Ma Giorgia gli trova subito una casa. Immagina che abiti a Gioia dei Marsi, piccolo paese che lei conosce bene, distrutto dal terremoto del 1915. Ma allora, ai primi dell'Ottocento, il paese era ancora florido e produttivo. Ci vivevano un centinaio di pastori che producevano latte e lana. Col latte ci facevano le forme di pecorino che vendevano una volta al mese alla fiera sul lago, in fondo alla valle. Così anche la lana, che era molto rinomata. La grassa lana abruzzese per cui venivano fin dalla Toscana.

Giorgia osserva la valle che ha visto tante volte scendendo verso Avezzano in macchina, con gli occhi del contadino che va a comprare l'asino alla fiera. La strada bianca si svolge a grandi curve verso il lago che si intravede dietro i faggi, di un blu argento, con striature rossastre. I tornanti regolari e dolci si susseguono con ondulazioni morbide, sempre più giù, fino alle pendici del monte...

Il lago oggi non c'è più. È stato prosciugato nella seconda metà dell'Ottocento dal principe Torlonia, per farne campi da arare. Il clima è cambiato da allora. Si dice che sul lago crescessero gli ulivi e i mandorli, mentre adesso è una piana fertile dove vengono coltivati, su campi ben concimati e pasciuti, lattughe, scarole, indivie, patate (le buonissime patate a pasta gialla), carciofi e carote. Ma l'incantesimo del lago si è perduto.

Giorgia l'ha immaginato tante volte quel lago che riempiva la valle e doveva essere uno spettacolo soprattutto visto dall'alto. In qualche mattinata calda, d'estate, quando la valle si riempie di un vapore bianco e spumoso, ha avuto l'impressione che il lago fosse di nuovo lì. Le è successo di fermarsi lungo la strada che da Gioia vecchio porta verso Pescina ammirando la distesa bianca, gonfia e leggera di stracci nebbiosi, sognando che fosse tornato il lago di un tempo, che allietasse con le sue sponde vaporose e azzurrine il margine dei monti.

Ma intanto Bastiano è arrivato al fondovalle. È un po' stanco e affamato. Ma appena comincia a percepire i suoni della fiera di Venere si sente di nuovo in forze. Un insieme di versi animaleschi, muggiti, belati, lo scalpicciare dei cavalli, e poi il suono di una tromba, di un organetto e il vocio delle persone che chiacchierano, contrattano, ridono, scherzano sembra dargli il benvenuto nella valle.

Ad una svolta, ecco, vede la fiera: è lì davanti agli occhi con il suo brulichio di gente colorata, la polvere sollevata da tanti piedi che aleggia sopra la testa della gente, i banchetti con la merce esposta, i recinti improvvisati per gli animali in vendita.

Il primo essere umano che incontra è una vecchia seduta su un tronco ritorto che vende fichi secchi. Sono fichi grossi, gonfi, ricoperti di zucchero in polvere. Dicono che i fichi seccati sotto i letti dei vecchi conservino un leggero odore di orina. Ma dicono anche che siano i più buoni fichi del mondo. Li stendono sotto i letti per non farli diventare scuri. Infatti mantengono un magnifico color panna. Sono fichi albini, si dice Bastiano, contento per la sua prontezza linguistica.

Quasi quasi ne compro una manciata da portare ad Adelina, si propone. Ma no, prima bisogna comprare l'asino e poi, se rimangono dei soldi, penserà ai fichi. Per questo si allontana dalla vecchia che gli manda due maledizioni perché ha annusato i suoi fichi ma non ha voluto comprarne neanche uno.

Ormai è dentro la folla. C'è gente che urla per attirare l'attenzione sulla merce in offerta. Un uomo vende selle da cavallo. Un altro esibisce cinture per le belle donne. Dice proprio così: «Cinture per le belle donne. Non avvicinatevi donne brutte, perché non ve le vendo». La gente ride passandogli vicino. Chissà se Adelina amerebbe una bella cintura damascata?

Ma ora si ferma a bocca aperta di fronte a un uomo che porta in testa un cappellino rosso e tiene al guinzaglio un orso dal muso chiuso in una gabbietta di pelle. «Da dove viene quell'orso?» gli chiede mentre si gratta la testa pensoso. A Gioia se ne vedono parecchi di orsi. Ma dal pelo così lucido e il muso così grosso no. E poi questo sta in piedi, come un esperto pugile. «Venghino, venghino» dice l'uomo che ha una voce bassa e roca «a chi vince il premio regalo un sacco di patate!» Per terra infatti giacciono tre sacchi di patate. L'uomo ha creato un piccolo spazio recintato con pietre prese lungo il fiume e ha formato un anfiteatro dove si trovano l'orso e lo sfidante.

Un ragazzo si avvicina timoroso all'orso. Lo guarda bene bene negli occhi. La bestia non ha l'aria bellicosa. Se ne sta in piedi, con le zampe anteriori calzate da due guantoni di pelle logora e guarda davanti a sé con occhi spenti. Il ragazzo prende a lanciargli dei pugni cattivi, sul muso. L'orso lo lascia fare. Sembra stanco e non voglioso di battersi. Ma poi, ad un cenno del suo padrone, lancia in avanti una zampa e con un colpo solo manda a terra il suo giovane avversario. Il quale si alza, si mette in posizione di combattimento. Ma non fa in tempo ad allungare un pugno che l'orso lo prende a musate e lo fa ruzzolare a gambe per aria.

Bastiano avrebbe quasi voglia di provare anche lui. Dagli orsi si è sempre tenuto alla larga. Sono animali pericolosi, come gli hanno insegnato a casa, soprattutto quando vengono sfidati. Ma questo sembra un vecchio orso addomesticato che agisce come un burattino agli ordini del padrone e lui pensa di sapere come metterlo a posto. Ma poi l'idea del compito che si è preso lo dissuade. Ora devo andare a trovare l'asino, poi si vedrà, si dice tastando i denari che tiene nella tasca del giubbetto.

Giorgia sente gli occhi che bruciano per il sonno. Eppure non riesce ad addormentarsi. Domattina dovrà alzarsi presto e fare un centinaio di chilometri in treno per raggiungere la città di V. dove l'aspettano per un incontro col pubblico. Chissà se riuscirà a parlare di libri con convinzione. Chissà se riuscirà a convincere i ragazzi che leggere è un piacere, non un dovere. Che la vita senza lettura è una noia mortale.

Fa l'orecchio alla pagina, chiude il libro e spegne la luce. Dalla bocca le escono dei piccoli sospiri corti e profondi. Chissà perché il passaggio dalla veglia al sonno è sempre così complicato per lei. Una volta ha provato pure a contare le pecore. Ma è troppo monotono. Se invece segue le immagini di quello che sta leggendo, riesce a un certo punto ad addormentarsi. Ma non sempre ha successo. È stancante inseguire i personaggi provando a entrare nelle loro ombre senza riuscirci. Perciò alla fine, spossata, decide di prendere un tranquillante per dormire almeno un paio di ore.

Le succede invece spesso di rivoltarsi nel letto, nonostante il sonnifero e allora riaccende la luce e riprende a leggere. Il rapporto della sua testa col cuscino è altalenante e difficile. Come se il cuscino la prendesse in giro, la punzecchiasse impedendole di prendere sonno. Che fai qui, tonta, con quella faccia gonfia di sonno? non lo sai che i cuscini sono fatti per volare, non per dormire? Così le sussurra il cuscino divertito e invece di offrirle la morbidezza del suo ripieno, la mette a contatto con punzoni e spini, come se la federa fosse imbottita di arbusti ed erba secca.

Anche questa notte Giorgia non riesce a prendere sonno. Perciò riaccende la luce sul comodino, apre il libro e ricomincia a leggere del pastore Bastiano. Ma dove l'ha lasciato? Alla fiera, certo. E invece lo trova che cammina sulla strada sterrata, verso il tramonto, con l'asino appena comprato alla cavezza.

Cammina cammina... Avrebbe voglia di chiedergli quanto gli è costato quell'asino di un grigio azzurrognolo che avanza compunto sulle zampe magre. Ha il muso dolce, di un nero lucido e le orecchie particolarmente lunghe con cui si scaccia pazientemente le mosche.

Vorrebbe chiedergli se ha poi provato a fare a pugni con l'orso, se ha comprato i fichi secchi bianchi e gonfi per la sua Adelina, ma proprio mentre sta per domandarglielo si accorge che dietro, sulla strada, ci sono due monaci che lo stanno raggiungendo a passi felpati, senza fare rumore, come per coglierlo di sorpresa. Cosa vorranno? e perché si avvicinano a Bastiano con tanta cautela?

"Uno dei due levò la cavezza dell'asino e se la mise addosso" scrive Finamore.

Bastiano che è tutto preso dai conti delle spese fatte non si accorge di quella sostituzione. Continua a tendere la corda, e va avanti senza voltarsi.

L'altro monaco intanto tira piano piano l'asino e lo trascina fra gli alberi senza fare rumore.

Quando Bastiano si volta e vede il monaco al posto dell'asino, prende un grande spavento. Non riesce neanche ad aprire la bocca per parlare. Solo quando si rende conto che l'altro gli sorride complice, la lingua gli torna libera e chiede smarrito «e il mio asino?».

Il monaco lo guarda sornione e gli risponde, non prima di essersi grattato le orecchie con un moncone avvolto in uno straccio.

«Fratello, non ti angustiare. Avevo la penitenza di essere asino per un anno. Giusto in questo momento ho finito la penitenza e sono ridiventato monaco.»

«Aspetta che ora ti libero» dice Bastiano, senza dubitare un momento della storia. Ritira la cavezza, arrotola la fune guardandoselo bene. E poi dice piano, quasi fra sé: «Certo come asino eri meglio». E quasi si mette a piangere per i soldi andati in fumo. È vero che il Signore a volte fa degli scherzi proprio barbini. Cosa dirà a sua moglie

Adelina che ha contribuito con tanta tenacia a risparmiare quei soldi? Hanno rinunciato perfino ai ceci coperti di zucchero per il matrimonio. Hanno rinunciato al viaggio di nozze a Roma, dove pensavano di ricevere la benedizione del papa dalla finestra del Vaticano, hanno rinunciato all'anello d'oro, ché quello che porta al dito è di rame. E ora?

Ora Adelina riprenderà a riempire l'orcio. Da casa al pozzo, dal pozzo a casa. E i sacchi di patate e il carbone toccherà a lui issarli sulla carriola e trascinarli, come fosse lui l'asino. Però l'animale non aveva la zampa ferita, si dice Bastiano osservando il moncherino del monaco avvolto in sudici stracci.

«Come ti sei fatto male alla mano?» gli chiede sospettoso.

Il monaco che già stava per scappare via, si ferma un attimo per rispondere con aria contrita: «La mano l'ho lasciata in una tagliola per lupi. Addio pastore, e che Dio ti benedica!».

Bastiano fa per aggiungere qualche domanda. Come ha fatto a mettere la mano nella tagliola per i lupi? e com'è che non gliel'ha tagliata di netto? Ma il monaco con due salti è sparito in mezzo alla macchia. Sarà per questa sua impertinenza di carattere che gli hanno dato la penitenza di diventare asino, si dice. Ma che sfortuna che sia toccato a lui un monaco in piena penitenza! Chissà se chi gliel'ha venduto lo sapeva e lo ha imbrogliato!

A questo punto Giorgia la sognatrice è stata assalita dal sonno. Gli occhi si sono chiusi da soli e il libro le è caduto da una parte sul lenzuolo sgualcito.

Indice

Finito di stampare nell'agosto 2010 presso
il Nuovo Istituto Italiano d'Arti Grafiche - Bergamo
Printed in Italy

DP 0095012865

LA RAGAZZA DI
VIA MAQUEDA

MARAINI DACIA

BUR
RCS LIBRI

ISBN 978-88-17-04422-6